CANTIGAS DE SANTA MARIA

Cantigas 1 a 100
I

clásicos castalia

ALFONSO X, el SABIO

CANTIGAS DE SANTA MARÍA

Cantigas 1 a 100

I

Edición,
introducción y notas
de

WALTER METTMANN

Madrid

Zurbano, 39 - 28010 Madrid - Tel. 419 58 57

Cubierta de Víctor Sanz

Impreso en España - Printed in Spain
Unigraf, S. A. Fuenlabrada (Madrid)

I.S.B.N.: 84-7039-440-1 (Obra completa)
I.S.B.N.: 84-7039-441-X (Volumen I)
Depósito Legal: M. 22.072-1986

SUMARIO

INTRODUCCIÓN

De las 420 *Cantigas de Santa Maria,* que constituyen el cancionero mariano más rico de la Edad Media, 356 son narrativas y relatan milagros de la Virgen; las demás, con la excepción de una introducción y dos prólogos, son *de loor* o se refieren a festividades marianas o cristológicas.[1] Salvo el poema introductorio, todas están acompañadas de melodías. Había sido, además, la intención del regio autor hacer representar en dos de los códices, *T* y *F,* el contenido de las cantigas narrativas por medio de unas 2.640 miniaturas, de las cuales casi los dos tercios llegaron a ejecutarse. La variedad de las formas métricas, que los autores manejan con gran virtuosidad, es extraordinaria, lo que vale sobre todo para las 64 cantigas no narrativas, que muestran 53 combinaciones distintas.

Para llegar a una valoración adecuada de la obra, que Menéndez y Pelayo ha caracterizado, con una expresión muy feliz, de "Biblia estética del siglo XIII", hace falta la colaboración de especialistas de distintas disciplinas. La música de las *Cantigas* ha sido objeto de estudios extensos. Mientras que el orientalista Julián Ribera, en 1922, no había conseguido la adhesión de los musicólogos a su tesis del origen árabe de las melodías, el mejor especialista en este campo, Higinio Anglés, en una serie de trabajos que culminaron en una monografía de tres volúmenes, pudo demostrar la relación estrecha que existe entre la música

[1] Para más detalles, véase abajo, pp. 21 y ss.

de las *Cantigas* y la coetánea europea que se nos presenta con especial riqueza en Francia, en el ámbito de Saint Martial de Limoges. A juicio del musicólogo catalán, las *Cantigas de Santa Maria* constituyen "el repertorio musical más importante de Europa por lo que se refiere a la lírica medieval".[2] Algo análogo puede decirse de las miniaturas que, según la opinión de los especialistas, muestran un grado de perfección hasta entonces no alcanzado en España. Su valor artístico y la importancia que tienen para la historia de la cultura por el detalle con que se representan las facetas más variadas de la vida diaria han sido apreciados en el estudio fundamental de José Guerrero Lovillo. La magnífica edición facsímil del "Códice rico", que acaba de publicarse, suministra la base para investigaciones ulteriores en este sentido. Por haberse logrado en ellas un perfecto equilibrio entre texto, melodías y pintura ocupan las *Cantigas de Santa Maria* un lugar privilegiado en la literatura medieval, y no cabe duda de que para su regio 'autor', el "fazer sões" y el "pintar" (ctg. 377) no eran de menor importancia que el "contar", "trobar" y "rimar". Huelga subrayar el rango que en la historia de la espiritualidad les corresponde a las *Cantigas* como al monumento literario más destacado del culto mariano en la Península Ibérica, su interés para la historia de la métrica y, finalmente, su importancia como una de las fuentes más ricas del galaico-portugués antiguo.

Dentro de la ingente producción científica y literaria planeada y hasta cierto punto dirigida por el rey ocupa la colección de las *Cantigas* un lugar aparte, y eso por varias razones. Dejando a un lado la traducción del *Libro de Calila e Dimna,* el *Libro de ajedrez, dados y tablas* y las pocas cantigas profanas, es la única obra que no está dedicada a temas históricos, jurídicos o astronómico-astrológicos; es la única que no está escrita en español, y es, sobre todo, la obra que tiene más carácter personal. Mientras

[2] *La música,* II, p. 11; *ibid.*, p. IX: "Ninguna nación ha podido hasta aquí ofrecer una colección tan rica en consecuencias prácticas para la investigación científica del folklore musical europeo."

que en los escritos científicos, históricos y legales la presencia del regio mecenas y organizador se deja entrever solamente a través de una que otra observación ocasional, son muy frecuentes en las *Cantigas* las referencias a la persona del monarca, y van aumentando al progresar la obra. En algunas cantigas Alfonso habla de sí en primera persona, nos hace asistir a acontecimientos alegres o dolorosos de su vida, cuenta de sus enfermedades, de sus dificultades políticas, de sus éxitos y de sus fracasos, de la traición cuya víctima ha sido, pero también de hechos triviales y al mismo tiempo íntimos, como de una comadreja (*donezỹa*) con que solía divertirse (ctg. 354). Menciona a sus padres, Fernando y Beatriz, a su hermano Don Fadrique, a personas de su corte.

La colección de las *Cantigas* ha acompañado al monarca durante largos años de su vida y hasta su muerte. En cuánta estima la tenía lo demuestra no solamente el lujo extraordinario con que han sido adornados dos de los manuscritos. Cuando yace enfermo y en trance de morir en Vitoria y el arte de los médicos ya no le puede procurar alivio, manda que le pongan encima, en vez de paños calientes, "o livro das cantigas de Santa Maria", por cuyo poder milagroso recobra la salud (ctg. 209). Pocas semanas antes de su muerte dispone en un segundo testamento "que todos los libros de los Cantares de loor de Sancta María sean todos en aquella iglesia do nuestro cuerpo se enterrare". [3]

Como legislador e iniciador de obras jurídicas sigue Alfonso las huellas de su padre, realizando empresas planeadas o comenzadas por éste, y es muy probable que también en el campo de la poesía el ejemplo de Fernando el Santo le haya servido de estímulo. Como relata el hijo en el *Setenario* y como lo sabemos también por otras fuentes, el Rey Fernando fue un mecenas para los juglares que frecuentaban la corte castellana, y su profunda devoción a la Virgen se menciona en tres cantigas (122, 221, 292). Modelos para una poesía marial en lengua vernácula existían

[3] J. Sánchez Pérez, *Alfonso el Sabio*, Madrid, sin año, p. 334.

ya en Provenza y en Francia, y no cabe duda de que algunos de ellos eran conocidos del rey y de sus colaboradores. A partir del siglo XI se componen en Inglaterra y en Francia en número creciente colecciones de milagros en prosa latina, atribuidos sobre todo a Santa María. Los primeros cuentos en verso, también en latín, aparecen en la primera mitad del siglo siguiente. La más antigua colección de leyendas marianas en una lengua vernácula son 38 milagros del clérigo londinense Adgar, que escribe en dialecto anglo-normando (último decenio del siglo XII). Más numerosos y de mayor importancia artística son los *Miracles de Nostre Dame* de Gautier de Coinci (1177-1236), prior de Vic-sur-Aisne en el norte de Francia, escritos un poco más tarde. En España, por fin, Gonzalo de Berceo rima, hacia la mitad del siglo XIII (aproximadamente 1240-1250), sus *Milagros de Nuestra Señora.*

Mientras que hasta ahora no se han podido encontrar pruebas concluyentes de que los autores de las *Cantigas* hayan utilizado como fuente los *Milagros* del monje riojano, está fuera de duda que conocían la obra de Gautier de Coinci. Esta no solamente les ha servido de modelo en el caso particular de varias cantigas,[4] sino es muy probable que haya sugerido el plan general de la colección alfonsina, pues también Gautier mezcla cantigas *de milagro* con otras *de loor,* y en algunos manuscritos de los *Miracles* no faltan ni miniaturas ni melodías. Las *Cantigas de Santa Maria* se distinguen, sin embargo, en varios aspectos de las colecciones mencionadas. En primer lugar por su dimensión, por el número de milagros: 356, frente a 26 en Berceo, 38 en Adgar, 59 en Gautier. Es verdad que los milagros de Gautier son normalmente más largos que los de Alfonso. Son, además, especialmente notables el virtuosismo métrico, como ya se ha dicho, la artificiosa estructura de la obra, basada en los números cinco y diez, y, por

[4] T. Marullo, "Osservazioni sulle *Cantigas* di Alfonso X e sui *Miracles*" di Gautier de Coincy. *Archivum Romanicum,* 18 (1934), 495-540.

fin, el hecho de que los poemas en su totalidad han sido puestos en música y adornados con miniaturas.

Las cantigas de milagros pueden dividirse, según su procedencia y el escenario de los hechos que se relatan, en tres grandes grupos. El primero encierra milagros marianos divulgados por todo el occidente cristiano. Entre las a veces voluminosas colecciones latinas que transmiten este tesoro de leyendas, una de las más importantes se halla en el *Speculum historiale* de Vicente de Beauvais (muerto en 1264). Coetáneo del rey y autor de un *Liber Mariae* fue fray Gil de Zamora, quien pudo ayudar en el acarreo de los temas de las *Cantigas.* Algunas de estas colecciones reúnen milagros localizados en determinados santuarios, sobre todo franceses, como Soissons, Laon, Chartres, Rocamadour. Las correspondencias entre estos relatos y las *Cantigas* son frecuentes, pero sólo en muy pocos casos es posible descubrir la fuente exacta.

Un segundo grupo lo constituyen leyendas relacionadas con santuarios de la Península. Los que se nombran con mayor frecuencia son Santa María de Salas (Provincia de Huesca),[5] Santa María de Vila Sirga (Villasirga, Palencia, en el Camino Francés), Montserrat (en Cataluña), Terena (en el bajo Guadiana), cuya fama, según muestran los lugares de procedencia de los romeros, parece no haber ido más allá de las cercanías, y Santa Maria do Porto (Puerto de Santa María, en la Bahía de Cádiz).[6] Las veintitrés cantigas que narran milagros ocurridos en el Puerto, y que figuran todas en el último cuarto de la colección, son de especial interés al permitirnos seguir en sus detalles el proceso de formación de las leyendas, que coincidió más o menos con la elaboración de las cantigas correspondientes. El lugar fue definitivamente incorporado al dominio cristiano por el mismo Alfonso, después de haber sido con-

[5] P. Aguado Bleye, *Santa María de Salas en el siglo XIII: Estudio sobre algunas cantigas de Alfonso el Sabio.* Bilbao, 1916.

[6] J. T. Snow, "A Chapter in Alfonso X's Personal Narrative: The Puerto de Santa María Poems in the *Cantigas de Santa Maria*". *La Corónica,* 8 (1979), 10-21.

quistado una primera vez por Fernando III. En la cantiga 328 se cuenta cómo el primitivo nombre árabe Alcanate es sustituido por la nueva designación. Dos cantigas (358, 365) se refieren a la construcción, por iniciativa del Rey, de una iglesia en honor de Santa María. Entre los milagros de los grupos primero y segundo se da en algunos casos una afinidad temática por el hecho de que leyendas de difusión europea han sido atribuidas posteriormente a un santuario español (por ejemplo en el caso de las cantigas 36 y 312). Las fuentes de los poemas en que se mencionan santuarios nacionales eran en parte escritas (347.6 "ond' un gran livro é chẽo"), en parte orales.

Tenemos finalmente un tercer grupo de veinticinco composiciones que relatan acontecimientos milagrosos sucedidos al Rey mismo, a miembros de su familia o a personas de su séquito, algunas de las cuales son notables por su carácter autobiográfico. A veces se refieren también a santuarios españoles, sobre todo a Santa María del Puerto. En la medida que aumentaba el número de las cantigas, tuvo lugar un desplazamiento del centro de interés de lo internacional a lo nacional y lo personal, según se desprende del siguiente cuadro:

Ctgs.	Milagros	intern.[7]	nacion.	(person.)
1 - 100	89	75	14	(1)
101 - 200	90	46	44	(3)
201 - 300	90	36	54	(8)
301 - 427	87	19	68	(13)

Se han propuesto varias clasificaciones de las *Cantigas* por temas.[8] Ninguna es enteramente satisfactoria, y el interés que ofrecen es muy limitado por tratarse aquí en la mayoría de los casos de adaptaciones de versiones preexistentes, sin ninguna originalidad en cuanto a lo temático.

[7] Se incluyen aquí las pocas cantigas que no pueden localizarse.
[8] La última es la propuesta por J. Montoya Martínez, *Las colecciones de milagros de la Virgen*, 118-123.

Es, en cambio, atrayente seguir la transmisión y el desarrollo de un tema a través de los siglos y de las literaturas, por ejemplo el de la monja cuya huida del monasterio queda inadvertida porque María toma su figura y sigue desempeñando las funciones de la culpable,[9] o el del monje que cae en un sueño de trescientos años cuando está meditando sobre las glorias del Paraíso.[10] La gran mayoría de los temas de las *Cantigas* se deja reducir a unas pocas situaciones básicas como lo son socorro en la enfermedad y en peligros, punición de delincuentes, premio a la virtud y al culto de la Virgen. Mientras que en su forma más sencilla las cantigas se limitan al relato escueto de un hecho, hay otras que cuentan con detalles los antecedentes y las circunstancias o narran leyendas de acción complicada, aproximándose a formas novelescas, como por ejemplo en el caso de la leyenda de *Crescentia* (ctg. 5).

La estructura de los poemas narrativos se conserva, con pocas excepciones, invariable, y a esta uniformidad contribuye la predominancia (más del 90 %) de la forma del virelai. El estribillo inicial, repetido después de cada estrofa, presenta la idea directriz, la lección que hay que sacar y que muchas veces se condensa en forma de una locución proverbial o de una sentencia. El estribillo puede ser desarrollado y glosado en la primera estrofa. En esta o, según el caso, en la segunda o hasta tercera estrofa se dan normalmente indicaciones más o menos concretas sobre el lugar y el tiempo, y otras, siempre vagas, sobre la fuente ("com' aprendo", "com' a estoria diz"),[11] y se nombran las personas implicadas en los sucesos. Desviaciones de este esquema básico se hacen cada vez más raras con el crecimiento de la colección. En algunos poemas se abusa de frases hechas y de muletillas, cuya única finalidad es com-

[9] Sobre la leyenda de *Sor Beatriz* (ctgs. 55, 94, 285), véase R. Guiette, *La Légende de la Sacristine.* París, 1927.

[10] J. Filgueira Valverde, La Cantiga CIII: *Noción del tiempo y gozo eterno en la narrativa medieval.* Santiago de Compostela, 1936.

[11] Para una lista completa de estas fórmulas véase W. Mettmann, *Zum Stil der 'Cantigas de Santa Maria'* (II), 383-385.

pletar el verso u obtener una rima. Estereotipadas son también las fórmulas de transición ("Desto quero contar", etcétera).[12] El valor artístico de las cantigas narrativas es muy desigual, lo que, en parte, se puede explicar por la pluralidad de autores. Al lado de composiciones donde el encanto de las leyendas es reforzado por una narración hábil y vivaz y la soltura de los diálogos (véase por ejemplo la ctg. 64), hay otras que, como queda dicho, son productos de serie u obra de un poeta de poco talento. En el caso de las cantigas *de loor* es todavía más difícil si no imposible encontrar modelos concretos. La alabanza de la Virgen y la imploración de su ayuda han sido, en la Edad Media, objeto de un sinnúmero de poemas en lengua latina o vernácula. La poesía marial latina, que comienza a desarrollarse en el siglo XI, llega a su auge ya en la primera mitad del siglo XII. De fecha más reciente (primera mitad del siglo XIII) son las más antiguas manifestaciones en lengua provenzal.[13] El trovador Guiraut Riquier, de quien se conocen varias canciones en honor de Santa María, ha pasado un decenio (de 1270/71 a 1279) en la corte de Castilla. Todos los temas de las cantigas de loor alfonsinas, todos los epítetos, imágenes y comparaciones tienen antecedentes o paralelos en la literatura mariana anterior y contemporánea, en cuyo tesoro el Rey y sus colaboradores podían inspirarse sin seguir modelos determinados. Se puede suponer que entre los autores había clérigos, como lo demuestra su familiaridad con la liturgia y formas litúrgicas como la secuencia. La cantiga 340 imita una alborada del trovador Cadenet.[14]

Entre los 61 poemas no-narrativos de la colección (sin la Introducción y los dos Prólogos) predominan los de carácter hímnico, en que se celebra a María como auxilia-

[12] Mettmann, l.c., 381-383.

[13] D. Scheludko, *Die Marienlieder in der altprovenzalischen Lyrik.* Neuphilologische Mitteilungen, 36 (1935), 29-48; 37 (1936), 15-42.—Christiane Leube-Fey, en: *Grundriss der romanischen Literaturen des Mittelalters,* II.1, fasc. 5 (1979), 72-76.

[14] H. Spanke, en: Anglés, *La música,* III.1, 216-217.

dora, medianera y procuradora. Algunos cierran con una súplica, que ocupa la última estrofa (ctgs. 140, 150, 280, 310, 360) o que se añade en forma de un envío (ctgs. 180, 420). De las seis estrofas que tiene la cantiga 300, tres corresponden a ruegos y tres a loores. Nueve cantigas, entre ellas la larga *Pitiçon* (401), contienen únicamente súplicas (80, 100, 250, 350, 402, 406, 421, 422). Debido a la materia, las variaciones temáticas no son muy grandes. Los tópicos encomiásticos que suministraban la literatura devota y la liturgia se repiten y se parafrasean. Se explica por qué loamos o deberíamos loar a la Virgen, y se amonesta a loarla y amarla (también en forma interrogativa: "¿por qué no amáis?", ctg. 260). La imposibilidad de loar a María adecuadamente se ilustra por una serie de imágenes (ctg. 110). Un tema tradicional es la oposición entre el amor mundano y el amor de María. La Virgen es perfecta e incomparable, es la Madre de Dios y al mismo tiempo su *filla, esposa, criada, ama, amiga,* es *don' e ancela, Virgen e Madre, reÿa, emperadriz.* Nos asiste como *avogada* y *padrõa,* vence al diablo, repara las injusticias y las consecuencias de la caída de los primeros padres y nos muestra el camino derecho. Dios, los ángeles y los santos la honran. Es *lume, luz, aurora, estrela (madodinna, do mar, do dia),* y su nombre se adorna con una larga serie de epítetos *(santa, gloriosa, celestial, espiritual, corõada, bẽeita,* etc.)[15] Se celebra la misión del arcángel Gabriel (ctg. 210). Los ocho nombres, que el estribillo de la cantiga 180 presenta en forma antitética *(Vella e Minÿa, Madr' e Donzela, Pobre e Reynna, Don' e Ancela),* se comentan en sendas estrofas. Eran muy divulgadas en la literatura marial, al lado de la oposición *María / Eva* (cantiga 320), el juego de palabras *Ave - Eva* (ctg. 70) y la explicación de las cinco letras del nombre *María* (ctg. 140). La cantiga 80 consiste en una paráfrasis de la salutación angélica. Frecuentes son repeticiones en forma de letanía al comienzo (ctgs. 40, 90, 140, 240, 340, 350, 390, 406)

[15] Para un lista completa de los nombres y epítetos de María en las *Cantigs,* véase Mettmann, *Zum Stil...* (I), 305-313.

o al fin (ctg. 260) de cada estrofa, también en forma de contraste (ctg. 290; *Bẽeito seja - Maldito seja*). Cada estrofa de la cantiga 330 propone un enigma, cuya solución se da en el estribillo. Influencias de la poesía tradicional se notan en la *Cantiga das Mayas* (406), que recoge motivos de la canción primaveral, y en el estribillo del *conductus* *"Cantando e con dança"* (ctg. 409).

De especial importancia es el valor simbólico del número siete. Las dos cantigas sobre los Siete Gozos (ctg. 1), tema muy popular en la literatura medieval, y los Siete Dolores (ctg. 403, = *To* 50) siguen un esquema idéntico (ocho estrofas; una de introducción y una para cada gozo o dolor). A los siete dones del Espíritu Santo corresponden los siete dones que Dios ha dado a la Virgen (ctg. 418). Cinco cantigas celebran fiestas marianas: Nacimiento (411; *To* I), Anunciación (415, *To* II; con una paráfrasis de la salutación angélica), Concepción (413, *To* III; se emplea la imagen del rayo de luz que penetra a través del vidrio sin romperlo), Candelaria (417, *To* IV), Asunción (419, *To* V). La primera y la última se aproximan por su carácter narrativo a las cantigas *de miragres.* Una cantiga en el apéndice de *E* trata de la tríplice virginidad de María por analogía con la divina Trinidad (ctg. 414).

Las cantigas cristológicas (423-427) se refieren a la creación del mundo, la adoración de los Reyes Magos, la Resurrección (el *paschale gaudium* se manifiesta en el grito de júbilo del estribillo), la Ascensión y la Bajada del Espíritu Santo.

Se puede suponer que algunas de las cantigas, sobre todo *de loor,* eran cantadas con ocasión de festividades religiosas, lo que seguramente vale para las *Festas.* En el códice *To* se lee en una nota a la cantiga 418: "A vigia de Santa Maria d'Agosto será dita *Des quando Deus sa Madr' aos ceos levou* e no dia será dita a precisson *Bẽeita es, Maria, Filla, Madr' e criada"* (ctg. 420).

Nada indica que la obra haya llegado al conocimiento de un público más vasto, y no es posible descubrir una influencia de las *Cantigas* sobre la literatura posterior.

El problema del autor

Lo que se ha dicho a este respecto ha sido las más de las veces muy vago, si es que se ha visto aquí un problema. A lo más, los críticos se han limitado a suponer que al rey mismo sólo se le puede atribuir una parte, más o menos grande, de la obra. Algo más explícito se muestra J. Filgueira Valverde,[16] quien, después de citar el famoso pasaje, tantas veces aducido, de la *Primera Parte* (l. XVI, cap. 13) de la *General Estoria* ("... el Rey faze un libro, non porque el escriba con sus manos, mas compone las razones, e las enmienda, et yegua, e endereşça, e muestra la manera de cómo se deben fazer..."), opina: "En el cancionero marial, la labor directa del monarca es también intensa, a juzgar por la unidad estilística. Tarea de la corte sería aquí la busca de temas en colecciones e historias y su traducción, la ayuda al rey en la versificación, dándole 'recado' para cerrar las 'palabras', y la creación, acarreo y adaptación de los motivos melódicos al servicio de la poesía." Se considera, pues, muy importante la parte personal del rey al atribuirle la homogeneidad estilística de la colección. Sin embargo, aquí nos encontramos otra vez ante meras suposiciones, sin soporte en hechos concretos.

Después de haber releído repetidamente la totalidad de las *Cantigas* y adquirido así la necesaria sensibilidad respecto a matices estilísticos, a la dicción y al ritmo de los versos, hemos llegado a la convicción de que una fracción muy importante de la obra procede de una misma pluma, mientras que el resto muestra rasgos estilísticos distintivos que hacen suponer varios autores. Será, pues, una tarea urgente reunir grupos de cantigas susceptibles de ser atribuidos cada uno a un autor distinto. A este efecto habría que proceder a un riguroso análisis de la lengua, del estilo, de la técnica métrica, y combinar los resultados así obtenidos con otros indicios, por ejemplo agrupaciones de cantigas que proceden de la misma fuente y referencias explícitas

[16] *El "Códice rico" de las Cantigas,* p. 39.

del autor a una cantiga compuesta anteriormente por él (véanse las ctgs. 362 y 52, donde el poeta remite a las cantigas 35 y 48). No es éste el lugar de entrar en pormenores.

Hay que encontrar respuestas a tres preguntas: 1.º ¿Cuántos poetas han colaborado en las *Cantigas*? 2.º ¿Puede averiguarse algo sobre su identidad? 3.º ¿Cuál es la parte que le corresponde al monarca en la elaboración de la obra que nos ha sido legada bajo su nombre? ¿Se limitó su papel al de un inspirador e iniciador que aseguró el progreso de la magna empresa poniendo a la disposición de sus colaboradores los medios materiales? ¿Intervino quizá de una manera más concreta, tomando parte en la planificación, en la selección del material y en su disposición? ¿Contribuyó con poemas salidos de su propia pluma, y en caso afirmativo, en qué medida? Tengo que limitarme aquí a resumir las conclusiones, todavía muy provisionales, de unos estudios en curso. Siendo insostenible la tesis de que las *Cantigas* son una obra individual, es sin embargo probable que la mayoría de los poemas se deban a una sola persona y que el número de los autores no haya pasado la media docena. ¿Fue el rey uno de ellos?

Creo que es lícito admitir la paternidad literaria (en el sentido estricto de la palabra) del rey para las cantigas donde nos habla en primera persona de sus vivencias y deseos. Esto ocurre por primera vez en la *Petiçon que fezo el Rey a Santa Maria* (ctg. 401), con la que concluye la primitiva compilación de cien cantigas. Se puede suponer que en este largo poema haya sido ayudado por un colaborador. Sigue inmediatamente en el códice de Toledo la *Cantiga das Mayas* (ctg. 406), que presenta notables coincidencias temáticas y estilísticas con la anterior.[17] La cantiga 169 ("dun miragre que fezo Santa Maria por hũa

[17] 401.29-31 e que contra os mouros, / que terra d'Ultramar
tẽen e en Espanna / gran part' a meu pesar,
me dé poder e força / pera os en deitar.

406.40-41 que nos dé tamanna
força, que sayan / os mouros d'Espanna.

sa eigreja que é ena Arreixaca de Murça), que está intercalada en una serie de poemas que se refieren al santuario de Salas, de los que se diferencia netamente en el plano estilístico, termina con el deseo, expresado ya en las cantigas 401 y 406, de expulsar a los moros de España:

> a Virgen ... conquerrá
> Espanna e Marrocos, / e Ceta e Arcilla.

En el caso de la cantiga 180, Alfonso se limitaría a añadir los dos versos finales, que constituyen una especie de envío:

> Poren lle rogo que quer' amparar
> a mi de mal, e Leon e Castela.

En la cantiga 200 habla, entre otras cosas, de sus enfermedades y de sus enemigos:

> nas grandes enfermidades
> m'acorreu...
>
> E dos que me mal querian
> e buscavan e ordian
> deu-lles o que merecian,

En el número 209 recuerda la curación milagrosa de una enfermedad grave padecida en Vitoria. Un grito de auxilio en la enfermedad y aflicción es también la cantiga 279:

> Santa Maria, valed' ai Sennor,
> e acorred' a vosso trobador:
> que mal le vai.

En la cantiga 300 el rey se queja de nuevo de la ingratitud y de la traición, cuya víctima ha sido. Aquí es notable, además, el parecido métrico con la *cantiga d'escarnho* alfonsina "O genete / pois remete". En la cantiga 360 se repite por cuarta vez el ruego a la Virgen de que le preste su ayuda en la lucha contra los moros:

401.68 que me guardes / d'ome torp' alvardan
406.50-51 que nos defenda / d'ome mui vilão
e d'atrevud'e / de torp' alvardão.

que de Mafomet' a seita / possa eu deitar d'Espanna.

Se ve, pues, que las cantigas mencionadas, cuya paternidad creemos poder atribuir al rey, están estrechamente emparentadas entre sí por la temática y por expresiones que se repiten.

Queda una última pregunta: ¿Quién ha sido el autor principal de las *Cantigas?* Como es sabido, una mano coetánea escribió el nombre del poeta Airas Nunes en el códice *E* entre dos columnas de la cantiga 223, y hace algunos años creo que pude mostrar que las coincidencias entre los quince poemas que abarca el cancionero del poeta gallego y algunas cantigas son tan llamativas que se le puede considerar a Airas Nunes colaborador en la colección.[18] Nuevos datos que desde entonces he podido recoger van reforzando esta suposición. Creo, por tanto, que podemos partir de las siguientes hipótesis, dotadas de un suficiente grado de probabilidad:

Un poeta, de cuya identidad no sabemos nada, pero que muy bien podría ser Airas Nunes, compuso un gran número de las *Cantigas* y tal vez actuó al mismo tiempo en el *scriptorium* real de coordinador de la vasta empresa.[19] Habrá sido secundado por algún que otro trovador de los muchos que frecuentaron la corte del rey de Castilla. La aportación literaria efectiva de Alfonso se redujo a la composición de ocho o diez cantigas, que se destacan netamente de las demás por los temas y el estilo. Nunca sabremos en qué medida ha sido asistido aún aquí por un poeta 'profesional'. Está claro que no puede excluirse por completo la posibilidad de que el rey haya compuesto más poemas que los mencionados, pero esto parece poco probable.[20]

[18] "Airas Nunes, Mitautor der *'CSM'?*". *Iberorromania,* 3 (1971), 8-10.

[19] Esto explicaría al mismo tiempo que el cancionero profano de este poeta sea tan reducido.

[20] Una lista de posibles colaboradores trae Filgueira Valverde, *El "Códice rico"*, pp. 40-41.

La elaboración de las Cantigas. La fecha

Una comparación de las tres 'ediciones' de las *Cantigas,* representadas por los códices *To, E* y *T/F* (podemos considerar *T* y *F* como un manuscrito en dos tomos) lleva a un resultado inesperado: existe una relación muy estrecha entre *E* y *T/F* en cuanto a su contenido y al orden numérico de las cantigas, mientras que, por las variantes del texto, *To* y *T/F* se oponen a *E.* Un examen de las variantes muestra: 1.º que los manuscritos *To* y *T/F* están estrechamente emparentados, pero que ni *To* puede depender de *T/F,* ni *T/F* de *To;* 2.º que *To* y *T/F* ofrecen por lo general mejores lecturas que *E,* sobre todo en el aspecto métrico; 3.º que son numerosos los casos en los cuales *To* ofrece el texto más satisfactorio y corrige errores comunes de *E* y *T/F.*

Otro punto importante es el hecho de que los tres manuscritos han sido corregidos posteriormente mediante raspaduras o con anotaciones interlineales o marginales, y que estas enmiendas no proceden de la misma fuente. Pueden distinguirse las cuatro combinaciones siguientes: 1.º Los tres manuscritos han sido corregidos en el mismo sentido; 2.º *To* adopta posteriormente lecturas del grupo *E T/F;* 3.º tenemos también el caso que *E* se acomoda posteriormente al texto que *To* y *T/F* tienen en común; 4.º sólo en *To* se hacen correcciones, mientras que el texto de *E* y el de *T/F* quedan sin cambiar. Notemos que no se da una quinta combinación imaginable: la de enmiendas en *T/F* frente a *E* y *To.*

La aparente contradicción que resulta de la coexistencia de las agrupaciones *To* : *E T/F* y *E* : *To T/F* se resuelve, si suponemos las tres siguientes etapas en la elaboración de las *Cantigas:*

I. Una colección de cien cantigas, que contenía además, con toda probabilidad, la *Introducción* (A), en la cual se dice del rey que "fez *cen* cantares e sões", el *Prólogo* (*B*) y la *Pitiçon* (ctg. 401), que comienza "Macar *cen* cantares feitos acabei". [21] Su estructura era la siguiente: cantiga 1 sobre los Siete Gozos de la Virgen; cantiga 50 (que falta en *E*) sobre los Siete Dolores; cantiga 100 (= 422) sobre la intercesión de María en el Juicio Final. Cada décima cantiga era *de loor,* de manera que había 89 *miragres.* Es de suponer que los autores escribían las cantigas primero sobre hojas sueltas o *rótulos* [r^1], que después se corrigieron, ordenaron y copiaron. Este códice [To^0] está perdido, pero era seguramente idéntico con el "livro das Cantigas de Santa Maria", de cuya virtud milagrosa se habla en la cantiga 209.

II. Terminada la primera colección, se decidió duplicar el número de las cantigas y confeccionar un códice ilustrado *(T).* Se arregló el material de manera que los números 5, 15, 25, etc., correspondiesen a poemas largos, que se adornaban de dos páginas de miniaturas en vez de una sola. Esto implicaba una reordenación del material de [To^0]. La cantiga 50 (Siete Dolores) ya no tenía función en una colección de 200 poemas y fue reemplazada por otra.

III. De nuevo se quiso aumentar el número al doble, para llegar a 400 cantigas. El complemento *F* del códice *T* quedó sin embargo incompleto. Al lado de estos dos preciosos manuscritos se confeccionó el códice *E,* de presentación mucho más modesta, siguiendo el orden numérico de *T* y sirviéndose, como lo demuestran las variantes, para el núcleo primitivo no de [To^0], sino de los esbozos [r^1], seguramente porque se trabajaba simultáneamente en *T*/*F* y en *E.* Para realizar el proyecto se necesitaban 359 cantigas de milagros, pero al terminar el códice *E* faltaban algunos. [22] Se salió del apuro repitiendo siete *milagros* (373, 387, 388, 394 — 397). El manuscrito *E* comienza con el *Prologo das cantigas das cinco festas de Santa Maria*

[21] La *Pitiçon* no figura en el *Indice* del códice *To,* que termina con la cantiga 100.

[22] Los códices *To* y *F* transmiten cuatro poemas que no figuran en *E* (404, 405, 407, 408), y que por razones desconocidas parece no estaban al alcance del copista.

(410), al que siguen doce cantigas (411-422), de las cuales, sin embargo, sólo cinco (411, 413, 415, 417, 419) se refieren a fiestas marianas; las otras siete (entre ellas dos repeticiones) son cantigas *de loor*. Siguen el *Índice* (A, B, ctgs. 1 — 401), la *Introducción* (A), el *Prólogo* (B), 400 cantigas, la *Petiçon* (401) y otra cantiga que contiene ruegos (402).

El códice *To* empieza con la *Introducción* (A); siguen el *Índice* (1 — 100), *el Prólogo* (B), cien cantigas *de miragres* y *de loor,* la *Pitiçon* (401), cinco *cantigas das sas festas do ano* (411, 415, 413, 417, 419), cinco *Festas de Jesu-Cristo* (423 — 427) y un apéndice de 16 poemas que abarca la cantiga *das Mayas* (406) y 15 *miragres.* Este apéndice, y probablemente también las dos series de *Fiestas,* faltaba en [To^0]. La relación entre los manuscritos y las tres etapas en la elaboración del cancionero se pueden esquematizar por el siguiente árbol genealógico:

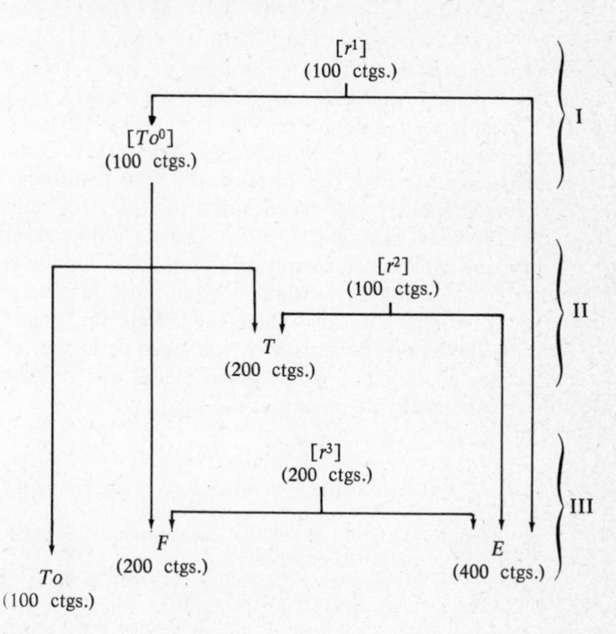

Descontando las nueve cantigas que en el manuscrito *E* se presentan repetidas, la colección se compone de la manera siguiente: Poema introductorio (A), Prólogo (B), 356 *milagros* (352 en *E*, tres adicionales en *To* [404, 406, 407] y uno en *F* [408]), 41 cantigas *de loor,* que corresponden a los números 1, 10, 20, 30, etc., hasta 400; [23] diez cantigas que contienen peticiones a la Virgen, alabanzas y expresiones de gratitud (401, 402, 403, 406, 409, 414, 418, 420-422); [24] cinco *Festas de Santa Maria* (411, 413, 417, 419), con un prólogo (410); cinco *Festas de Jesu-Cristo.* Esto da un total de 420 composiciones.

La interrupción de los trabajos en el códice *F* y la conclusión precipitada del códice *E* pueden explicarse o por la muerte del rey en 1284 o por los disturbios resultantes de la sublevación de su hijo primogénito Don Sancho en 1282. Los últimos acontecimientos fechables se encuentran en las cantigas 393 (1280) y 386 (probablemente 1281). [25] La cantiga 169 no se pudo escribir antes de 1275. Las cantigas 215 y 235 remiten al año 1278. El códice [To^0] se terminó después de 1264 (sometimiento de Jerez, Vejer y Medina Sidonia, mencionado en la *Introducción,* A) y antes de 1277 (enfermedad del rey en Vitoria, invierno 1276/77, curada por *o livro das Cantigas;* ctgs. 209 y 235). Como fechas posibles para las tres fases de 100, 200 y 400 ctgs. podríanse proponer, con las debidas reservas, los años 1270-1274, 1274-1277 y 1277-1282. Eso no quiere decir que hay que excluir por completo la posibilidad de que el trabajo en las *Cantigas* continuara después de la muerte del rey. El códice *To,* cuyo contenido refleja la primera redacción de la obra, parece ser el más joven de los cuatro manuscritos conservados, y hay quien piensa que se trata de una copia tardía, de principios del siglo XIV. [26]

[23] La estructura decimal puede haber sido inspirada por la del rosario.

[24] Las número 414, 418, 420-422 se encuentran en *E* entremezcladas con las *Festas de Santa Maria.*

[25] E. S. Procter, *Alfonso X of Castile,* Oxford, 1951, p. 42.

[26] H. Anglés, *La música,* III.1, 141-142.

DESCRIPCIÓN DE LOS MANUSCRITOS [27]

To:[28] "El Códice de la iglesia de Toledo (signatura 103-23) tiene 160 hojas de pergamino avitelado, dos de papel, de guardas, al principio, y otra, también de guardas, y de pergamino, al fin.

La altura de cada una es de 315 milímetros, y de 217 el ancho, y la caja del texto de 225 por 151.

Está escrito á dos columnas de 27 líneas cada una, en hermosa letra francesa de códices del siglo XIII.

Ocupa la primera columna del primer folio la Introducción, donde se declara el autor en los versos con que principia, y que dicen:

Don Afonsso de Castela
de Toledo de Leon, etc.

Los cuatro primeros son de tinta encarnada y los quatro siguientes de tinta negra, alternando así los demás hasta el fin de la columna, que tiene siete cuartetas.

La primera capital es de colores, azul y encarnado, y las iniciales rojas en los versos de tinta negra, y azules en los de encarnada.

Comienza en la segunda columna el Índice, que consta de la explicación breve de cada cantiga, de tinta negra, y de sus cuatro primeros versos, ó estribillos, en tinta roja.

Después del folio 5.º, que termina con el Índice de la cantiga I.XVII y su estribillo, hay una hoja intercalada que pertenece á la IX.ª cantiga de *Miragres de Nostra Señora*

[27] Para los tres códices conservados en bibliotecas españolas reproducimos la descripción de A. Paz y Melia en la edición de Valmar (pp. [35]-[41]), para el códice florentino la de Nella Aita (*Revista de Literatura portuguesa,* núm. 13, Río de Janeiro, 1921, 188-190). Véanse además las descripciones de H. Anglés (*La música,* II, 16-31) y de M. López Serrano (*El "Códice rico"*, 21-32), que aportan detalles suplementarios.

[28] Ahora en la Biblioteca Nacional de Madrid, signatura 10.069.

con que acaba el Códice. Empieza con el verso '*foi tan aguçoso*' y termina '*mui ben llouue cõprid aqlo.*'... Esta hoja interpolada debía ocupar el folio 154.

En la mitad de la 2.ª col., fol. 9, r.º, termina el Índice con el de la cantiga C. '*A .C. e de como sca maria rogue por nos a seu fillo eno dia do ioyzo. e começa Madre de deus ora por nos teu ffill essa ora.*'

En el mismo fol. v.º está el Prólogo, con una capital azul; la música, de notación cuadrada sobre pentagrama, y debajo del primero, seis versos, con la música intercalada, que principian *Por q̄ trobar e cousa en q̄ iaz*... etc.

Tiene este fol. 9 v.º seis estrofas de a seis versos, y otra, de igual número, el 10 r.º, 1.ª col., donde acaba el Prólogo.

Inmediatamente después empiezan las Cantigas de *Miragres de loores de N.ª S.ª*.

De la XIX.ª sólo hay la primera estrofa ó estribillo, con la música, dos versos del mismo, repetidos, y las tres líneas primeras de la segunda.

Termina con el verso: *foi de mui grã ualor*; faltan luego tres folios, que aparecen cortados, y el siguiente empieza con este verso de la misma cantiga: *ant o apostolig e ante uos comoos feitos a.*

Contiene el Códice cien cantares de *Miragres de loores de N.ª S.ª*, que acaban en la hoja 133 v.º, 1.ª col., empezando en el fin de esta el ruego del Rey á aquella Señora, el cual forma otra cantiga en que la música ocupa dos columnas y un tercio de otra; *cĩco cantigas das sas festas do ano* (de la Virgen), que empiezan en el fol. 136 r.º, 1.ª columna; cinco *das çinco festas de nostro señor iesu cristo,* que empiezan en el fol. 144 r.º, 2.ª col., y 16 de *Miragres de N.ª S.ª*, que empiezan en el fol. 148 r.º, 1.ª columna.

La última hoja del Códice, en que está la cantiga señalada equivocadamente con el núm. 14,[29] *Esta como sca m̄ sacou de catiuo de t̄ra de mouros a un ome bõo que sell acomendara,* termina en el v.º, 2.ª col. con estas palabras:

[29] "Está repetida la numeración de la .X.ª y de la .XII.ª, de modo que la .XIV.ª es realmente la .XVI.ª."

«por q̄ senpre poderosa
dacorrer aos coitados
Aos seus acomendados»

En las cantigas XXVII, XXXI, LIX, LX, LXXIV, LXXVII, y LXXXI hay algunas enmiendas y adiciones marginales de letra menuda cursiva, que se han atribuido, sin bastante fundamento, á la mano del Rey Don Alfonso.

Tiene algunas equivocaciones el manuscrito; por ejemplo: el último estribillo de la cantiga VII.ª, que pertenece á la XV.ª, y otras que salvan las enmiendas ya citadas.

La encuadernación es de piel encarnada con broches de latón."

* * *

E: "El Códice Escurialense, signatura j.b.2, tiene seis hojas de papel, de guardas, 361 de pergamino avitelado y restos de otras tres, probablemente en blanco, que fueron cortadas al fin del manuscrito. La altura de cada hoja es 402 milímetros, y el ancho de 274. El texto, escrito á dos columnas de 40 líneas cada una, en hermosa letra francesa de códices del siglo XIII, mide 303 ó 309 por 198, y el ancho de cada columna es de 92 milímetros.

En el folio primero recto está el sello de la Biblioteca Escurialense, las varias signaturas que ha tenido el códice, y una nota de letra del siglo XVI, adicionada en el XVIII, que dice: '*Cantigas de nr̄a. Sª. en Portugués, digo, en Gallego, y milagros de nr̄a. Sª. por Dⁿ. Alonso el Sabio.*'

Ocupa las márgenes superiores del mismo folio 1.º v.º, y del 2.º r.º un epígrafe de letras góticas mayúsculas de inscripciones, azules y encarnadas alternativamente, que dice así: PROLOGO : DAS : CANTIGAS : DAS : CINCO : FESTAS : DE : SCA : MARIA : PRIMEYRA.

La primera columna del texto empieza (como todas las demás cantigas) con una línea de notación cuadrada sobre pentagrama, y debajo de esta letra:

Quem santa maria seruir non pode no seu ben falir...,

primeros versos de la cantiga que ocupa el folio.

En el 2.º r.º' 1.ª columna:

Esta e a primeyra da nacença de santa maria...

Las capitales son azules con adornos encarnados, y las iniciales azules y encarnadas alternativamente.

Terminan estas cinco cantigas en el fólio 6 v.º, 1.ª col., donde empieza la VI.ª de *Loor de Santa Maria.* La VIIIª tiene seis rayas en blanco para poner el epígrafe que falta, y en el fol. 12 v.º acaba la XIIª. Después de este se notan señales de dos hojas cortadas, que estarían probablemente en blanco, y en el 13 r.º empieza el Prólogo, con letras encarnadas que dicen... *'ste e o prologo das cantigas de sc̄a Mª.'* Falta la capital E, que quedó por pintar.

Sigue el Índice, en que alternan letras encarnadas y azules, y que ocupa hasta el fol. 26 v.º, donde termina con el de la cantiga CCCCIª.

El fol. 27 y el 28 r.º, están en blanco. En el mismo, v.º, se lee: *Don Affonso de Castela,* etc., principio de las Cantigas.

En la parte superior del fol. 29 r.º, y llenando el ancho de las dos columnas, hay una miniatura en que se ven cinco arcos ojivales, sostenidos por columnas; en el central, al Rey sentado, con corona, manto y calzado de oro; en los dos inmediatos á D. Alfonso, dos coros, uno de cuatro mujeres, y otro de cuatro hombres, que se disponen á cantar la letra de un pergamino que tienen en las manos, y en cada uno de los dos arcos extremos, dos músicos con vihuelas de arco y péñola.

La capital de la primera cantiga (fol. 29, r.º), de exquisito gusto, está pintada de colores y puntos de oro. Algunas de aquellas miden en todo su desarrollo 126 milímetros de altura por 58 de ancho; las demás son alternadas de azul y encarnado, con adornos de rasgos caligráficos de éste último color.

De diez en diez cantigas se halla una miniatura (cuyo número asciende, por tanto, á cuarenta) del ancho de la columna, y de ochenta milímetros de altura, que representan invariablemente ya uno, ya dos músicos, tocando vihuelas de arco, tubas, tímpanos y otros varios instrumentos.

Termina el Códice en el fol. 361 v.º, primera columna, con los nueve últimos versos, cuyo final dice:

u uos sodes quã
do me for daqui.

Al pié de la misma, y de letra más cursiva y pequeña que el texto, se lee el nombre del escriba en las siguientes líneas:

Virgen bien auenturada
ser de mi remenbrada
Johñes gundisalui.

Está encuadernada la obra en cartón, forrado de piel oscura; en las tapas, y en el centro de un recuadro, en seco, las parrillas de San Lorenzo.

El lomo, sin tejuelo, de gruesos nervios, y el canto dorado, con éste título de letras negras: *Canticas de N.ª S.ª*.

En el fólio 85 hay una nota de letra cursiva, muy semejante a las del Códice de Toledo, ya mencionadas."

* * *

T: "El otro Códice, perteneciente asimismo á la Biblioteca del Escorial, signatura T.j. 1, está escrito en 256 hojas de pergamino avitelado, de 485 milímetros de alto por 326 de ancho; á dos columnas, de 44 líneas cada una, y de letra francesa de códices del siglo XIII.

En la parte interna de la primera tapa hay una nota de letra moderna, que dice: 'Pasa del fol. 149 al 151, y se cree falta una cantiga. Id. del fol. 39 al 41, falta la cantiga 40. Al fin faltan 5 cantigas. Tiene 193 cantigas'.

En la única hoja de guardas, que es de papel grueso, se lee en el v.º la siguiente nota sobrepuesta, muy semejante á la indicada en el códice anterior, y también de letras de los siglos XVI y XVII: *Cantigas y milagros de Santa María en lengua Portuguesa, digo en Gallego, por el Rey Don Alfonso el Sabio. Está descabalado.*

Faltan los folios en que estaba el principio y gran parte del índice, comenzando éste en la primera hoja, col.ª primera, con el de la cantiga CXLI, en esta forma: *A CXLI. Esta e como santa maria acorreu a un monge* etc., y acabando en el folio 3.º v.º con el índice de la cantiga CC.

El fol. 4.º r.º tiene en blanco la mitad superior, reservada probablemente para una miniatura que no llegó a pintarse, y en la primera columna de la mitad inferior empieza el texto con estas palabras: *Poys dos reys nro. señor. qs de seu llinage decer,* etc.

Al pié de la 2.ª col. hay una nota, del siglo XVI, que sin enseñar nada importante, mancha la márgen.

Las capitales é iniciales tienen adornos sencillos, azules y encarnados alternativamente.

En el v.º del fol. 4.º y ocupando todo el ancho de la 1.ª col. hay una miniatura en que bajo un arco ojival, sostenido por columnas, aparece el Rey sentado y con un pergamino en la mano en que se lee: *por q̄ trob^{r} e cosa en que jaz entendimẽto por ẽ q̄no faz a dauer...*, principio de la Introducción que sigue:

En cada uno de los arcos laterales se ven tres cantores; cuatro de ellos con sendos pergaminos en las manos.

Debajo hay una primorosa capital de colores oscuros y puntos de oro.

Ocupa el tercio superior del 5.º fol. r.º otra miniatura, que igualmente representa al Rey sentado bajo el arco del centro, adornado con un cortinaje en pabellón. Tiene un libro abierto sobre una mesa: á derecha é izquierda y en los dos arcos inmediatos, dos mancebos escriben las cantigas que el Rey les dicta, en pergaminos donde está figurada la letra sobre el pentagrama. En el último arco, derecha del Rey, hay tres músicos con vihuelas de arco y péñola; y en el de la izquierda, cuatro cantores tonsurados. Rodea toda la miniatura una orla formada por castillos y leones.

Debajo de aquella empieza el prólogo con las palabras: *Don Affonsso de Castela de Toledo de Leon,* etc. Iniciales alternadas de rojo y azul, y numerosas mayúsculas de iguales colores, aun en medio del texto, en los diez y ocho primeros versos: el texto de las cantigas empieza en la 2.ª col. con letra encarnada...

Al pié de las páginas, y á todo el ancho de las dos col. del texto unas veces, otras, dividido también en dos columnas, y otras, en fin, debajo de las miniaturas, se halla la explicación de cada cantiga, en prosa castellana, y letra de la misma época que la de aquellas. Este comentario, que en algunas hojas casi ha desaparecido por el roce constante, sólo llega a la cantiga XXV.

En la parte central superior de cada folio se indica con números romanos, encarnados y azules alternativamente, el correlativo de cada cantiga, desde la I á la CLXXXXV...

Además de las dos miniaturas descritas, hay otras 1255, comprendidas en 210 páginas, una de éstas dividida en 8 compartimientos, y las demás en 6, siendo el total 1257...

Cada miniatura de página entera mide 334 milímetros de alto por 230 de ancho, y cada compartimiento 109 por 100. Algunas figuras, de pié, tienen de altura 65 milímetros.

Una orla general abraza los 6 compartimientos, rodeados además por otras, en cuya parte superior, y con letras encarnadas y azules alternativamente, hay leyendas explicativas de lo que cada uno representa.

Entre el fol. 58 y 59 (numeración moderna) falta la cantiga XL que tenía quatro estrofas, y entre los fol. 201 e 202 se echa de menos uno en que estaba el principio de la cantiga CXLVI, pues el último empieza en la cuarta estrofa de aquélla (no contando la que sirve de estribillo, que contendría la música) con el verso: *El outrossi mui ḡn sabor.*

Entre los fol. 205 e 206 se nota la falta de dos, que ocuparían las cantigas CL y CLI.

El fol. 205 v.º tiene las miniaturas correspondientes á la cantiga CXLIX, y el 206 r.º las que se refieren á la CLI. En el 206 r.º empieza la CLII.

Acaba el Códice, incompleto, en el fol. 256 r.º con estas palabras, pertenecientes á la cantiga CXCV: *daq̄l sa sorte non e temerosa. Quena festa ⁊ o dia.* Falta, pues, el último cuaderno que debía contener el resto de la cantiga, y las otras hasta la CC. Hay además una hoja de papel de guardas. La encuadernación es de gruesa tabla forrada de cuero. En las tapas, un triple recuadro, formado por simples filetes en seco, lleva inscrito un losange, en cuyo centro hay las parrillas, también en seco. Tuvo el canto dorado."

* * *

F: "O precioso manuscripto, do fim do seculo XIII, conservado na Bibliotheca Nacional, de Florença —assignalado II, I, 213—, compõe-se, segundo a actual paginação, de 131 folhas de pergaminho, que medem actualmente 456× 320 mm., mas que deveriam medir mais antes da actual encadernação, pois se vê bem claramente que foram cortadas,... especialmente na parte inferior, onde, em consequencia disso, acontece muitas vezes faltar o numero, em algarismos romanos, de uma antiga paginação que se observa ainda no verso de muitas folhas.

Segundo esta antiga paginação, o codice teve já 166 folhas,[30] mas muito mais numerosas deveriam ser, por-

[30] "Faltam a folhas seguintes, conforme a antiga paginação:

No principio 2 folhas (ant. I e II).
Depois da folha 5 (mod.) falta 1 folha (ant. VIII).
Depois da folha 13 (mod.) faltam 2 folhas (ant. XVII e XVIII).
Depois da folha 16 (mod.) faltam 2 folhas (ant. XXII e XXIII).
Depois da folha 20 (mod.) faltam 6 folhas (ant. XXVII-XXXIII).
Depois da folha 31 (mod.) faltam 4 folhas (ant. XLV-XLVIII).

(Em seguida á folha *58 mod.*, devem faltar 4 folhas, se bem que não resulte da antiga paginação).

Depois da folha 79 mod. faltam 2 folhas (ant. XCVII e XCVIII).
Depois da folha 80 mod. falta 1 folha (ant. C).

Ainda depois da folha 32, embora não resulte da velha paginação, devem faltar folhas, provávelmente um caderno inteiro.

Depois da folha 83 (mod.) faltam 6 folhas (ant. CIV-CIX).
Depois da folha 86 (mod.) falta 1 folha (ant. CXIII).
Depois da folha 88 (mod.) faltam 2 folhas (ant. CXVI e CXVII).
Depois da folha 90 (mod.) faltam 4 folha (ant. CXXI-CXXIV).

quanto, como veremos mais adiante, de muitos indicios póde deduzir-se a falta de folhas em logares onde não resulta da paginaçao anterior.

A encadernação é em taboinhas de madeira cobertas de pelle, com frisos doirados.

A escriptura gotica francêsa do fim do seculo XIII é geralmente diposta em duas columnas, algumas vezes em tres, e mais raramente em uma só columna de 44 linhas.

No alto da pagina ha uma rubrica com o titulo de *cantiga,* que lhe explica o teôr.

Cada *cantiga* começa sempre com o *estribilho* escripto por inteiro debaixo da pauta destinada ás notas musicaes, que não foram escriptas, e é ordinariamente assignalado por um ou dois versos depois de cada estrophe. Titulo e estribilho são sempre escriptos em tinta vermelha; as estrophes, com tinta preta, e as iniciaes, alternativamente, em vermelho com frisos azues e em azul com frisos vermelhos.

A maiuscula inicial do estribilho, no principio de cada *cantiga* é finamente miniaturada a côres diversas, com figura de animaes, muitas vezes passaros estranhos, de cabeça humana, e plantas estilizadas, taes como se encontram nos manuscriptos francêses e italianos da epoca.

A parte superior da primeira folha r. é ocupada por uma miniatura dividida em duas scenas, a qual representa o piedoso monarcha no acto de exhortar os fiéis ao culto da Virgem.

A cada *cantiga* se seguen *uma* ou *duas* paginas delicadamente miniaturadas,[31] divididas em *seis* quadrinhos que lhe ilustram o teôr com clareza e minucia.

Depois da folha 109 (mod.) faltam 2 folhas (ant. CXLIII e CXLIV).

(Depois da folha 113 mod., devem faltar *duas* folhas; depois da folha 115 devem faltar *quatro*; depois da 117 deve faltar *uma* e uma outra depois da folha 123, se bem que não resulte da paginação anterior)."

[31] "Teem duas paginas de miniaturas as cantigas 22, 35, 45, 51 e 103. (As duas paginas desta última completamente em branco, teem apenas os quadros assignados)."

Um friso de motivos geometricos, pintado a côres vivas, tendo nos angulos as armas de León e de Castella (isto é, o leão negro em campo branco e o castello doirado em campo vermelho), encerra os seis quadrinhos, separados verticalmente pelo mesmo friso. Em cima de cada quadrinho ha um espaço destinado ás legendas (muitas vezes ausentes) que lhe esclarecem o assumpto.

Das paginas miniaturadas, 48 são completamente acabadas; muitas teem apenas parte dos quadrinhos terminada; algumas foram apenas desenhadas e outras teem sómente o friso pintado e os quadrinhos traçados.

Em muitas páginas as cabeças das figuras são apenas desenhadas. Ha varias miniaturas de que falta o texto das *cantigas* correspondentes, devido á mutilação do codice: mas das scenas dos varios quadrinhos, executadas com tanta fidelidade de pormenores, pode concluir-se a que *cantigas* da *Edição* correspondem. [32]

O codice contém actualmente 104 *cantigas* entre louvores [33] e milagres de Nossa Senhora, escriptos em gallêgo ou em antigo português.

Começa com a *cantiga*: 'A que as portas do céo...", etcétera, que corresponde á CCXLVI, da *Edição,* e acaba com a 14.ª estrophe incompleta [34] da CIV que corresponde á CCCXXV, da *Edição*."

[32] "A folha 14 enc. se refere á *cantiga* 289ª da *Edição.*
A folha 32 enc. se refere á *cantiga* 326ª da *Edição.*
A folha 80 enc. se refere á *cantiga* 282ª da *Edição.*
A folha 81 enc. se refere á *cantiga* 247ª da *Edição.*
A folha 83 enc. se refere á *cantiga* 236ª da *Edição.*
A folha 84 enc. se refere á *cantiga* 266 da *Edição.*
A folha 87 enc. se refere á *cantiga* 258ª da *Edição.*
A folha 92 enc. se refere á *cantiga* 235ª da *Edição.*

Além disso a folha 60 enc. tem apenas o primeiro quadrinho miniaturado, que representa o Rei ajoelhado deante da Virgem em acto de exhortar os fieis á oração e deve pertencer a uma *cantiga de loor* que falta no *florentino.*"

[33] "São louvores as *cantigas*: 27ª, 37ª, 40ª, 56ª, 64ª, 66ª, 86ª, 91ª, e 96ª."

[34] "Além da 104ª, estão mutiladas no nosso manuscripto a 5ª, a 12ª, a 15ª, a 20ª, a 61ª e a 64ª."

CORRESPONDENCIAS ENTRE *E* Y LOS OTROS CÓDICES

E	*T*	*To*	*E*	*T*	*To*	*E*	*T*	*To*
Introd. (A)			43	43	56	87	87	21
Pról. (B)			44	44	58	88	88	XI
1	1	1	45	45	83	89	89	XII
2	2	2	46	46	59	90	90	
3	3	3	47	47	61	91	91	82
4	4	4	48	48	62	92	92	85
5	15	19	49	49	63	93	93	
6	6	5	50	50	60	94	94	31
7	7	6	51	51	64	95	95	
8	8	8	52	52	66	96	96	
9	9	9	53	53	67	97	97	VIII
10	10	10	54	54	69	98	98	94
11	11	11	55	55	86	99	99	
12	12	13	56	56	71	100	100	X°
13	13	14	57	57	72	101	101	46
14	14	15	58	58	73	102	102	
15	5	33	59	59	75	103	103	93
16	16	12	60	60	70	104	104	96
17	17	7	61	61	47	105	105	81
18	18	16	62	62	49	106	106	45
19	19	18	63	63	51	107	107	
20	20	20	64	64	52	108	108	III
21	21	26	65	65	88	109	109	
22	22	22	66	66	78	110	110	
23	23	23	67	67	65	111	111	
24	24	17	68	68	68	112	112	II
25	25	38	69	69	54	113	113	
26	26	24	70	80	80	114	114	
27	27	25	71	71	91	115	115	55
28	28	27	72	72	XIII	116	116	
29	29	29	73	73	89	117	117	
30	30	40	74	74	87	118	118	
31	31	32	75	75	99	119	119	
32	32	34	76	76		120	120	
33	33	35	77	77		121	121	
34	34	36	78	78	53	122	122	
35	35	92	79	79	42	123	123	
36	36	37	80	70	90	124	124	
37	37	39	81	81	48	125	125	97
38	38	41	82	82	V	126	126	
39	39	43	83	83	XIV	127	127	
40	—	30	84	84	98	128	128	
41	41	44	85	85		129	129	
42	42	57	86	86	28	130	130	

E	*T*	*To*
131	131	
132	132	77
133	133	
134	134	
135	135	
136	136	
137	137	
138	138	
139	139	
140	140	
141	141	
142	142	
143	143	
144	144	
145	145	
146	146	
147	147	
148	148	
149	149	
150	—	
151	—	
152	152	
153	153	
154	154	
155	155	
156	156	
157	157	
158	158	
159	159	
160	160	
161	161	
162	162	VI
163	163	
164	164	
165	165	
166	166	
167	167	
168	168	
169	169	
170	170	
171	171	
172	172	
173	173	
174	174	
175	175	
176	176	

E	*T*	*To*
177	177	
178	178	
179	179	
180	180	
181	181	
182	182	
183	183	
184	184	
185	187	
186	185	
187	186	
188	188	
189	189	
190	190	
191	191	
192	192	
193	193	
194	194	
195	195	
196	—	
197	—	
198	—	
199	—	
200	—	

E	*F*	*To*
201	2	
202	33	
203		
204	32	
205	5	
206	54	
207	17	
208	94	
209	95	
210	96	
211	97	VII
212		
213	89	
214	99	
215	61	
216	34	
217		
218	71	
219	72	

E	*F*	*To*
220		
221	73	
222	93	
223	55	
224	3	
225	67	
226	13	
227	87	
228	88	
229		
230	64	
231		IV
232	65	
233	62	
234		
235	—	
236	—	
237	90	
238	49	
239	21	
240	27	
241	52	
242	68	
243		
244		
245	51	
240	1	
247	—	
248	75	
249	69	
250	76	
251		
252	63	
253	31	
254	6	
255		74
256	7	
257	44	
258		
259	43	
260	—	
261	36	
262		
263	70	
264		
265	22	

E	*F*	*To*	*E*	*F*	*To*	*E*	*F*	*To*
266	—		312	45		358		
267	53		313	16		359		
268			314	12		360	91	
269	98		315			361	83	
270	56		316	85		362	42	95
271	46		317	92	84	363	59	
272	60		318	48		364		
273	39		319	58		365		
274	38		320	40		366		
275	81		321	24		367		
276	80		322	25		368		
277			323	26		369		
278	74		324	23		370		
279		X	325	104		371		
280			326	—		372		
281			327			<373>		
282	—		328			374		
283	8		329			375		
284	66		330			376		
285	28	IX	331			377		
286	4		332			378		
287			333			379		
288	19		334			380		
289			335	103		381		
290			336	101		382		
291	47		337	102		383		
292	10		338			384		
293	37		339	100		385		
294	18		*340*			386		
295			341			<387>		
296	11		342			<388>		
297	41		343			389		
298	9		344			390		
299	78		345			391		
300			346			392		
301	82		347			393		
302	84		348			<394>		
303	29		*349*			<395>		
304	77		350			<396>		
305	35		351	57		<397>		
306	20		352			398		
307	79		353			399		
308			354			400		
309	15		355			401		Pit.
310	30		356			[402]		
311	50		357					

Cantigas que faltan en *E*

	F	*To*
[403]		50
[404]		76
[405]		79
[406]		I
[407]		XII *
[408]	14	
[409]	86	

Fiestas de Santa María [35]

	E	*To*
[410]	Pról.	
[411]	1	1
[412]	<2>	
[413]	3	3
[414]	4	
[415]	5	2
[416]	<6>	
[417]	7	4
[418]	8	
[419]	9	5
[420]	10	
[421]	11	
[422]	12	100

Cantigas de Jesucristo

	T	*To*
[423]		1
[424]	t	2
[425]		3
[426]		4
[427]		5

Explicaciones:

[ ] En *E,* la numeración va de 1 a 401. Las cantigas que siguen y las que se encuentran únicamente en los otros códices se indican por corchetes.

< > En *E*: cantigas que se presentan repetidas. Las correspondencias son las siguientes:

165 = 395	210 = 416	295 = 388
187 = 394	267 = 373	340 = 412
192 = 397	289 = 396	349 = 387

— En *T*: cantigas que faltan por pérdida de folios; en *F*: cantigas cuyo texto falta, pero de las cuales se conservan, totalmente o en parte, las miniaturas.

Pit. *Pitiçon.*

t Fragmento de una cantiga en *T*, fol. 4r.

Números romanos de I a XIV: Dieciséis cantigas que, en *To,* siguen a las *Cantigas de Jesucristo.* Los números X y XII están repetidos (X*, XII**).

En el códice *F*, las cantigas no llevan número.

[35] Sólo las cinco cantigas contenidas en *To* se refieren a fiestas marianas.

Correspondencias entre *To* y los otros códices

To	*E*	*T*	*To*	*E*	*T*	*To*	*E*	*T*	*F*
Título (A)			40	30	30	81	105	105	
Prólogo (B)			41	38	38	82	91	91	
1	1	1	42	79	79	83	45	45	
2	2	2	43	39	39	84	317		92
3	3	3	44	41	41	85	92	92	
4	4	4	45	106	106	86	55	55	
5	6	6	46	101	101	87	74	74	
6	7	7	47	61	61	88	65	65	
7	17	17	48	81	81	89	73	73	
8	8	8	49	62	62	90	80	70	
9	9	9	50			91	71	71	
10	10	10	51	63	63	92	35	35	
11	11	11	52	64	64	93	103	103	
12	16	16	53	78	78	94	98	98	
13	12	12	54	69	69	95	362		42
14	13	13	55	115	115	96	104	104	
15	14	14	56	43	43	97	125	125	
16	18	18	57	42	42	98	84	84	
17	24	24	58	44	44	99	75	75	
18	19	19	59	46	46	100	[422]		
19	5	15	60	50	50	Pit.	401		
20	20	20	61	47	47				
21	87	87	62	48	48				
22	22	22	63	49	49	Fiestas			
23	23	23	64	51	51	de Santa María			
24	26	26	65	67	67				
25	27	27	66	52	52	1	[411]		
26	21	21	67	53	53	2	[415]		
27	28	28	68	68	68	3	[413]		
28	86	86	69	54	54	4	[417]		
29	29	29	70	60	60	5	[419]		
30	40	—	71	56	56				
31	94	94	72	57	57				
32	31	31	73	58	58	Cantigas			
33	15	5	74	255		de Jesucristo			
34	32	32	75	59	59				
35	33	33	76			1			
36	34	34	77	132	132	2	*t*		
37	36	36	78	66	66	3			
38	25	25	79			4			
39	37	37	80	70	80	5			

Apéndice

To	*E*	*T*	*F*
I			
II	112	112	
III	108	108	
IV	231		
V	82	82	
VI	162	162	
VII	211		97
VIII	97	97	
IX	285		28
X	279		
X*	100	100	
XI	88	88	
XII	89	89	
XII*			
XIII	72	72	
XIV	83	83	

La métrica [36]

Ya hemos mencionado la extraordinaria variedad de las formas métricas de las *Cantigas* y el virtuosismo que los autores muestran a este respecto. Los 420 poemas ofrecen más de 280 combinaciones métricas distintas, de las cuales unas 170 no aparecen más que una sola vez. La longitud de los versos varía entre dos y veinticuatro sílabas. La forma estrófica que predomina es el virelai (o zéjel), que se emplea en más de 380 cantigas, sobre todo el del tipo AA/bbba (306 ejemplos), y los versos favoritos son combinaciones de dos hemistiquios de siete sílabas, femeninos o masculinos. Entre las otras formas métricas y musicales hay que mencionar el *rondeau* (ctgs. 41, 120, 143, 279,

[36] Falta todavía un estudio exhaustivo de la métrica de las *Cantigas.* El trabajo más completo hasta ahora sobre esta materia es el de Hans Spanke, *Die Metrik der 'Cantigas'*, en H. Anglés, *La música,* III.1, 189-238.

308), la canción (ctgs. 1, 400, 414) y la estrofa de cuatro versos (ctgs. 60, 230, 326).

En cuanto a la disposición de los versos, nos atenemos exclusivamente a la rima, pues sólo así se perciben con suficiente claridad las estructuras estróficas, a veces muy complicadas. Eso no excluye que los musicólogos, basándose en las unidades melódicas, den en algunos casos la preferencia al arreglo en forma de versos largos con una o hasta varias rimas interiores.[37] Así la cantiga 11, para dar un ejemplo, puede ser presentada en dos maneras:

Macar ome per folia
aginna caer
pod'en pecado,
do ben de Santa Maria
non dev' a seer
desasperado.

Poren direi todavia
com' en hũa abadia
un tesoureiro avia,
monge que trager
con mal recado
a ssa fazenda sabia,
por a Deus perder,
o malfadado.

o bien:

Macar ome per folia / aginna caer / pod' en pecado,
do ben de Santa Maria / non dev' a seer / desasperado.

Poren direi todavia / com' en hũa abadia
un tesoureiro avia, / monge que trager / con mal recado
a ssa fazenda sabia, / por a Deus perder, / o malfadado.

En todo caso, los esquemas métricos que damos en las notas para cada cantiga tienen en cuenta ambas posibili-

[37] Sobre este problema véase G. V. Huseby, "Musical Analysis and Poetic Structure in the *Cantigas de Santa Maria*".

dades, aquí por tanto: $A^7\ \mathrm{B}^5\ C^4\ A^7\ \mathrm{B}^5\ C^4\ /\ a^7\ a^7\ a^7\ \mathrm{b}^5\ c^4\ a^7\ \mathrm{b}^5\ c^4$ [*A A* / *b a a*]. Para ahorrar espacio, remitimos con números romanos a los tipos estróficos más frecuentes:

I. $A^7\ A^7\ /\ b^7\ b^7\ b^7\ a^7$
II. $\mathrm{A}^7\ \mathrm{A}^7\ /\ b^7\ b^7\ b^7\ \mathrm{a}^7$
III. $\mathrm{A}^8\ \mathrm{A}^8\ /\ \mathrm{b}^8\ \mathrm{b}^8\ \mathrm{b}^8\ \mathrm{a}^8$
IV. $\mathrm{A}^{10}\ \mathrm{A}^{10}\ /\ \mathrm{b}^{10}\ \mathrm{b}^{10}\ \mathrm{b}^{10}\ \mathrm{a}^{10}$
V. $A^{10}\ A^{10}\ /\ b^{10}\ b^{10}\ b^{10}\ a^{10}$
VI. $\mathrm{A}^{11}\ \mathrm{A}^{11}\ /\ \mathrm{b}^{11}\ \mathrm{b}^{11}\ \mathrm{b}^{11}\ \mathrm{a}^{11}$
VII. $A^{11}\ A^{11}\ /\ b^{11}\ b^{11}\ b^{11}\ a^{11}$
VIII. $A^{12}\ A^{12}\ /\ b^{12}\ b^{12}\ b^{12}\ a^{12}$
IX. $A^{13}\ A^{13}\ /\ b^{13}\ b^{13}\ b^{13}\ a^{13}$
X. $A^7\ \mathrm{B}^7\ A^7\ \mathrm{B}^7\ /\ n^7\ \mathrm{c}^7\ n^7\ \mathrm{c}^7\ n^7\ \mathrm{c}^7\ n^7\ \mathrm{b}^7$
[A A / b b b a]
XI. $N^6\ A^6\ N^6\ A^6\ /\ n^6\ b^6\ n^6\ b^6\ n^6\ b^6\ n^6\ a^6$
XII. $N^6\ \mathrm{A}^6\ N^6\ \mathrm{A}^6\ /\ n^6\ \mathrm{b}^6\ n^6\ \mathrm{b}^6\ n^6\ \mathrm{b}^6\ n^6\ \mathrm{a}^6$
XIII. $N^7\ A^7\ N^7\ A^7\ /\ n^7\ b^7\ n^7\ b^7\ n^7\ b^7\ n^7\ a^7$
XIV. $N^7\ \mathrm{A}^7\ N^7\ \mathrm{A}^7\ /\ n^7\ \mathrm{b}^7\ n^7\ \mathrm{b}^7\ n^7\ \mathrm{b}^7\ n^7\ \mathrm{a}^7$
XV. $N^7\ A^7\ N^7\ A^7\ /\ n^7\ \mathrm{b}^7\ n^7\ \mathrm{b}^7\ n^7\ \mathrm{b}^7\ n^7\ a^7$

WALTER METTMANN

NOTICIA BIBLIOGRÁFICA

EDICIONES:

Cueto, Leopoldo de, marqués de Valmar, *Cantigas de Santa María de Don Alfonso el Sabio,* 2 tomos, Madrid (Real Academia Española), 1889.

Mettmann, Walter, *Alfonso X, o Sábio, Cantigas de Santa María,* 4 tomos, Coimbra (Acta Universitatis Conimbrigensis), 1959-1972. Reimpresión en dos tomos, Vigo (Ediciones Xerais de Galicia), 1981.

El *"Códice rico" de las Cantigas de Alfonso el Sabio,* Madrid (Edilán), 1979. Edición facsímil del códice T.I.1 de la Biblioteca del Escorial. El volumen suplementario contiene una descripción del códice escurialense y notas sobre los otros códices, por Matilde López Serrano; una transcripción del texto, con introducción, versión y comentarios, por José Filgueira Valverde; un estudio de José Guerrero Lovillo sobre las miniaturas, y una transcripción de la música, con introducción y notas, por José María Lloréns Cisteró.

Anglés, Higinio, *La música de las Cantigas del Rey Alfonso el Sabio,* 3 tomos, Barcelona (Diputación Provincial, Biblioteca Central), 1945-1964.

BIBLIOGRAFÍA SELECTA

Como la literatura sobre las Cantigas es, por un lado, muy extensa, y por el otro faltan todavía estudios de conjunto, nos limitamos a registrar los trabajos aparecidos después de la publicación de la excelente y, con 383 títulos, casi completa bibliografía de Joseph Snow, *The Poetry of Alfonso X, el Sabio, a critical bibliography,* London (Grant & Cutler), 1977.[1] Los títulos que no se refieren más que a una sola cantiga se citan en el lugar correspondiente.

Chisman, Anna McG., "Rhyme and Word Order in *Las* (sic) *Cantigas de Santa María*". *Kentucky Romance Quarterly* 23 (1976), 393-407.

Clarke, Dorothy C., "Additional Castilian Verse and Early *Arte Mayor* in the Marginal Passages in Alfonso X's *Cantigas de Santa Maria*". *Kentucky Romance Quarterly* 23 (1976), 305-17.

Huseby, Gerald V., "Musical Analysis and Poetic Structure in the *Cantigas de Santa Maria*". *Florilegium Hispanicum... Presented to Dorothy Clotelle Clarke,* Madison, 1983, 81-101.

Gier, Albert, "Les *Cantigas de Santa Maria* d'Alphonse le Savant: leur désignation dans le texte". *Cahiers de linguistique hispanique médiévale,* núm. 5 (1980), 143-56.

Hatton, Vikki / Mackay, Angus, "Anti-Semitism in the *Cantigas de Santa María*". *Bulletin of Hispanic Studies,* 60 (1983), 189-99.

[1] Para algunas adiciones, véase la reseña de Giuseppe Tovani, *Vox Romanica,* 40 (1981), 418-20.

Klein, Peter K., "Kunst und Feudalismus zur Zeit Alfons' des Weisen von Kastilien und León (1252-1284): Die Illustration der *Cantigas*". En: *Bauwerk im Hochmittelalter,* edd. Karl Clausberg y otros, Giessen (Anabas), 1981, 169-212.

Kulp-Hill, Kathleen, "Figurative Language in the *Cantigas de Santa Maria*". *Kentucky Romance Quarterly* 27 (1980), 3-9.

MacKay, Angus / Geraldine McKendrick, "Confession in the *Cantigas de Santa Maria*". *Reading Medieval Studies,* 5 (1979), 71-88.

Martins, Mário, "Estudos de cultura medieval", vol. 3, Lisboa, 1983.

Mettmann, Walter, "Zum Stil der *Cantigas de Santa Maria* (I)". *Festschrift Kurt Baldinger,* Tübingen, 1979, 304-13.

——, "Zum Stil der *Cantigas de Santa Maria* (II)". *Romanica Europea et Americana: Festschrift für Harri Meier,* Bonn, 1980, 379-85.

Montoya Martínez, Jesús, *Las colecciones de milagros de la Virgen en la Edad Media (El milagro literario).* Universidad de Granada, 1981 (Colección Filológica, XXIX).

——, "Historia de Andalucía en las *Cantigas de Santa Maria*". *Actas I Congreso de Historia de Andalucía,* Córdoba, 1978, 259-69.

——, "Tres topónimos en las *Cantigas de Santa María*". *Verba* 6 (1979), 17-24.

—— "Las *Cantigas de Santa María* fuente para la historia gaditana". Actas de las Jornadas Conmemorativas del VII Centenario de la muerte de Alfonso el Sabio. Cádiz, 1983.

Pensado, José Luis, "Sobre tres pasajes extraños de las *Cantigas de Santa María*". *Verba* 6 (1979), 35-41.

Snow, Joseph T., "A chapter in Alfonso X's personal narrative: The Puerto de Santa María Poems in the *Cantigas de Santa María*". *La Corónica* 8 (1979), 10-21.

——, "The central rôle of the troubadour «persona» of Alfonso X in the *Cantigas de Santa María*". *Bulletin of Hispanic Studies* 56 (1979), 305-16.

——, "Self-conscious references and the organic narrative pattern of the *Cantigas de Santa Maria* of Alfonso X". En: *Medieval, Renaissance and Folklore Studies in Honour of John Esten Keller,* Newark, 1980, 53-66.

NOTA PREVIA

La nueva edición que ofrecemos aquí se rige por las mismas normas que la de Coimbra, de la cual se distingue, sin embargo, en algunos puntos esenciales. Como consecuencia de las conclusiones obtenidas al examinar nuevamente la filiación de los manuscritos, no nos hemos atenido con la misma fidelidad como antes al texto básico *E,* sino que hemos concedido más peso a los casos en los cuales los otros manuscritos ofrecen una versión que parece más satisfactoria, sobre todo en cuanto a la métrica. Preferimos, por ejemplo, a las grafías de *E* que suponen sinalefa las de *To* y *T/F* con elisión *(porend(e) hũa, log(o) ante,* etc.). En el caso de las *Cantigas* es imposible aceptar o rechazar una variante basándose únicamente en el criterio de la concordancia de manuscritos. Hemos visto que la obra estaba sujeta a un continuo proceso de revisión, y como los cuatro manuscritos, según parece, se copiaron en la cámara regia, hay que contar siempre con la posibilidad de contaminaciones. Lo único que podemos dar por seguro es que el manuscrito *T/F,* si se opone a *E* y *To,* no puede ofrecer, a no ser por casualidad, el texto original. Por lo que respecta a las correcciones, no sabemos si proceden del autor mismo o de un corrector, que pudo ser también poeta y coautor de las *Cantigas.* Para resumir: Cuando tenemos la combinación *To* frente a *T/F* y *E,* lo que ocurre con frecuencia, o la combinación *E* frente a *To* y *T/F,* o hasta tres versiones distintas, es a veces difícil tomar una decisión. Puede presentarse por ejemplo el caso de que una versión es más fiel a la fuente, mientras que la otra es métricamente mejor o estilísticamente más elegante.[1]

Conforme a los criterios de la presente colección, registramos únicamente las variantes de sentido y las que tienen particular interés métrico o lingüístico. Para una relación detallada remitimos a la edición anterior.[2] Pequeñas diferencias en la grafía (por ejemplo, *mesqỹo / mesquỹo)* han sido uniformadas, y deslices evidentes del copista (omisión de la tilde, etc.) corregidos sin mención especial.

En las notas se da para cada cantiga el correspondiente esquema métrico. Como resulta imposible, por falta de espacio, registrar aquí todas las versiones medievales que se conocen de una determinada leyenda, y es muy difícil hacer una selección, nos limitamos a referirnos a las indicaciones que da Adolfo Mussafia en la edición del marqués

[1] Véase p. ej. ctg. 79.42.

[2] He aquí, a título de ejemplo, una lista, de ninguna manera exhaustiva, de tipos frecuentes de variantes: agĩa/agỹa, cen/çen, pec(c)ado, f(f)e, af(f)an, Theofilo/Theophilo, magestade/majestade, monge/monje, (h)oste, Mat(h)eus, Elisabet(h), senpre/sempre, s(s)a, fals(s)', mesqỹo/mesquỹo, fix/fiz, log(u)' y, alg(u)' e, ric' e/riqu' e, san(c)to, ma(i)s, ocajon/oqueijon/ocaijon, cossario/cossairo, ba(i)xar, asperar/esperar, piedade/piadade, jajũar/jejũar, menĩo/minĩo, fezo/fizo, calez/caliz, sangue/sangui, l(l)e/l(l)i, Ale(i)manna, que(i)ra, pe(y)or, me(y)adade, (e)igreja, como/come, disso/disse, arçobispo/arcebispo, pode/podo, entre/ontre, per/por, po(i)s, diabo(o), poboo/poblo, ungir/ongir, sepoltura/sepultura, pode/pude, foi/fui, joiz/juiz, coidar/cuidar, levou-o/levó-o, deitou-a/deitó-a, juigar/joigar/julgar, relica/religa/reliquia, g(u)alardon, craro/claro, nobre/noble, fror/flor, fezische/feziste, reso(s)citar, bestia/bescha, vison/vision/vijon, xe/se, sofrer as/sofre-las, devemos-la/devemo-la, mais o/mai-lo, por lo/polo, sobrelo/sobelo, mi/min, omage(n), ome(n), ome(e)s/omẽes/omens, mĩudo/miudo, amẽaçar/ameaçar, demões/demoes, menio/meninno, agia/aginna, dyeiro/dinneiro, comũal/comunal, co(n)fortar, i(n)fante, comu(n)yon, conpan(n)ia, soon/soon, mãefestar/maenfestar, sant' obispo/santo bispo, hũ' abadessa/hũa badessa, m'atendede/mi atendede, tempo scomungado/temp' escomungado.

de Valmar *(Val. / Muss.)*.[3] Mencionamos, sin embargo, las correspondencias entre las *Cantigas* y las colecciones de Adgar,[4] Gautier de Coinci[5] y Berceo.[6]

W. M.

[3] Para las primeras doscientas cantigas pueden consultarse también las notas de Filgueira Valverde en la edición del *"Códice rico"*.

[4] *Adgar's Marienlegenden,* ed. C. Neuhaus, Heilbronn, 1886.

[5] *Les Miracles de Nostre Dame,* ed. V. F. Koenig, I-IV, Ginebra, 1955-1970.

[6] *Los Milagros de Nuestra Señora,* ed. B. Dutton, Londres, 1971.

CANTIGAS
DE SANTA MARÍA

Cantigas 1 a 100

I

CANTIGAS

A

Don Affonso de Castela,
de Toledo, de Leon
Rey e ben des Conpostela
ta o reyno d'Aragon,

De Cordova, de Jahen, 5
de Sevilla outrossi,
e de Murça, u gran ben
lle fez Deus, com' aprendi,

Do Algarve, que gãou
de mouros e nossa ffe 10
meteu y, e ar pobrou
Badallouz, que reyno é

Muit' antigu', e que tolleu
a mouros Nevl' e Xerez,
Beger, Medina prendeu 15
e Alcala d'outra vez,

A *E, T, To.* 12 badaloz *To.* 25 fez cẽ cantares ⁊ sões, *emendado posteriormente para* fezo cãtares cõ sões *To.*
M.: a^7 b^7 a^7 b^7 (a^7 b^7 a^7 b^7).

12 Badajoz.
14 Niebla (conquistada en 1262); Jerez de la Frontera (1264).
15 Vejer de la Frontera (1264); Medina Sidonia (1264).
16 Probablemente Alcalá de los Gazules (Cádiz), conquistado ya una vez por Fernando III.

E que dos Romãos Rey
é per dereit' e Sennor,
este livro, com' achei,
fez a onrr' e a loor 20

Da Virgen Santa Maria,
que éste Madre de Deus,
en que ele muito fia.
Poren dos miragres seus

Fezo cantares e sões, 25
saborosos de cantar,
todos de sennas razões,
com' y podedes achar.

B

[ESTE É O PROLOGO DAS CANTIGAS DE SANTA MARIA, EMENTANDO AS COUSAS QUE Á MESTER ENO TROBAR]

Porque trobar é cousa en que jaz
entendimento, poren queno faz
á-o d'aver e de razon assaz, 5
per que entenda e sábia dizer
o que entend' e de dizer lle praz,
ca ben trobar assi s'á de ffazer.

17 Alfonso mantuvo sus pretensiones al trono imperial alemán de 1257 a 1275.

B *E, T, To.* 1-2 *El epígrafe figura únicamente en los índices.* 32 perde τ *E.* 44 *T añade*: aqui sse acaba o prologo das cantigas de santa maria.
M.: a^{10} a^{10} a^{10} b^{10} a^{10} b^{10}.
Véase J. Montoya, "*O Prólogo das Cantigas de Santa Maria. Implicaciones retóricas del mismo*". *Homenaje a Camoens,* Universidad de Granada, 1980, 272-91.

E macar eu estas duas non ey
com' eu querria, pero provarei 10
a mostrar ende un pouco que sei,
confiand' en Deus, ond' o saber ven;
ca per ele tenno que poderei
mostrar do que quero algũa ren.

E o que quero é dizer loor 15
da Virgen, Madre de Nostro Sennor,
Santa Maria, que ést' a mellor
cousa que el fez; e por aquest' eu
quero seer oy mais seu trobador,
e rogo-lle que me queira por seu 20

Trobador e que queira meu trobar
reçeber, ca per el quer' eu mostrar
dos miragres que ela fez; e ar
querrei-me leixar de trobar des i
por outra dona, e cuid' a cobrar 25
per esta quant' enas outras perdi.

Ca o amor desta Sen[n]or é tal,
que queno á sempre per i mais val;
e poi-lo gaannad' á, non lle fal,
senon se é per sa grand' ocajon, 30
querendo leixar ben e fazer mal,
ca per esto o perd' e per al non.

Poren dela non me quer' eu partir,
ca sei de pran que, se a ben servir,
que non poderei en seu ben falir 35
de o aver, ca nunca y faliu
quen llo soube con merçee pedir,
ca tal rogo sempr' ela ben oyu.

Onde lle rogo, se ela quiser,
que lle praza do que dela disser 40
en meus cantares e, se ll'aprouguer,
que me dé gualardon com' ela dá
aos que ama; e queno souber,
por ela mais de grado trobará.

1

ESTA É A PRIMEIRA CANTIGA DE LOOR DE SANTA MARIA, EMENTANDO OS VII GOYOS QUE OUVE DE SEU FILLO.

Des oge mais quer' eu trobar
pola Sennor onrrada,
en que Deus quis carne fillar 5
bẽeyta e sagrada,
por nos dar gran soldada
no seu reyno e nos erdar
por seus de sa masnada
de vida perlongada, 10
sen avermos pois a passar
per mort' outra vegada.

E poren quero começar
como foy saudada
de Gabriel, u lle chamar 15
foy: "Benaventurada

1 *E, T, To.* 25 Belleem *E.*
M.: a[8] *b*[6] a[8] *b*[6] *b*[6] a[8] *b*[6] *b*[6] a[8] *b*[6]. Se trata de una *canción.* Gautier IV, 589 "*(Cinc Joies Nostre Dame); De (septem) gaudiis (BMV)*". *Analecta Hymnica,* 24 (1896), 154-175.

2 Anunciación, Navidad, Visita de los Santos Reyes, Resurrección, Ascensión, Bajada del Espíritu Santo, Asunción. V. ctg. 403 (50 en *To*) sobre los Siete Dolores.

Virgen, de Deus amada:
do que o mund' á de salvar
ficas ora prennada;
e demais ta cunnada 20
Elisabeth, que foi dultar,
é end' envergonnada".

E demais quero-ll' enmentar
como chegou canssada
a Beleem e foy pousar 25
no portal da entrada,
u paryu sen tardada
Jesu-Crist', e foy-o deytar,
como moller menguada,
u deytan a cevada, 30
no presev', e apousentar
ontre bestias d'arada.

E non ar quero obridar
com' angeos cantada
loor a Deus foron cantar 35
e "paz en terra dada";
nen como a contrada
aos tres Reis en Ultramar
ouv' a strela mostrada,
por que sen demorada 40
vẽeron sa offerta dar
estranna e preçada.

Outra razon quero contar
que ll' ouve pois contada
a Madalena: com' estar 45
vyu a pedr' entornada
do sepulcr' e guardada
do angeo, que lle falar

38 *Ultramar*: La Tierra Santa. V. ctgs. 5, 34, 46, 155, 165, 261, 377, 401.

foy e disse: "Coytada
moller, sey confortada, 50
ca Jesu, que vẽes buscar,
resurgiu madurgada."

E ar quero-vos demostrar
gran lediç' aficada
que ouv' ela, u vyu alçar 55
a nuv' enlumẽada
seu Fill'; e poys alçada
foi, viron angeos andar
ontr' a gent' assũada,
muy desaconsellada, 60
dizend': Assi verrá juygar,
est' é cousa provada."

Nen quero de dizer leixar
de como foy chegada
a graça que Deus enviar 65
lle quis, atan grãada,
que por el esforçada
foy a companna que juntar
fez Deus, e enssinada,
de Spirit' avondada, 70
por que souberon preegar
logo sen alongada.

E, par Deus, non é de calar
como foy corõada,
quando seu Fillo a levar 75
quis, des que foy passada
deste mund' e juntada
con el no ceo, par a par,
e Reỹa chamada,
Filla, Madr' e Criada; 80
e poren nos dev' ajudar,
ca x' é noss' avogada.

2

ESTA É DE COMO SANTA MARIA PARECEU EN TOLEDO A SANT' ALIFONSSO E DEU-LL' HŨA ALVA QUE TROUXE DE PARAYSO, CON QUE DISSESSE MISSA.

Muito devemos, varões,
loar a Santa Maria,
que sas graças e seus dões 5
dá a quen por ela fia.

Sen muita de bõa manna,
que deu a un seu prelado,
que primado foi d'Espanna
e Affons' era chamado, 10
deu-ll' hũa tal vestidura
que trouxe de Parayso,
ben feyta a ssa mesura,
porque metera seu siso
en a loar noyt' e dia. 15
Poren devemos, varões...

Ben enpregou el seus ditos,
com' achamos en verdade,
e os seus bõos escritos
que fez da virgĩidade 20
daquesta Sennor mui santa,
per que sa loor tornada
foi en Espanna de quanta
a end' avian deytada
judeus e a eregia. 25
Poren devemos, varões...

2 *E, T, To.* 16 Poren deuemos *T To.* 49 ẽayo *E.*
M.: A^7 B^7 A^7 B^7 / c^7 d^7 c^7 d^7 e^7 f^7 e^7 f^7 b^7 [*AA/bbcca*]. Val./Muss. p. XXXIX; Gautier II, 5; Berceo 1. B. de Gaiffier, *Les sources latines d'un miracle de Gautier de Coincy. L'Apparition de Ste Léocadie à S. Ildephonse.* Analecta Bollandiana 71 (1953), 100-132.
1 San Ildefonso, arzobispo (desde 657) de Toledo, † 667.
19-21 Compuso un tratado *De virginitate Sanctae Mariae.*

Mayor miragre do mundo
ll' ant' esta Sennor mostrara,
u con Rei Recessiundo
ena precisson andara, 30
u lles pareceu sen falla
Santa Locay', e enquanto
ll' el Rey tallou da mortalla,
disse-l': "Ay, Affonsso santo,
per ti viv' a Sennor mya." 35
Poren devemos, varões...

Porque o a Groriosa
achou muy fort' e sen medo
en loar sa preciosa
virgĩidad' en Toledo, 40
deu-lle porend' hũa alva,
que nas sas festas vestisse,
a Virgen santa e salva
e, en dando-lla, lle disse:
"Meu Fillo esto ch' envia." 45
Poren devemos, varões...

Pois ll' este don tan estrãyo
ouve dad' e tan fremoso,
disse: "Par Deus, muit eãyo
seria e orgulloso 50
quen ss' en esta ta cadeira,
se tu non es, s' assentasse,
nen que per nulla maneira
est' alva vestir provasse,
ca Deus del se vingaria. 55
Poren devemos, varões...

29 *Recessiundo*: Recesvinto, rey (649-672) de los Godos. Se trata por lo visto de una falsa lectura de *Recesuindo.*
32 Santa Leocadia de Toledo, † 304.

Pois do mundo foi partido
este confessor de Cristo,
Don Siagrio falido
foi Arcebispo, poys isto, 60
que o fillou a seu dano;
ca, porque foi atrevudo
en se vestir aquel pano,
foi logo mort' e perdudo,
com' a Virgen dit' avia. 65
Poren devemos, varões...

3

ESTA É COMO SANTA MARIA FEZ COBRAR A THEOPHILO A CARTA QUE FEZERA CONO DEMO, U SE TORNOU SEU VASSALO.

Mais nos faz Santa Maria
a seu Fillo perdõar,
que nos per nossa folia 5
ll' imos falir e errar.

Por ela nos perdõou
Deus o pecado d'Adam
da maçãa que gostou,
per que soffreu muit' affan 10
e no inferno entrou;
mais a do mui bon talan
tant' a seu Fillo rogou,
que o foi end' el sacar.
Mais nos faz Santa Maria... 15

59 *Siagrius* o *Sigibertus* en las versiones latinas de la leyenda; personaje no documentado.

3 *E, T, To.* 1 perdoar *E.*
M.: A^7 B^7 A^7 B^7 / c^7 d^7 c^7 d^7 c^7 d^7 c^7 b^7 [AA/bbba].
Val./Muss. p. LIX; Adgar 17; Gautier I, 50; Berceo 25.
K. Plenzat, "Die Theophilus Legende in den Dichtungen des Mittelalters", en *Germanische Studien,* 43, Berlin, 1926.

Pois ar fez perdon aver
a Theophilo, un seu
servo, que fora fazer
per conssello dun judeu
carta por gãar poder 20
cono demo, e lla deu;
e fez-ll' en Deus descreer,
des i a ela negar.
Mais nos faz Santa Maria...

Pois Theophilo assi 25
fez aquesta trayçon,
per quant' end' eu aprendi,
foy do demo gran sazon;
mais depoys, segund' oý,
repentiu-ss' e foy perdon 30
pedir logo, ben aly
u peccador sol achar.
Mais nos faz Santa Maria...

Chorando dos ollos seus
muito, foy perdon pedir, 35
u vyu da Madre de Deus
a omagen; sen falir
lle diss': "Os peccados meus
son tan muitos, sen mentir,
que, se non per rogos teus, 40
non poss' eu perdon gãar."
Mais nos faz Santa Maria...

Theophilo dessa vez
chorou tant' e non fez al,
trões u a que de prez 45
todas outras donas val,
ao demo mais ca pez
negro do fog' infernal
a carta trager-lle fez,
e deu-lla ant' o altar. 50
Mais nos faz Santa Maria...

4

ESTA É COMO SANTA MARIA GUARDOU AO FILLO DO JUDEU QUE NON ARDESSE, QUE SEU PADRE DEITARA NO FORNO.

A Madre do que livrou
dos leões Daniel,
essa do fogo guardou 5
un menỹo d'Irrael.

En Beorges un judeu
ouve que fazer sabia
vidro, e un fillo seu
—ca el en mais non avia, 10
per quant' end' aprendi eu—
ontr' os crischãos liya
na escol'; e era greu
a seu padre Samuel.
A Madre do que livrou... 15

O menỹo o mellor
leeu que leer podia
e d'aprender gran sabor
ouve de quanto oya;
e por esto tal amor 20
con esses moços collia,
con que era leedor,
que ya en seu tropel.
A Madre do que livrou...

4 *E, T, To,* ca] que *To*; 54 encass *E T*.
M.: A^7 B^7 A^7 B^7 / c^7 d^7 c^7 d^7 c^7 d^7 c^7 b^7 [AA/*bbb*a].
Val./Muss. p. XCIV; Adgar 5; Gautier II, 95; Berceo 16. Cfr. T. Pelizaeus, *Beiträge zur Geschichte der Legende vom Judenknaben,* Halle, 1914.

3-4 Cf. Dan. 6.

7 *Beorges*: Bourges (Francia).

14 *Samuel, Raquel* (70), *Abel* (104): nombres inventados por el autor de la ctg.

Poren vos quero contar 25
o que ll' avẽo un dia
de Pascoa, que foi entrar
na eygreja, u viia
o abad' ant' o altar,
e aos moços dand' ya 30
ostias de comungar
e vy' en un calez bel.
A Madre do que livrou...

O judeucỹo prazer
ouve, ca lle parecia 35
que ostias a comer
lles dava Santa Maria,
que viia resprandecer
eno altar u siia
e enos braços tẽer 40
seu Fillo Hemanuel.
A Madre do que livrou...

Quand' o moç' esta vison
vyu, tan muito lle prazia,
que por fillar seu quinnon 45
ant' os outros se metia.
Santa Maria enton
a mão lle porregia,
e deu-lle tal comuyon
que foi mais doce ca mel. 50
A Madre do que livrou...

Poi-la comuyon fillou,
logo dali se partia
e en cas seu padr' entrou
como xe fazer soya; 55
e ele lle preguntou
que fezera. El dizia:
"A dona me comungou
que vi so o chapitel."
A Madre do que livrou... 60

O padre, quand' est' oyu,
creceu-lli tal felonia,
que de seu siso sayu;
e seu fill' enton prendia,
e u o forn' arder vyu 65
meté-o dentr' e choya
o forn', e mui mal falyu
como traedor cruel.
A Madre do que livrou...

Rachel, sa madre, que ben 70
grand' a seu fillo queria,
cuidando sen outra ren
que lle no forno ardia,
deu grandes vozes poren
e ena rua saya; 75
e aque a gente ven
ao doo de Rachel.
A Madre do que livrou...

Pois souberon sen mentir
o por que ela carpia, 80
foron log' o forn' abrir
en que o moço jazia,
que a Virgen quis guarir
como guardou Anania
Deus, seu fill', e sen falir 85
Azari' e Misahel.
A Madre do que livrou...

O moço logo dali
sacaron con alegria
e preguntaron-ll' assi 90
se sse d'algun mal sentia.

84-86 Alude a los tres varones en el horno ardiente (Dan. 3); v. ctg. 215. 41-42.

Diss' el: "Non, ca eu cobri
o que a dona cobria
que sobelo altar vi
con seu Fillo, bon donzel." 95
A Madre do que livrou...

Por este miragr' atal
log' a judea criya,
e o menỹo sen al
o batismo recebia; 100
e o padre, que o mal
fezera per sa folia,
deron-ll' enton morte qual
quis dar a seu fill' Abel.
A Madre do que livrou... 105

5

ESTA É COMO SANTA MARIA AJUDOU A EMPERADRIZ DE ROMA A SOFRE-LAS GRANDES COITAS PER QUE PASSOU.

Quenas coitas deste mundo ben quiser soffrer,
Santa Maria deve sempr' ante si pôer.

E desto vos quer' eu ora contar, segund' a letra diz, 5
un mui gran miragre que fazer quis pola Enperadriz

92-93 *cobrir* tiene aquí el sentido de 'ponerse, vestir'. Ejemplos en Corominas, *DECH,* II, 263a. E. C. Knowlton, Jr. (*Romance Notes,* 23, 1982, 99-105), cita el correspondiente pasaje de Gautier de Coinci (vv. 100-101): "...me covri de la toaille / Qu'ele (*la Virgen*) a sor l'autel affulee." Cfr. 39. 22-23.

5 *E, T, To.*
M.: A^{13} A^{13} / b^{16} b^{16} b^{16} b^{16} b^{13} a^{13}.
Val./Muss. p. XCVI; Gautier III, 303. A. Wallensköld, *Le conte de la femme chaste convoitée par son beau-frère,* Helsinki, 1906; S. Stefanovic, "Die Crescentia-Florence Sage", *Roman. Forsch.* 29 (1911), 461-556.

de Roma, segund' eu contar oý, per nome Beatriz,
Santa Maria, a Madre de Deus, ond' este cantar fiz,
que a guardou do mundo, que lle foi mal joyz,
e do demo que, por tentar, a cuydou vencer. 10
Quenas coitas deste mundo ben quiser sofrer...

Esta dona, de que vos disse ja, foi dun Emperador
moller; mas pero del nome non sei, foi de Roma sennor
e, per quant' eu de seu feit' aprendi, foi de mui gran valor.
Mas a dona tant' era fremosa, que foi das belas flor 15
e servidor de Deus e de sa ley amador,
e soube Santa Maria mays d'al ben querer.
Quenas coitas deste mundo ben quiser soffrer...

Aquest' Emperador a sa moller queria mui gran ben,
e ela outrossi a el amava mais que outra ren; 20
mas por servir Deus o Enperador, com' ome de bon sen,
cruzou-ss' e passou o mar e foi romeu a Jherusalen.
Mas, quando moveu de Roma por passar alen,
leyxou seu irmão e fez y gran seu prazer.
Quenas coitas deste mundo ben quiser sofrer... 25

Quando ss'ouv' a ir o Emperador, aquel irmão seu,
de que vos ja diss', a ssa moller a Emperadriz o deu,
dizend': "Este meu irmão receb' oi mais por fillo meu,
e vos seede-ll' en logar de madre poren, vos rogu' eu,
e de o castigardes ben non vos seja greu; 30
en esto me podedes muy grand' amor fazer.»
Quenas coitas deste mundo ben quiser soffrer...

Depoi-lo Emperador se foi. A mui pouca de sazon
catou seu irmão a ssa moller e namorou-s' enton
dela, e disse-lle que a amava mui de coraçon; 35
mai-la santa dona, quando ll' oyu dizer tal trayçon,
en hũa torre o meteu en muy gran prijon,
jurando muyto que o faria y morrer.
Quenas coitas deste mundo ben quiser soffrer...

7 *Beatriz*: En otras versiones de la famosa leyenda se llama *Crescentia.*

O Emperador dous anos e meyo en Acre morou 40
e tod'a terra de Jerussalem muitas vezes andou;
e pois que tod' est' ouve feito, pera Roma se tornou;
mas ante que d'Ultramar se partisse, mandad' enviou
a sa moller, e ela logo soltar mandou
o seu irmão muy falsso, que a foy traer. 45
Quenas coitas deste mundo ben quiser soffrer...

Quando o irmão do Emperador de prijon sayu,
barva non fez nen cercẽou cabelos, e mal se vestiu;
a seu irmão foi e da Emperadriz non s'espedyu;
mas o Emperador, quando o atan mal parado vyu, 50
preguntou-lli que fora, e el lle recodyu:
"En poridade vos quer' eu aquesto dizer."
Quenas coitas deste mundo ben quiser soffrer...

Quando foron ambos a hũa parte, fillou-s' a chorar
o irmão do Emperador e muito xe lle queixar 55
de sa moller, que, porque non quisera con ela errar,
que o fezera porende tan tost' en un carcer deitar.
Quand' o Emperador oyu, ouv' en tal pesar,
que se leixou do palaffren en terra caer.
Quenas coitas deste mundo ben quiser sofrer... 60

Quand' o Emperador de terra s'ergeu, logo, sen mentir,
cavalgou e quanto mais pod' a Roma começou de ss'ir;
e a pouca d'ora vyu a Emperadriz a ssi vĩir,
e logo que a vyu, mui sannudo a ela leixou-ss' ir
e deu-lle gran punnada no rostro, sen falir, 65
e mandou-a matar sen a verdade saber.
Quenas coytas deste mundo ben quiser soffrer...

40 San Juan de Acre, en la Tierra Santa; v. ctgs. 9, 33, 172, 383.
43 *Ultramar*: v. 1.38.
58 *oyu*: contracción de *o oyu*.

Dous monteiros, a que esto mandou, fillárona des i
e rastrand' a un monte a levaron mui preto dali;
e quando a no monte teveron, falaron ontre si 70
que jouvessen con ela per força, segund' eu aprendi.
Mas ela chamando Santa Maria, log' y
chegou un Conde, que lla foy das mãos toller.
Quenas coitas deste mundo ben quiser soffrer...

O Conde, poi-la livrou dos vilãos, disse-lle: "Senner, 75
dizede-m' ora quen sodes ou dond'." Ela respos: "Moller
sõo mui pobr' e coitada, e de vosso ben ei mester."
"Par Deus", diss' el Conde, "aqueste rogo farei volonter,
ca mia companneira tal come vos muito quer
que criedes nosso fill' e façedes crecer." 80
Quenas coitas deste mundo ben quiser soffrer...

Pois que o Cond' aquesto diss', enton atan toste, sen al,
a levou consigo aa Condessa e disse-ll' atal:
"Aquesta moller pera criar nosso fillo muito val,
ca vejo-a mui fremosa, demais, semella-me sen mal; 85
e poren tenno que seja contra nos leal,
e metamos-lle des oi mais o moç' en poder."
Quenas coitas deste mundo ben quiser soffrer...

Pois que a santa dona o fillo do Conde recebeu,
de o criar muit' apost' e mui ben muito sse trameteu; 90
mas un irmão que o Cond' avia, mui falss' e sandeu,
Pediu-lle seu amor; e porque ela mal llo acolleu,
degolou-ll' o menỹo hũa noit' e meteu
ll' o cuitelo na mão pola fazer perder.
Quenas coitas deste mundo ben quiser soffrer... 95

Pois desta guisa pres mort' o menỹo, como vos dit' ei,
a santa dona, que o sentiu morto, diss': "Ai, que farei?"
O Cond' e a Condessa lle disseron: "Que ás?" Diz: "Eu ey
pesar e coita por meu criado, que ora mort' achey."
Diss' o irmão do Conde: "Eu o vingarey 100
de ti, que o matar foste por nos cofonder."
Quenas coitas deste mundo ben quiser soffrer...

Pois a dona foi ferida mal daquel, peyor que tafur,
e non vĩia quen lla das mãos sacasse de nenllur
senon a Condessa, que lla fillou, mas esto muit' adur; 105
ũus dizian: "Quéimena!" e outros: "Moira con segur!"
  Mas poi-la deron a un marĩeiro de Sur,
  que a fezesse mui longe no mar somerger.
  Quenas coitas deste mundo ben quiser soffrer...

O marỹeiro, poi-la ena barca meteu, ben come fol 110
disse-lle que fezesse seu talan, e seria sa prol;
mas ela diss' enton: "Santa Maria, de mi non te dol,
neno teu Fillo de mi non se nenbra, como fazer sol?"
  Enton vẽo voz de ceo, que lle disse: "Tol
  tas mãos dela, se non, farey-te perecer." 115
  Quenas coitas deste mundo ben quiser soffrer...

Os marỹeiros disseron enton: "Pois est' a Deus non praz,
leixemo-la sobr' aquesta pena, u pod' aver assaz
de coita e d'affan e pois morte, u outra ren non jaz,
ca, se o non fezermos, en mal ponto vimos seu solaz. 120
  E pois foy feyto, o mar nona leixou en paz,
  ante a vẽo con grandes ondas combater.
  Quenas coitas deste mundo ben quiser soffrer...

A Emperadriz, que non vos era de coraçon rafez,
com' aquela que tanto mal sofrera e non hũa vez, 125
tornou, con coita do mar e de fame, negra come pez;
mas en dormindo a Madre de Deus direi-vos que lle fez:
  tolleu-ll' a fam' e deu-ll' hũa erva de tal prez,
  con que podesse os gaffos todos guarecer.
  Quenas coitas deste mundo ben quiser soffrer... 130

A santa dona, pois que ss' espertou, non sentiu null' afan
nen fame, come se senpr' ouvesse comudo carn' e pan;
e a erva achou so sa cabeça e disse de pran:
"Madre de Deus, bẽeitos son os que en ti fyuza an,
  ca na ta gran mercee nunca falecerán 135
  enquanto a souberen guardar e gradecer."
  Quenas coitas deste mundo ben quiser soffrer...

107 *Sur, Suria*: Siria; v. ctgs. 9, 15, 115, 187.

Dizend' aquesto, a Emperadriz, muit' amiga de Deus,
vyu vĩir hũa nave preto de si, chẽa de romeus,
de bõa gente, que non avia y mouros nen judeus. 140
Pois chegaron, rogou-lles muito chorando dos ollos seus,
    dizendo: "Levade-me vosc', ay, amigos meus!"
    E eles logo conssigo a foron coller.
    Quenas coitas deste mundo ben quiser soffrer...

Pois a nav' u a Emperadriz ya aportou na foz 145
de Roma, logo baixaron a vea, chamando: "Ayoz."
E o maestre da nave diss' a un seu ome: "Vai, coz
carn' e pescado do meu aver, que te non cost' hũa noz."
    E a Emperadriz guaryu un gaf', e a voz
    foy end', e muitos gafos fezeron ss' y trager. 150
    Quenas coitas deste mundo ben quiser soffrer...

Ontr' os gafos que a dona guariu, que foron mais ca mil,
foi guarecer o irmão de Conde eno mes d'abril;
mas ant' ouv' el a dizer seu pecado, que fez come vil.
Enton a Condessa e el Conde changian a gentil 155
    dona, que perderan por trayçon mui sotil
    que ll' aquel gaffo traedor fora bastecer.
    Quenas coytas deste mundo ben quiser sofrer...

Muitos gafos sãou a Emperadriz en aquele mes;
mas de grand' algo que poren lle davan ela ren non pres, 160
mas andou en muitas romarias, e depois ben a tres
meses entrou na cidade de Roma, u er' o cortes
    Emperador, que a chamou e disso-lle: "Ves?
    Guari-m' est' irmão gaff', e dar-ch-ei grand' aver."
    Quenas coytas deste mundo ben quiser soffrer... 165

A dona diss' ao Emperador: "Voss' irmão guarrá;
mas ante que eu en el faça ren, seus pecados dirá
ant' o Apostolig' e ante vos, como os feitos á."
E pois foi feito, o Emperador diss': "Ai Deus, que será?
    Nunca mayor trayçon desta om' oyrá." 170
    E con pesar seus panos se fillou a ronper.
    Quenas coytas deste mundo ben quiser soffrer...

146 *Ayoz*: griego ἅγιος (ὁ θεός) 'Santo (Dios)'; v. 265.122, 419.151.

A Emperadriz fillou-s' a chorar e diss': "A mi non nuz
en vos saberdes que soon essa, par Deus de vera cruz,
a que vos fezestes atan gran torto, com' agor' aduz 175
voss' irmão a mãefesto, tan feo come estruz;
mas des oi mais a Santa Maria, que é luz,
quero servir, que me nunca á de falecer.
Quenas coitas deste mundo ben quiser soffrer...

Per nulla ren que ll' o Emperador dissesse, nunca quis 180
a dona tornar a el; ante lle disse que fosse fis
que ao segre non ficaria nunca, par San Denis,
nen ar vestiria pano de seda nen pena de gris,
mas hũa cela faria d'obra de Paris,
u se metesse por mays o mund' avorrecer. 185
Quenas coytas deste mundo ben quiser soffrer...

6

ESTA É COMO SANTA MARIA RESSUCITOU AO MENŸO QUE O JUDEU MATARA PORQUE CANTAVA "GAUDE VIRGO MARIA".

A que do bon rey Davi
de seu linnage decende,
nenbra-lle, creed' a mi, 5
de quen por ela mal prende.

Porend' a Sant' Escritura, | que non mente nen erra,
nos conta un gran miragre | que fez en Engraterra
a Virgen Santa Maria, | con que judeus an gran guerra
porque naceu Jesu-Cristo | dela, que os reprende. 10
A que do bon rei Davi...

168 *o Apostoligo*: el Papa.
182 *San Denis*: S. Dionisio. V. ctgs. 115, 146, 238, 245, 246, 265, 292, 404.
184 *obra de Paris*: el sentido no está claro.

6 *E, T, To.* 30 iante demais *E.* 73 correndo *E T.*
M.: A^7 B^7 A^7 B^7 / n^7 c^6 n^7 c^6 n^7 c^7 n^7 b^6 [*AA*/bbb*a*].
Val./Muss. p. MXL; Gautier IV, 42.

Avia en Engraterra | hũa moller menguada,
a que morreu o marido, | con que era casada;
mas ficou-lle del un fillo, | con que foi mui confortada,
e log' a Santa Maria | o offereu porende. 15
A que do bon rei Davi...

O menỹ' a maravilla | er' apost' e fremoso,
e d' aprender quant' oya | era muit' engẽoso;
e demais tan ben cantava, | tan manss' e tan saboroso,
que vencia quantos eran | en ssa terr' e alende. 20
A que do bon rei Davi...

E o cantar que o moço | mais aposto dizia,
e de que sse mais pagava | quen quer que o oya,
era un cantar en que diz: "Gaude Virgo Maria";
e pois diz mal do judeu, que sobr' aquesto contende. 25
A que do bon rei Davi...

Este cantar o menỹo | atan ben o cantava,
que qualquer que o oya | tan toste o fillava
e por leva-lo consigo | conos outros barallava,
dizend': "Eu dar-ll-ei que jante, | e demais que me-
[rende." 30
A que do bon rei Davi...

Sobr' esto diss' o menỹo: | "Madre, fe que devedes,
des oge mais vos consello | que o pedir leixedes,
pois vos dá Santa Maria | por mi quanto vos queredes,
e leixad' ela despenda, | pois que tan ben despende." 35
A que do bon rei Davi...

Depois, un dia de festa, | en que foron juntados
muitos judeus e crischãos | e que jogavan dados,
enton cantou o menỹo; | e foron en mui pagados
todos, senon un judeu que lle quis gran mal des ende. 40
A que do bon rei Davi...

24 *Gaude Maria Virgo, Gaude Virgo nunc Maria*; v. ctg. 1.

No que o moço cantava | o judeu meteu mentes,
e levó-o a ssa casa, | pois se foron as gentes;
e deu-lle tal dũa acha, | que ben atro enos dentes
o fendeu bẽes assi, ben como quen lenna fende. 45
A que do bon rei Davi...

Poi-lo menỹo fo morto, | o judeu muit' agỹa
soterró-o na adega, | u sas cubas tĩya;
mas deu mui maa noite | a sa madre, a mesqỹa,
que o andava buscando | e dalend' e daquende. 50
A que do bon rei Davi...

A coitada por seu fillo | ya muito chorando
e a quantos ela viia, | a todos preguntando
se o viran; o un ome | lle diss'; "Eu o vi ben quando
un judeu o levou sigo, | que os panos revende." 55
A que do bon rei Davi...

As gentes, quand' est' oiron, | foron alá correndo,
e a madre do menỹo | braadand' e dizendo:
"Di-me que fazes, meu fillo, | ou que estás atendendo,
que non vees a ta madre, | que ja sa mort' entende." 60
A que do bon rei Davi...

Pois diss': "Ai, Santa Maria, | Sennor, tu que es porto
u ar[r]iban os coytados, | dá-me meu fillo morto
ou viv' ou qual quer que seja; | se non, farás-me gran torto,
e direi que mui mal erra | queno teu ben atende." 65
A que do bon rei Davi...

O menỹ' enton da fossa, | en que o soterrara
o judeu, começou logo | en voz alta e clara
a cantar "Gaude Maria", | que nunca tan ben cantara,
por prazer da Gloriosa, | que seus servos defende. 70
A que do bon rei Davi...

Enton tod' aquela gente | que y juntada era
foron corrend' aa casa | ond' essa voz vẽera,
e sacaron o menỹo | du o judeu o posera
viv' e são, e dizian | todos: Que ben recende!" 75
A que do bon rey Davi...

A madr' enton a seu fillo | preguntou que sentira;
e ele lle contou como | o judeu o ferira,
e que ouvera tal sono | que sempre depois dormira,
ata que Santa Maria | lle disse: "Leva-t' ende; 80
A que do bon rey Davi...

Ca muito per ás dormido, | dormidor te feziste,
e o cantar que dizias | meu ja escaeciste;
mas leva-t' e di-o logo | mellor que nunca dissiste,
assi que achar non possa | null' om' y que emende." 85
A que do bon rey Davi...

Quand' esto diss' o menỹo, | quantos s'y acertaron
aos judeus foron logo | e todo-los mataron;
e aquel que o ferira | eno fogo o queimaron,
dizendo: "Quen faz tal feito, | desta guisa o rende." 90
A que do bon rey Davi...

7

ESTA É COMO SANTA MARIA LIVROU A ABADESSA PRENNE, QUE ADORMECERA ANT' O SEU ALTAR CHORANDO.

Santa Maria amar
devemos muit' e rogar
que a ssa graça ponna 5
sobre nos, por que errar
non nos faça, nen peccar,
o demo sen vergonna.

7 *E, T, To.* 10 un] dun *E.* 18 racadar *E.* 30 Collonna *E.* 35 lle] lles *E.*
M.: A^7 A^7 B^6 A^7 A^7 B^6 / c^7 c^7 d^6 c^7 c^7 d^6 a^7 a^7 b^6 a^7 a^7 b^6 [*AA/bbaa*].
Val./Muss. p. XXIX; Gautier II, 181; Berceo 19.

Porende vos contarey
un miragre que achei 10
que por hũa badessa
fez a Madre do gran Rei,
ca, per com' eu apres' ei,
era-xe sua essa.
Mas o demo enartar 15
a foi, por que emprennnar
s' ouve dun de Bolonna,
ome que de recadar
avia e de guardar
seu feit' e sa besonna. 20
Santa Maria amar...

As monjas, pois entender
foron esto e saber,
ouveron gran lediça;
ca, porque lles non sofrer 25
queria de mal fazer,
avian-lle mayça.
E fórona acusar
ao Bispo do logar,
e el ben de Colonna 30
chegou y; e pois chamar
a fez, vẽo sen vagar,
leda e mui risonna.
Santa Maria amar...

O Bispo lle diss' assi: 35
"Dona, per quant' aprendi,
mui mal vossa fazenda
fezestes; e vin aqui
por esto, que ante mi
façades end' emenda." 40

17 *Bolonna, Colonna* (30; Colonia, Alemania; v. ctg. 14), *Sansonna* (46; Soissons; cf. 41.6), *Onna* (56; Oña, Burgos; v. ctg. 221): indicaciones de lugar inventadas por el autor de la ctg.

Mas a dona sen tardar
a Madre de Deus rogar
foi; e, come quen sonna,
Santa Maria tirar
lle fez o fill' e criar 45
lo mandou en Sanssonna.
Santa Maria amar...

Pois s' a dona espertou
e se guarida achou,
log' ant' o Bispo vẽo; 50
e el muito a catou
e desnua-la mandou;
e pois lle vyu o sẽo,
começou Deus a loar
e as donas a brasmar, 55
que eran d'ordin d'Onna,
dizendo: "Se Deus m'anpar,
por salva poss' esta dar,
que non sei que ll'aponna."
Santa Maria amar... 60

8

ESTA É COMO SANTA MARIA FEZ EN ROCAMADOR DECENDER HŨA CANDEA NA VIOLA DO JOGRAR QUE CANTAVA ANT' ELA.

A Virgen Santa Maria
todos a loar devemos,
cantand' e con alegria, 5
quantos seu ben atendemos.

8 *E, T, To.* 17 Aquel lais que el *E.* 45 nos e uos *E.*
M.: A^7 B^7 A^7 B^7 / n^7 c^7 n^7 c^7 n^7 c^7 n^7 b^7 [*AA*/bbb*a*].
Val./Muss. p. XLI; Gautier IV, 175.

1 Rocamadour (Lot, Francia), uno de los más famosos santuarios marianos de la edad media. V. ctgs. 22, 147, 153, 157, 158, 159, 175, 214, 217, 267, 343.

E por aquest' un miragre | vos direi, de que sabor
averedes poy-l' oirdes, | que fez en Rocamador
a Virgen Santa Maria, | Madre de Nostro Sennor;
ora oyd' o miragre, | e nos contar-vo-lo-emos. 10
A Virgen Santa Maria...

Un jograr, de que seu nome | era Pedro de Sigrar,
que mui ben cantar sabia | e mui mellor violar,
e en toda-las eigrejas | da Virgen que non á par
un seu lais senpre dizia, | per quant' en nos aprendemos. 15
A Virgen Santa Maria...

O lais que ele cantava | era da Madre de Deus,
estand' ant' a sa omagen, | chorando dos ollos seus;
e pois diss': "Ai, Groriosa, | se vos prazen estes meus
cantares, hũa candea | nos dade a que cẽemos." 20
A Virgen Santa Maria...

De com' o jograr cantava | Santa Maria prazer
ouv', e fez-lle na viola | hũa candea decer;
may-lo monge tesoureiro | foi-lla da mão toller,
dizend': "Encantador sodes, | e non vo-la leixaremos. 25
A Virgen Santa Maria...

Mas o jograr, que na Virgen | tĩia seu coraçon,
non quis leixar seus cantares, | e a candea enton
ar pousou-lle na viola; | mas o frade mui felon
tolleu-lla outra vegada | mais toste ca vos dizemos. 30
A Virgen Santa Maria...

Pois a candea fillada | ouv' aquel monge des i
ao jograr da viola, | foy-a põer ben ali
u x' ant' estav', e atou-a | mui de rrig' e diss' assi:
"Don jograr, se a levardes, | por sabedor vos terremos." 35
A Virgen Santa Maria...

O jograr por tod' aquesto | non deu ren, mas violou
como x' ante violava, | e a candea pousou

12 *Sigrar*: Sieglar, cerca de Colonia (Alemania).

outra vez ena vyola; | mas o monge lla cuidou
fillar, mas disse-ll' a gente: | "Esto vos non sofreremos." 40
A Virgen Santa Maria...

Poi-lo monge perfiado | aqueste miragre vyu,
entendeu que muit' errara, | e logo ss' arrepentiu;
e ant' o jograr en terra | se deitou e lle pedyu
perdon por Santa Maria, | en que vos e nos creemos. 45
A Virgen Santa Maria...

Poy-la Virgen groriosa | fez este miragr' atal,
que deu ao jograr dõa | e converteu o negral
monge, dali adeante | cad' an' un grand' estadal
lle trouxe a ssa eigreja | o jograr que dit' avemos. 50
A Virgen Santa Maria...

9

ESTA É COMO SANTA MARIA FEZ EN SARDONAY, PRETO DE DOMAS, QUE A SSA OMAGEN, QUE ERA PINTADA EN HŨA TAVOA, SSE FEZESSE CARNE E MANASS' OYO.

Por que nos ajamos
senpre, noit' e dia, 5
dela renenbrança,
en Domas achamos
que Santa Maria
fez gran demostrança.

9 *E, T, To.* 18 albergueria *To.* 29 soria *To.* 56 a se *E T.* 84 queria] fazia *E T.* 101 Sandeus] maos *E T.* 111 a se *To.* 171 grosain *To.*
M.: A^5 B^5 C^5 A^5 B^5 C^5 / n^5 d^5 n^5 e^5 n^5 d^5 n^5 e^5 a^5 b^5 c^5 a^5 b^5 c^5 [*AA/bbaa*].
Val./Muss. p. LXXIX; Gautier IV, 378. G. Raynaud, *Le miracle de Sardenai.* Romania 11 (1882), 519-37; 14 (1885), 82-93.

1 *Sardonay*: Gautier: *Sardanei, Sardenei, Sardinay, Beata Maria Sardunensis,* etc. Hoy *Sidonaiia.*

2 *Domas*: Damasco; v. ctg. 165.

En esta cidade, | que vos ei ja dita, 10
ouv' y hua dona | de mui santa vida,
mui fazedor d'algu' e | de todo mal quita,
rica e mui nobre | e de ben comprida.
Mas, por que sabiámos
como non queria 15
do mundo gabança,
como fez digamos
hũ' albergaria,
u fillou morança.
Por que nos ajamos... 20

E ali morand' e | muito ben fazendo
a toda-las gentes | que per y passavan,
vẽo y un monge, | segund' eu aprendo,
que pousou con ela, | com' outros pousavan.
Diss' ela: "Ouçamos 25
u tẽedes via,
se ides a França."
Diss' el: "Mas cuidamos
dereit' a Suria
log' ir sen tardança." 30
Por que nos ajamos...

Log' enton a dona, | chorando dos ollos,
muito lle rogava | que per y tornasse,
des que el ouvesse | fito-los gẽollos
ant' o San Sepulcro | e en el beijasse. 35
"E mais vos rogamos
que, sse vos prazia,
hũa semellança
que dalá vejamos
da que sempre guia 40
os seus sen errança."
Por que nos ajamos

29 *Suria*: v. 5.107.

Pois que foi o monge | na santa cidade,
u Deus por nos morte | ena cruz prendera,
comprido seu feito, | ren da magestade 45
non lle veo a mente, | que el prometera;
mas disse: "Movamos,"
a sa conpania,
"que gran demorança
aqui u estamos 50
bõa non seria
sen aver pitança."
Por que nos ajamos...

Quand' est' ouve dito, | cuidou-ss' ir sen falla;
mas a voz do ceo | lle disse: "Mesqỹo, 55
e como non levas, | asse Deus te valla,
a omagen tigo | e vas teu camỹo?
Esto non loamos;
ca mal ch'estaria
que, per obridança, 60
se a que amamos
monja non avia
da Virgen senbrança."
Por que nos ajamos...

Mantenent' o frade | os que cọn el yan 65
leixou ir, e logo | tornou sen tardada
e foi buscar u as | omages vendian,
e comprou end' ũa, | a mellor pintada.
Diss' el: "Ben mercamos;
e quen poderia 70
a esta osmança
põer? E vaamos
a noss' abadia
con esta gaança."
Por que nos ajamos... 75

E pois que o monge | aquesto feit' ouve,
foi-ss' enton sa vi', a | omagen no sẽo.
E log' y a preto | un leon, u jouve,
achou, que correndo | pera ele vẽo

de so ũus ramos, 80
non con felonia,
mas con omildança;
por que ben creamos
que Deus o queria
guardar, sen dultança. 85
Por que nos ajamos...

Des quando o monge | do leon foi quito,
que, macar se fora, | non perdera medo
del, a pouca d'ora | un ladron maldito,
que romeus roubava, | diss' aos seus quedo: 90
"Por que non matamos
este, pois desvia?
Dar-ll-ei con mia lança,
e o seu partamos,
logo sen perfia 95
todos per iguança."
Por que nos ajamos...

Quand' est' ouve dito, | quis en el dar salto,
dizendo: "Matemo-|lo ora, irmãos."
Mas a voz do ceo | lles disse mui d'alto: 100
"Sandeus, non ponnades | en ele as mãos;
ca nos lo guardamos
de malfeitoria
e de malandança,
e ben vos mostramos 105
que Deus prenderia
de vos gran vingança."
Por que nos ajamos...

Pois na majestade | viu tan gran vertude,
o mong' enton disse: | "Como quer que seja, 110
bõa será esta, | asse Deus m'ajude,
en Costantinoble | na nossa eigreja;
ca, se a levamos
allur, bavequia
e gran malestança 115

serán, non erramos."
E ao mar s' ya
con tal acordança.
Por que nos ajamos...

E en hũa nave | con outra gran gente 120
entrou, e gran peça | pelo mar singraron;
mas hũa tormenta | vẽo mantenente,
que do que tragian | muit' en mar deitaron,
por guarir, osmamos.
E ele prendia 125
con desasperança
a que aoramos,
que sigo tragia
por sa delivrança,
Por que nos ajamos... 130

Por no mar deita-la. | Que a non deitasse
hũa voz lle disse, | ca era peccado,
mas contra o ceo | suso a alçasse,
e o tempo forte | seria quedado.
Diz: "Prestes estamos." 135
Enton a ergia
e diz con fiança:
"A ti graças damos
que es alegria
noss' e amparança." 140
Por que nos ajamos...

E log' a tormenta | quedou essa ora,
e a nav' a Acre | enton foi tornada;
e con ssa omagen | o monge foi fora
e foi-sse a casa | da dona onrrada. 145
Ora retrayamos
quan grand' arteria
fez per antollança;
mas, como penssamos,

143 *Acre*: v. 5.40.

tanto lle valrria 150
com' hũa garvança,
Por que nos ajamos...

O monge da dona | non foi connoçudo,
onde prazer ouve, | e ir-se quisera;
logo da capela | u era metudo 155
non viu end' a porta | nen per u vẽera.
"Por que non leixamos."
contra ssi dizia,
"e sen demorança,
esta que conpramos, 160
e Deus tiraria
nos desta balança?"
Por que nos ajamos...

El esto penssando, | viu a port' aberta
e foi aa dona | contar ssa fazenda, 165
e deu-ll' a omagen, | ond' ela foi certa,
e sobelo altar | a pos por emenda.
Carne, non dultamos,
se fez e saya
dela, mas non rança, 170
grossain, e sejamos
certos que corria
e corr' avondança.
Por que nos ajamos...

10

ESTA É DE LOOR DE SANTA MARIA, COM' É FREMOSA E BÕA E Á GRAN PODER.

Rosas das rosas e Fror das frores,
Dona das donas, Sennor das sennores.

10 *E, T, To.*
M.: A^9 A^{10} / b^{10} b^{10} b^{10} a^{10}.

Rosa de beldad' e de parecer
e Fror d'alegria e de prazer, 5
Dona en mui piadosa seer,
Sennor en toller coitas e doores.
Rosa das rosas e Fror das frores...

Atal Sennor dev' ome muit' amar,
que de todo mal o pode guardar; 10
e pode-ll' os peccados perdõar,
que faz no mundo per maos sabores.
Rosa das rosas e Fror das frores...

Devemo-la muit' amar e servir,
ca punna de nos guardar de falir; 15
des i dos erros nos faz repentir,
que nos fazemos come pecadores.
Rosa das rosas e Fror das frores...

Esta dona que tenno por Sennor
e de que quero seer trobador, 20
se eu per ren poss' aver seu amor,
dou ao demo os outros amores.
Rosa das rosas e Fror das frores...

11

ESTA É DE COMO SANTA MARIA TOLLEU A ALMA DO MONGE QUE SS' AFFOGARA NO RIO AO DEMO, E FEZE-O RESSOCITAR.

Macar ome per folia
aginna caer
pod' en pecado, 5
do ben de Santa Maria
non dev' a seer
desasperado.

11 *E, T, To.* 92 lodania *E.*
M.: *A*[7] B[5] *C*[4] *A*[7] B[5] *C*[4] / *a*[7] *a*[7] *a*[7] b[5] *c*[4] *a*[7] b[5] *c*[4] [*AA/baa*].
Val./Muss. p. LX; Gautier III, 165; Berceo 2. Franz Ritter, *Die Legende vom "Ertrunkenen Glöckner"*. Diss. Strassburg, 1913.

Poren direi todavia
com' en hũa abadia 10
un tesoureiro avia,
  monge que trager
  con mal recado
a ssa fazenda sabia,
  por a Deus perder, 15
  o malfadado.
Macar ome per folia...

Sen muito mal que fazia,
cada noyt' en drudaria
a hua sa druda ya 20
  con ela tẽer
  seu gasallado;
pero ant' "Ave Maria"
  sempr' ya dizer
  de mui bon grado. 25
Macar ome per folia...

Quand' esto fazer queria,
nunca os sinos tangia,
e log' as portas abria
  por ir a fazer 30
  o desguisado;
mas no ryo que soya
  passar foi morrer
  dentr' afogado.
Macar ome per folia... 35

E u ll' a alma saya,
log' o demo a prendia
e con muy grand' alegria
  foi pola põer
  no fog' irado; 40
mas d' angeos conpania
  pola socorrer
  vẽo privado.
Macar ome per folia...

Gran refferta y crecia, 45
ca o demo lles dizia:
"Ide daqui vossa via,
que dest' alm' aver
é juigado,
ca fez obras noit' e dia 50
senpr' a meu prazer
e meu mandado."
Macar ome per folia...

Quando est' a conpann' oya
dos angeos, sse partia 55
dali triste, pois viya
o demo seer
ben rezõado;
mas a Virgen que nos guia
non quis falecer 60
a seu chamado.
Macar ome per folia...

E pois chegou, lles movia
ssa razon con preitesia
que per ali lles faria 65
a alma toller
do frad' errado,
dizendo-lles: "Ousadia
foi d'irdes tanger
meu comendado." 70
Macar ome per folia...

O demo, quand' entendia
esto, con pavor fugia;
mas un angeo corria
a alma prender, 75
led' aficado,
e no corpo a metia
e fez-lo erger
ressucitado.
Macar ome per folia... 80

O convento atendia
o syno a que ss' ergia,
ca des peça non durmia;
poren sen lezer
ao sagrado 85
foron, e à agua ffria,
u viron jazer
o mui culpado.
Macar ome per folia...

Tod' aquela crerezia 90
dos monges logo liia
sobr' ele a ledania,
polo defender
do denodado
demo; mas a Deus prazia, 95
e logo viver
fez o passado.
Macar ome per folia...

12

ESTA É COMO SANTA MARIA SE QUEIXOU EN TOLEDO ENO DIA DE SSA FESTA DE AGOSTO, PORQUE OS JUDEUS CRUCIFIGAVAN ŨA OMAGEN DE CERA, A SEMELLANÇA DE SEU FILLO.

O que a Santa Maria mais despraz,
é de quen ao seu Fillo pesar faz. 5

12 *E, T, To.* 3 a... Fillo] a ssa semellança *E.* 14 doorida assaz *E.* 19 conosco] con ele *E T.*
M.: A^{11} A^{11} / n^7 b^7 n^7 b^7 b^{11} a^{11}.
Val./Muss. p. XIV; Adgar 11; Berceo 18.
2 *festa de Agosto*: Asunción.

E daquest' un gran miragre | vos quer' eu ora contar,
que a Reinna do Ceo| quis en Toledo mostrar
eno dia que a Deus foi coroãr,
na sa festa que no mes d'Agosto jaz.
O que a Santa Maria mais despraz... 10

O Arcebispo aquel dia | a gran missa ben cantou;
e quand' entrou na segreda | e a gente se calou,
oyron voz de dona, que lles falou
piadosa e doorida assaz.
O que a Santa Maria mais despraz... 15

E a voz, come chorando, | dizia: "Ay Deus, ai Deus,
com' é mui grand' e provada | a perfia dos judeus
que meu Fillo mataron, seendo seus,
e aynda non queren conosco paz."
O que a Santa Maria mais despraz... 20

Poi-la missa foi cantada, | o Arcebispo sayu
da eigreja e a todos | diss' o que da voz oyu;
e toda a gent' assi lle recodyu:
"Esto fez o poblo dos judeus malvaz."
O que a Santa Maria mais despraz... 25

Enton todos mui correndo | começaron logo d'ir
dereit' aa judaria, | e acharon, sen mentir,
omagen de Jeso-Crist', a que ferir
yan os judeus e cospir-lle na faz.
O que a Santa Maria mais despraz... 30

E sen aquest', os judeus | fezeran ũa cruz fazer
en que aquela omagen | querian logo põer.
E por est' ouveron todos de morrer,
e tornou-xe-lles en doo seu solaz.
O que a Santa Maria mais despraz... 35

13

ESTA É COMO SANTA MARIA GUARDOU O LADRON QUE NON MORRESSE NA FORCA, PORQUE A SAUDAVA.

Assi como Jesu-Cristo, | estando na cruz, salvou
un ladron, assi sa Madre | outro de morte livrou.

E porend' un gran miragre | vos direi desta razón, 5
que feze Santa Maria, | dun mui malfeitor ladron
que Elbo por nom' avia; | mas sempr' en ssa oraçon
a ela s' acomendava, | e aquello lle prestou.
Assi como Jeso-Cristo, | estando na cruz, salvou...

Onde ll' avẽo un dia | que foi un furto fazer, 10
e o meiryo da terra | ouve-o log' a prender,
e tan toste sen tardada | fez-lo na forca põer;
mas a Virgen, de Deus Madre, | log' enton del se nenbrou.
Assi como Jeso-Cristo, | estando na cruz, salvou...

E u pendurad' estava | no forca por ss' afogar, 15
a Virgen Santa Maria | non vos quis enton tardar,
ante chegou muit' agĩa | e foil-ll' as mãos parar
so os pees e alçó-o | assi que non ss' afogou.
Assi como Jeso-Cristo, | estando na cruz, salvou...

Assi esteve tres dias | o ladron que non morreu; 20
mais lo meiryo passava | per y e mentes meteu
com' era viv', e un ome | seu logo lle corregeu
o laço per que morresse, | mas a Virgen o guardou.
Assi como Jeso-Cristo, | estando na cruz, salvou...

13 *E, T, To.* 3 estand ena *E.* 25 cuidauan *E.*
M.: *N*^{7} A^7 *N*^{7} A^7 / *n*^{7} b^7 *n*^{7} b^7 *n*^{7} b^7 *n*^{7} a^7.
Val./Muss. p. XLI; Gautier II, 285; Berceo 6. B. de Gaiffier, *Un thème hagiographique: Le pendu miraculeusement sauvé.* Subsidia Hagiographica 43 (1967), 194-232.
7 *Elbo*: Berceo (y su fuente latina): *Ebbo*; Gautier: *Ebles.*

U cuidavan que mort' era, | o ladron lles diss' assi: 25
"Quero-vos dizer, amigos | ora por que non morri:
guardou-me Santa Maria, | e aque-vo-la aqui
que me nas sas mãos sofre | que m' o laço non matou."
Assi como Jeso-Cristo, | estando na cruz, salvou...

Quand' est' oyu o meirỹo, | deu aa Virgen loor 30
Santa Maria, e logo | foi decer por seu amor
Elbo, o ladron, da forca, | que depois por servidor
dela foi senpr' en sa vida, | ca en orden log' entrou.
Assi como Jeso-Cristo, | estando na cruz, salvou...

14

ESTA É COMO SANTA MARIA ROGOU A SEU FILLO POLA ALMA DO MONGE DE SAN PEDRO, POR QUE ROGARAN TODO-LOS SANTOS, E O NON QUIS FAZER SENON POR ELA.

Par Deus, muit' é gran razon
de poder Santa Maria | mais de quantos Santos son. 5

E muit' é cousa guysada | de poder muito con Deus
a que o troux' en seu corpo, | e depois nos braços seus
o trouxe muitas vegadas, | e con pavor dos judeus
fugiu con el a Egipto, | terra de rey Faraon.
Par Deus, muit' é gran razon... 10

Esta Sennor groriosa | quis gran miragre mostrar
en un mõesteir' antigo, | que soya pret' estar
da cidade de Colonna, | u soyan a morar
monges e que de San Pedro | avian a vocaçon.
Par Deus, muit' é gran razón... 15

Entr' aqueles bõos frades | avia un frad' atal,
que dos sabores do mundo | mais ca da celestial

14 *E, T, To.* 1 a seu fillo rogou *E.* 2 rogaron *E.* 42 frade perdõas po seu amor *E T.* 43 ꝛ dissel madre fareyo pois *E T.* 46 E deus *E.*
M.: A^7 N^7 A^7 / n^7 b^7 n^7 b^7 n^7 b^7 n^7 a^7.
Val./Muss. p. LXI; Gautier II, 227; Berceo 7.
13 *Colonna*: v. 7.30.

vida gran sabor avia; | mas por se guardar de mal
beveu hũa meezỹa, | e morreu sen confisson.
Par Deus, muit' é gran razon... 20

E tan toste que foi morto, | o dem' a alma fillou
dele e con gran lediça | logo a levar cuidou;
mas defendeu-llo San Pedro, | e a Deus por el rogou
que a alma do seu monge | por el ouvesse perdon.
Par Deus, muit' é gran razon... 25

Pois que San Pedr' esto disse | a Deus, respos-ll' el assi:
"Non sabes la profecia | que diss' o bon rei Davi,
que o ome con mazela | de peccado ante mi
non verrá, nen de mia casa | nunca será conpannon?"
Par Deus, muit' é gran razon... 30

Mui triste ficou San Pedro | quand' esta razon oyu,
e chamou todo-los Santos | ali u os estar vyu,
e rogaron polo frade | a Deus; mas el recodiu
ben com' a el recodira, | e en outra guisa non.
Par Deus, muit' é gran razon... 35

Quando viu San Pedr' os Santos | que assi foran falir,
enton a Santa Maria | mercee lle foi pedir
que rogass' ao seu Fillo | que non quisess' consentir
que a alma do seu frade | tevess' o dem' en prijon.
Par Deus, muit' é gran razon... 40

Log' enton Santa Maria | a seu Fill' o Salvador
foi rogar que aquel frade | ouvesse por seu amor
perdon. E diss' el: "farey-o | pois end' avedes sabor;
mas torn' a alma no corpo, | e compra ssa profisson."
Par Deus, muit' é gran razon... 45

U Deus por Santa Maria | este rogo foi fazer,
o frade que era morto | foi-ss' en pees log' erger,
e contou ao convento | como ss' ouver' a perder,
se non por Santa Maria, | a que Deus lo deu en don.
Par Deus, muit' é gran razon... 50

27-29: Domine quis habitabit in tabernaculo tuo ... qui ingreditur sine macula (Ps. 14.1-2).

15

ESTA É COMO SANTA MARIA DEFENDEU A CIDADE DE CESAIRA DO EMPERADOR JUYÃO.

Todo-los Santos que son no Ceo | de servir muito
[an gran sabor
Santa Maria a Virgen, Madre | de Jeso-Cristo, Nostro
[Sennor.

E de lle seeren ben mandados, 5
esto dereit' e razon aduz,
pois que por eles encravelados
ouve seu Fill' os nembros na cruz;
demais, per ela Santos chamados
son, e de todos é lum' e luz; 10
porend' estan sempr' apparellados
de fazer quanto ll' en prazer for.
Todo-los Santos que son no Ceo | de servir muito
[an gran sabor...

Ond' en Cesaira a de Suria
fez un miragre, á gran sazon, 15
por San Basillo Santa Maria
sobre Juyão falss' e felon,
que os crischãos matar queria,
ca o demo no seu coraçon
metera y tan grand' erigia, 20
que per ren non podia mayor.
Todo-los Santos que son no Ceo | de servir muito
[an gran sabor...

15 *E, T, To.* 38 basilo *E,* Bisilo *T.* 59 basil *E.* 73 maria *E T.* 114 Basil *E.* 123 basillo *E,* Basilo *T.* 128 uerdadayro *E.* 133 gent *E.*
M.: N^9 A^9 N^9 A^9 / b^9 c^9 b^9 c^9 b^9 c^9 b^9 a^9 [AA/bbba].
Val./Muss. p. XCVII; Adgar 16; Gautier IV, 1.
1 Cesarea, en Palestina.
2 Juliano el Apóstata (331-363); v. ctg. 27.
14 *Suria*: v. 5.107.
16 Basilio el Grande (h. 330-379), Padre de la Iglesia.

Este Juyão avia guerra
con perssiãos, e foi sacar
oste sobr' eles, e pela terra 25
de Cesaira ouve de passar;
e San Basill' a pe dũa serra
sayu a el por xe ll' omillar,
e diss' assi: "Aquel que non erra,
que Deus é, te salv', Enperador." 30

Todo-los Santos que son no Ceo | de servir muito
[an gran sabor...

Juyão diss' ao ome santo:
"Sabedor es, e muito me praz;
mas quer' agora que sábias tanto
que mui mais sei eu ca ti assaz, 35
e de tod' esto eu ben m' avanto
que sei o que en natura jaz."
Basil[l]o diz: "Será est' enquanto
tu connoceres teu Criador."

Todo-los Santos que son no Ceo | de servir muito
[an gran sabor... 40

O sant' ome tirou de seu sẽo
pan d' orjo, que lle foi offrecer
dizend': "Esto nos dan do allẽo
por Deus, con que possamos viver.
Pois ta pessõa nobr' aqui vẽo, 45
filla-o, se te jaz en prazer."
Juyão disse: "Den-ti do fẽo,
pois me cevada dás por amor.

Todo-los Santos que son no Ceo | de servir muito
[an gran sabor...

E mais ti digo que, sse conqueiro 50
terra de Perssia, quero vĩir
per aqui log' e teu mõesteiro
e ta cidade ti destroyr;
e fẽo comerás por fazfeiro,
ou te farey de fame fĩir; 55

e se t' aqueste pan non refeiro,
terrei-me por d'outr' ome peyor."
Todo-los Santos que son no Ceo | de servir muito
[an gran sabor...

Pois San Basill' o fẽo fillado
ouve, tornando-sse diss' atal: 60
"Juyão, deste fẽo que dado
mi ás que comesse feziste mal;
e est' orgullo que mi ás mostrado,
Deus tio demande, que pod' e val;
e quant' eu ei tenn' encomendado 65
da Virgen, Madre do Salvador."
Todo-los Santos que son no Ceo | de servir muito
[an gran sabor...

Pois se tornou aos da cidade,
fez-los juntar, chorando dos seus
ollos, contand' a deslealdade 70
de Juyão, e disse: "Por Deus
de quen é Madre de piadade
Santa Mari', ay amigos meus,
roguemos-lle pola sa bondade
que nos guarde daquel traedor." 75
Todo-los Santos que son no Ceo | de servir muito
[an gran sabor...

Demais fez-lles gejũar tres dias
e levar gran marteir' e afan,
andando per muitas romarias,
bevend' agua, comendo mal pan; 80
de noite lles fez tẽer vigias
na eigreja da do bon talan,
Santa Maria, que désse vias
per que saissen daquel pavor.
Todo-los Santos que son no Ceo | de servir muito
[an gran sabor... 85

Poi-lo sant' om' aquest' ouve feito,
ben ant' o altar adormeceu
da Santa Virgen, lass' e maltreito;
e ela logo ll' apareceu
con gran poder de Santos afeito 90
que a terra toda 'sclareceu,
e dizendo: "Pois que ei congeyto,
vingar-m-ei daquele malfeitor."
Todo-los Santos que son no Ceo | de servir muito
[an gran sabor...

Pois esto disse, chamar mandava 95
San Mercuiro e disse-ll' assi:
"Juyão falsso, que rezõava
mal a meu Fill' e peyor a mi,
por quanto mal nos ele buscava
dá-nos dereyto del ben aly 100
du vay ontr' os seus, en que fiava,
e sei de nos ambos vingador."
Todo-los Santos que son no Ceo | de servir muito
[an gran sabor...

E mantenente sen demorança
San Mercuiro log' ir-se leixou 105
en seu cavalo branqu', e sa lança
muito brandind'; e toste chegou
a Juyão, e deu-lle na pança
que en terra morto o deitou
ontr' os seus todos; e tal vingança 110
fillou del come bon lidador.
Todo-los Santos que son no Ceo | de servir muito
[an gran sabor...

Tod' aquesto que vos ora dito
ei, San Basil' en sa vison viu;
e Santa Maria deu-ll' escrito 115
un lyvro, e ele o abryu,

96 S. Mercurio de Cesarea, quien, según una leyenda, habría matado a Juliano.

e quant' y viu no coraçon fito
teve ben, e logo ss' espedyu
dela. E pois da vison foi quito,
ficou en con med' e con tremor. 120

Todo-los Santos que son no Ceo | de servir muito
[an gran sabor...

Depos aquest' un seu conpanneiro
San Basilio logo chamou,
e catar foi logo de primeiro
u as sas armas ante leixou 125
de San Mercuiro, o cavaleiro
de Jeso-Crist', e nonas achou;
e teve que era verdadeyro
seu sonn', e deu a Deus en loor.

Todo-los Santos que son no Ceo | de servir muito
[an gran sabor... 130

Essa ora logo sen tardada
San Basillo, com' escrit' achey,
u a gente estav' assũada
foi-lles dizer como vos direi:
"Gran vengança nos á ora dada 135
San Mercuiro daquel falsso rei,
ca o matou dũa gran lançada,
que nunca atal deu justador.

Todo-los Santos que son no Ceo | de servir muito
[an gran sabor...

E se daquesto, pela ventura, 140
que digo non me creedes en:
eu fui catar a ssa sepultura
e das sas armas non vi y ren.
Mas tornemos y log' a cordura,
por Deus que o mund' en poder ten, 145
ca este feit' é de tal natura
que dev' om' en seer sabedor."

Todo-los Santos que son no Ceo | de servir muito
[an gran sabor...

Logo tan toste foron correndo
e as armas todas essa vez 150
acharon, e a lança jazendo,
con que San Mercuir' o colbe fez,
sangoent'; e per y entendendo
foron que a Virgen mui de prez
fez fazer esto en defendendo 155
os seus de Juyão chufador.
Todo-los Santos que son no Ceo | de servir muito
[an gran sabor...

Eles assi a lança catando,
que creer podian muit' adur,
maestre Libano foi chegando, 160
filosofo natural de Sur,
que lles este feito foi contando,
ca sse non detevera nenllur
des que leixara a ost' alçando
e Juyão morto sen coor. 165
Todo-los Santos que son no Ceo | de servir muito
[an gran sabor...

E contou-lles a mui gran ferida
que ll' un cavaleiro branco deu,
per que alma tan toste partida
lle foi do corp'. "Aquesto vi eu," 170
diss' el, "poren quero santa vida
fazer vosqu', e non vos seja greu,
e receber vossa ley comprida,
e serey dela preegador."
Todo-los Santos que son no Ceo | de servir muito
[an gran sabor... 175

160 Libanio, sofista y retórico griego (314-393).
161 *Sur*: v. 5.107.
169 *alma*: = a alma.

E log' a agua sobela testa
lle deytaron, e batismo pres;
e começaron log' y a festa
da Virgen, que durou ben un mes;
e cada dia pela gran sesta 180
vȳan da ost' un e dous e tres,
que lles contaron da mort' a gesta
que pres Juyão a gran door.
Todo-los Santos que son no Ceo | de servir muito
[an gran sabor...

16

ESTA É COMO SANTA MARIA CONVERTEU UN CAVALEIRO NAMORADO, QUE SS' OUVER' A DESASPERAR PORQUE NON PODIA AVER SA AMIGA.

Quen dona fremosa e bõa quiser amar,
am' a Groriosa e non poderá errar.

E desta razon vos quer' eu agora dizer 5
fremoso miragre, que foi en França fazer
a Madre de Deus, que non quiso leixar perder
un namorado que ss' ouver' a desasperar.
Quen dona fremosa e bõa quiser amar...

Este namorado foi cavaleiro de gran 10
prez d'armas, e mui fremos' e apost' e muy fran;
mas tal amor ouv' a hũa dona, que de pran
cuidou a morrer por ela ou sandeu tornar.
Quen dona fremosa e bõa quiser amar...

E pola aver fazia o que vos direi: 15
non leixava guerra nen lide nen bon tornei,
u se non provasse tan ben, que conde nen rey

16 *E, T, To.*
M.: A^{13} A^{13} / b^{13} b^{13} b^{13} a^{13}.
Val./Muss. p. LXXXII; Gautier III, 150.

polo que fazia o non ouvess' a preçar.
Quen dona fremosa e bõa quiser amar...

E, con tod' aquesto, dava seu aver tan ben 20
e tan francamente, que lle non ficava ren;
mas quando dizia aa dona que o sen
perdia por ela, non llo queri' ascoitar.
Quen dona fremosa e bõa quiser amar...

Macar o cavaleir' assi despreçar se viu 25
da que el amava, e seu desamor sentiu,
pero, con tod' esto, o coraçon non partiu
de querer seu ben e de o mais d'al cobiiçar.
Quen dona fremosa e bõa quiser amar...

Mas con coita grande que tĩia no coraçon, 30
com' ome fora de seu siso, se foi enton
a un sant' abade e disse-ll' en confisson
que a Deus rogasse que lla fezesse gãar.
Quen dona fremosa e bõa quiser amar...

O sant' abade, que o cavaleiro sandeu 35
vyu con amores, atan toste ss' apercebeu
que pelo dem' era; e poren se trameteu
de buscar carreira pera o ende tirar.
Quen dona fremosa e bõa quiser amar...

E poren lle disse: "Amigo, creed' a mi, 40
se esta dona vos queredes, fazed' assi:
a Santa Maria a pedide des aqui,
que é poderosa e vo-la poderá dar.
Quen dona fremosa e bõa quiser amar...

E a maneyra en que lla devedes pedir 45
é que duzentas vezes digades, sen mentir,
"Ave Maria, d'oj' a un ano, sen falir,
cada dia, en gẽollos ant' o seu altar."
Quen dona fremosa e bõa quiser amar...

28 *ben*: en el sentido de "persona amada".

O cavaleiro fez todo quanto ll' el mandou 50
e tod' ess' ano sas Aves-Marias rezou,
senon poucos dias que na cima en leixou
con coita das gentes que yan con el falar.
Quen dona fremosa e bõa quiser amar...

Mas o cavaleiro tant' avia gran sabor 55
de comprir o ano, cuidand' aver sa sennor,
que en un' ermida da Madre do Salvador
foi conprir aquelo que fora ant' obridar.
Quen dona fremosa e bõa quiser amar...

E u el estava en aqueste preit' atal, 60
mostrand' a Santa Maria ssa coit' e seu mal,
pareceu-lle log' a Reinna esperital,
tan fremos' e crara que a non pod' el catar;
Quen dona fremosa e bõa quiser amar...

E disse-ll' assi: "Toll' as mãos dante ta faz 65
e para-mi mentes, ca eu non tenno anfaz;
de mi e da outra dona, a que te mais praz
filla qual quiseres, segundo teu semellar."
Quen dona fremosa e bõa quiser amar...

O cavaleiro disse: "Sennor, Madre de Deus, 70
tu es a mais fremosa cousa que estes meus
ollos nunca viron; poren seja eu dos teus
servos que tu amas, e quer' a outra leixar."
Quen dona fremosa e bõa quiser amar...

E enton lle disse a Sennor do mui bon prez: 75
"Se me por amiga queres aver, mais rafez,
tanto que est' ano rezes por mi outra vez
quanto pola outra antano fuste rezar."
Quen dona fremosa e bõa quiser amar...

Poi-la Groriosa o cavaleiro por seu 80
fillou, des ali rezou el, e non lle foi greu,
quanto lle mandara ela; e, com' oý eu,
na cima do ano foy-o consigo levar.
Quen dona fremosa e bõa quiser amar...

17

ESTA É DE COMO SANTA MARIA GUARDOU DE MORTE A ONRRADA DONA DE ROMA A QUE O DEMO ACUSOU POLA FAZER QUEIMAR.

Sempre seja bẽeita e loada
Santa Maria, a noss' avogada.

Maravilloso miragre d'oir 5
vos quer' eu ora contar sen mentir,
de como fez o diabre fogir
de Roma a Virgen de Deus amada.
Sempre seja bẽeita e loada...

En Roma foi, ja ouve tal sazon, 10
que hũa dona mui de coraçon
amou a Madre de Deus; mas enton
soffreu que fosse do demo tentada.
Sempre seja bẽeita e loada...

A dona mui bon marido perdeu, 15
e con pesar del per poucas morreu;
mas mal conorto dun fillo prendeu
que del avia, que a fez prennada.
Sempre seja bẽeita e loada...

A dona, pois que prenne se sentiu, 20
gran pesar ouve; mas depois pariu
un fill', e u a nengũu non viu
mató-o dentr' en sa cas' ensserrada.
Sempre seja bẽeita e loada...

17 *E, T, To.* 3 beeita *E.* 22 nengun *E T.*
M.: A^{10} A^{10} / b^{10} b^{10} b^{10} a^{10}.
Val./Muss. p. XXX; Gautier II, 130.

En aquel tenpo o demo mayor 25
tornou-ss' en forma d' ome sabedor,
e mostrando-sse por devȳador,
o Emperador lle fez dar soldada.
Sempre seja bẽeita e loada...

E ontr' o al que soub' adevyar, 30
foy o feito da dona mesturar;
e disse que llo queria provar,
en tal que fosse log' ela queimada.
Sempre seja bẽeita e loada...

E pero ll' o Emperador dizer 35
oyu, ja per ren non llo quis creer;
mas fez a dona ante ssi trager,
e ela vẽo ben aconpannada.
Sempre seja bẽeita e loada...

Poi-lo Emperador chamar m[a]ndou 40
a dona, logo o dem' ar chamou,
que lle foi dizer per quanto passou,
de que foi ela mui maravillada.
Sempre seja bẽeita e loada...

O Emperador lle disse: "Moller 45
bõa, de responder vos é mester."
"O ben", diss' ela, "se prazo ouver
en que eu possa seer conssellada."
Sempre seja bẽeita e loada...

O emperador lles pos praz' atal: 50
"D'oj'a tres dias, u non aja al,
venna provar o maestr' este mal;
se non, a testa lle seja tallada."
Sempre seja bẽeita e loada...

35 *ll'o*: = llo o.

A bõa dona se foi ben dali 55
a un' eigreja, per quant' aprendi,
de Santa Maria, e diss' assi:
"Sennor, acorre a tua coitada."
Sempre seja bẽeita e loada...

Santa Maria lle diss': "Est' affan 60
e esta coita que tu ás de pran
faz o maestre; mas mẽos que can
o ten en vil, e sei ben esforçada."
Sempre seja bẽeita e loada...

A bõa dona sen niun desden 65
ant' o Emperador aque-a ven;
mas o demo enton per nulla ren
nona connoceu nen lle disse nada.
Sempre seja beeita e loada...

Diss' o Emperador: "Par San Martin, 70
maestre, mui pret' é a vossa fin."
Mas foi-ss' o demo e fez-ll' o bocin,
e derribou do teit' hũa braçada.
Sempre seja bẽeita e loada...

18

ESTA É COMO SANTA MARIA FEZ FAZER AOS BABOUS QUE CRIAN A SEDA DUAS TOUCAS, PORQUE A DONA QUE OS GUARDAVA LLE PROMETERA HŨA E NON LLA DERA.

Por nos de dulta tirar,
praz a Santa Maria 5
de seus miragres mostrar
fremosos cada dia.

72 Cf. provenzal *faire (de la lenga) bosin* 'sacar la lengua'.

18 *E, T, To.* 62 esto viron *E.*
M.: A^7 B^6 A^7 B^6 / c^7 d^4 c^7 d^4 a^7 b^6 a^7 b^6 [*AA*/bb*aa*].

E por nos fazer veer
sa apostura,
gran miragre foi fazer 10
en Estremadura,
en Segovia, u morar
hũa dona soya,
que muito sirgo criar
en ssa casa fazia. 15
Por nos de dulta tirar...

Porque os babous perdeu
e ouve pouca
seda, poren prometeu
dar hũa touca 20
per' a omagen onrrar
que no altar siia
da Virgen que non á par,
en que muito criya.
Por nos de dulta tirar ... 25

Pois que a promessa fez,
senpre creceron
os babous ben dessa vez
e non morreron;
mas a dona con vagar 30
grande que y prendia,
d' a touca da seda dar
senpre ll' escaecia.
Por nos de dulta tirar...

Onde ll' avẽo assi 35
ena gran festa
d' Agosto, que vẽo y
con mui gran sesta
ant' a omagen orar;

11 *Estremadura*: la región fronteriza, no la actual provincia.
36-37 *festa d'Agosto*: v. 12.1-2.

e ali u jazia 40
a prezes, foi-lle nenbrar
a touca que devia.
Por nos de dulta tirar...

Chorando de coraçon
foi-sse correndo 45
a casa, e viu enton
estar fazendo
os bischocos e obrar
na touca a perfia,
e começou a chorar 50
con mui grand' alegria.
Por nos de dulta tirar...

E pois que assi chorou,
meteu ben mentes
na touca; des i chamou 55
muitas das gentes
y, que vẽessen parar
mentes como sabia
a Madre de Deus lavrar
per santa maestria. 60
Por nos de dulta tirar...

As gentes, con gran sabor,
quand' est' oyron
dando aa Madre loor
de Deus, sayron 65
aas ruas braadar,
dizendo: "Via, via
o gran miragre catar
que fez a que nos guia."
Por nos de dulta tirar... 70

Un e un, e dous e dous
log' y vẽeron;
ontre tanto os babous
outra fezeron

touca, per que fossen par, 75
que se alguen queria
a hũa delas levar,
a outra leixaria.
Por nos de dulta tirar...

Poren don Affons' el Rei 80
na ssa capela
trage, per quant' apres' ei,
end' a mais bela,
que faz nas festas sacar
por toller eregia 85
dos que na Virgen dultar
van per sa gran folia.
Por nos de dulta tirar...

19

ESTA É COMO SANTA MARIA FILLOU VINGANÇA DOS TRES CAVALEIROS QUE MATARON SEU ẼEMIGO ANT' O SEU ALTAR.

Gran sandece faz quen se por mal filla
cona que de Deus é Madre e Filla.

Desto vos direi un miragre fremoso, 5
que mostrou a Madre do Rei grorioso
contra un ric-ome fol e sobervioso,
e contar-vos-ei end' a gran maravilla.
Gran sandece faz quen se por mal filla...

El[e] e outros dous un dia acharon 10
un seu ẽemig', e pos el derranjaron
e en hũa eigreja o ensserraron
por prazer do demo, que os seus aguilla.
Gran sandece faz quen se por mal filla...

19 *E, T, To.* 38 ques fossen *To.*
M.: A^{10} A^{10} / b^{11} b^{11} b^{11} a^{11}.
Val./Muss. p. XIV; Berceo 17.

O enserrado teve que lle valrria 15
aquela eigreja de Santa Maria;
mas ant' o altar con ssa gran felonia
peças del fezeron per ssa pecadilla.
Gran sandece faz quen se por mal filla...

E pois que o eles peças feit' ouveron, 20
logo da eigreja sayr-sse quiseron;
mas aquesto per ren fazer non poderon,
ca Deus os trillou, o que os maos trilla.
Gran sandece faz quen se por mal filla...

Non foi quen podesse arma nen escudo 25
tẽer niun deles, assi foi perdudo
do fogo do ceo, ca tod' encendudo
foi ben da cabeça tro ena verilla.
Gran sandece faz quen se por mal filla...

Poi-los malapresos arder-s' assi viron, 30
logo por culpados muito se sentiron;
a Santa Maria mercee pediron
que os non metesse o dem' en sa pilla.
Gran sandece faz quen se por mal filla...

Pois sse repentiron, foron mellorados 35
e dun santo bispo mui ben confessados,
que lles mandou, por remĩir seus pecados,
que fossen da terra como quen ss' eixilla.
Gran sandece faz quen se por mal filla...

Demais lles mandou que aquelas espadas 40
con que o mataran fossen pecejadas
e cintas en feitas, con que apertadas
trouxessen as carnes per toda Cezilla.
Gran sandece faz quen se por mal filla...

27 *fogo do ceo, mal do fogo, fogo salvage, fogo de San Marçal*: nombre de varias enfermedades que producían escozor en la piel (ergotismo, erisipela maligna).
43 *Cezilla*: Sicilia (v. ctgs. 169, 307, 335).

20

ESTA É DE LOOR DE SANTA MARIA, POR QUANTAS MERCEES NOS FAZ

Virga de Jesse,
quen te soubesse
loar como mereces,
e sen ouvesse 5
per que dissesse
quanto por nos padeces!

Ca tu noit' e dia
senpr' estás rogando
teu Fill', ai Maria, 10
por nos que, andando
aqui peccando
e mal obrand' — o
que tu muit' avorreces —
non quera, quando 15
sever julgando,
catar nossas sandeces.
Virga de Jesse...

E ar todavia
sempr' estás lidando 20
por nos a perfia
o dem' arrancando,
que, sossacando,
nos vai tentando
con sabores rafeces; 25
mas tu guardando
e anparando
nos vas, poi-lo couseces.
Virga de Jesse...

20 *E, T, To.* 41 Aos] *E* os *E.* 45 ẽadendo *E.*
M.: A^4 A^4 B^6 A^4 A^4 B^6 / c^5 d^5 c^5 d^5 d^4 d^4 b^6 d^4 d^4 b^6 [*AA/bbaa*].

Miragres fremosos 30
vas por nos fazendo
e maravillosos,
per quant' eu entendo,
e corregendo
muit' e soffrendo, 35
ca non nos escaeces,
e, contendendo,
nos defendendo
do demo, que sterreces.
Virga de Jesse... 40

Aos soberviosos
d'alto vas decendo,
e os omildosos
en onrra crecendo,
e enadendo 45
e provezendo
tan santas grãadeces.
Poren m' acomendo
a ti e rendo,
que os teus non faleces. 50
Virga de Jesse...

21

ESTA É COMO SANTA MARIA FEZ AVER FILLO A HŨA MOLLER MANỸA, E DEPOIS MORREU-LLE, E RESSOCITOU-LLO.

Santa Maria pod' enfermos guarir
quando xe quiser, e mortos resorgir.

Na que Deus seu Sant' Esperit' enviou, 5
e que forma d'ome en ela fillou,

21 *E, T, To.* 53 bulir *To.*
M.: VI.
Val./Muss. p. XLI.

non é maravilla se del gaannou
vertude per que podess' esto comprir.
Santa Maria pod' enfermos guarir...

Porend' un miragr' aquesta Reỹa 10
santa fez mui grand' a hũa mesqya
moller, que con coita de que manỹa
era, foi a ela un fillo pedir.
Santa Maria pod' enfermos guarir...

Chorando dos ollos mui de coraçon, 15
lle diss': "Ai Sennor, oe mia oraçon,
e por ta mercee un fillo baron
me dá, con que goy' e te possa servir."
Santa Maria pod' enfermos guarir..

Log' o que pediu lle foi outorgado, 20
e pois a seu tenp' aquel fillo nado
que a Santa Maria demandado
ouve, ca lle non quis eno don falir.
Santa Maria pod' enfermos guarir...

Mas o menỹ', a pouco pois que naceu, 25
dũa forte fever mui cedo morreu;
mas a madre per poucas ensandeceu
por el, e sas faces fillou-ss' a carpir.
Santa Maria pod' enfermos guarir...

Enton a cativa con gran quebranto 30
ao mõesteir'o levou e ant' o
altar o pos, fazendo tan gran chanto,
que toda-las gentes fez a ssi vĩir.
Santa Maria pod' enfermos guarir...

E braandando começou a dizer: 35
"Santa Maria, que me fuste fazer
en dar-m' este fill' e logo mio toller,
por que non podesse con ele goyr?
Santa Maria pod' enfermos guarir...

Sennor, que de madre nome me déste, 40
en toller-mio logo mal me fezeste;
mas polo prazer que do teu ouveste
Fillo, dá-m' este meu que veja riir.
Santa Maria pod' enfermos guarir...

Ca tu soa es a que mio podes dar, 45
e porend' a ti o venno demandar;
onde, groriosa Sennor, sen tardar
dá-mio vivo, que aja que ti gracir."
Santa Maria pod' enfermos guarir...

Log' a oraçon da moller oyda 50
foi, e o menỹo tornou en vida
por prazer da Virgen santa conprida,
que o fez no leit' u jazia bolir.
Santa Maria pod' enfermos guarir...

Quand' esto viu a moller, ouve pavor 55
da primeir', e pois tornou-sse-l' en sabor;
e deu poren graças a Nostro Sennor
e a ssa Madre, porque a quis oyr.
Santa Maria pod' enfermos guarir...

22

ESTA É COMO SANTA MARIA GUARDOU A UN LAVRADOR QUE NON MORRESSE DAS FERIDAS QUE LLE DAVA UN CAVALEIRO E SEUS OMEES.

Mui gran poder á a Madre de Deus
de deffender e ampara-los seus.

Gran poder á, ca sseu Fillo llo deu, 5
en deffender quen se chamar por seu;
e dest' un miragre vos direi eu
que ela fez grande nos dias meus.
Mui gran poder á a Madre de Deus...

22 *E, T, To.*
M.: IV.

En Armenteira foi un lavrador, 10
que un cavaleiro, por desamor
mui grande que avi' a seu sennor,
foi polo matar, per nome Mateus.
Mui gran poder á a Madre de Deus...

E u o viu seu millo debullar 15
na eira, mandou-lle lançadas dar;
mas el começou a Madr' a chamar
do que na cruz mataron os judeus.
Mui gran poder á a Madre de Deus...

Duas lançadas lle deu un peon, 20
mas non ll' entraron; e escantaçon
cuidou que era o coteif', enton
mais bravo foi que Judas Macabeus.
Mui gran poder á a Madre de Deus...

Enton a ssa azcũa lle lançou 25
e feriu-o, pero nono chagou;
ca el a Santa Maria chamou:
"Sennor, val-me como vales os teus,
Mui gran poder á a Madre de Deus...

E non moira, ca non mereci mal." 30
Eles, pois viron o miragr' atal
que fez a Reynna esperital,
creveron ben, ca ant' eran encreus.
Mui gran poder á a Madre de Deus...

E fillaron-sse log' a repentir 35
e ao lavrador perdon pedir,
e deron-ll' algu'; e el punnou de ss' ir
a Rocamador con outros romeus.
Mui gran poder á a Madre de Deus...

10 *Armenteira*: ¿Lugar en la provincia de Pontevedra o Armentières en el Norte de Francia?
23 Judas Macabeo, jefe judío (I., II. Mach.).
38 *Rocamador*: v. 8.1.

23

ESTA É COMO SANTA MARIA ACRECENTOU O VỸO NO TONEL, POR AMOR DA BÕA DONA DE BRETANNA.

Como Deus fez vỹo d'agua ant' Archetecrÿo,
ben assi depois sa Madr' acrecentou o vinno.

Desto direi un miragre que fez en Bretanna 5
Santa Maria por hũa dona mui sen sanna,
en que muito bon costum' e muita bõa manna
Deus posera, que quis dela seer seu vezÿo.
Como Deus fez vỹo d'agua ant' Archetecryo...

Sobre toda-las bondades que ela avia, 10
era que muito fiava en Santa Maria;
e porende a tirou de vergonna un dia
del Rei, que a ssa casa vẽera de camÿo.
Como Deus fez vỹo d'agua ant' Archtecryo...

A dona polo servir foi muit' afazendada, 15
e deu-lle carn' e pescado e pan e cevada;
mas de bon vỹo pera el era mui menguada,
ca non tĩia senon pouco en un tonelcÿo.
Como Deus fez vỹo d'agua ant' Archtecrÿo...

E dobrava-xe-ll' a coita, ca pero quisesse 20
ave-lo, non era end' en terra que podesse
por dĩeiros nen por outr' aver que por el désse,

23 *E, T, To.* 18 se nõ muy pouc (*enmienda posterior*) *To.* 28 senon a caron nũca ia mais uestirei lÿo *To.*
M.: IX.
Val./Muss. p. XLII; Adgar 33. Fidel Fita, *San Dunstán, Arzobispo de Cantorbery, en una Cantiga del Rey D. Alfonso el Sabio.* Bol. R. Acad. Hist. 12 (1988), 244-48.

2 *Bretanna* (v. ctg. 35, 36, 386): Inglaterra (*Bretanna Mayor,* 86; *Gran Bretanna,* 226) o La Bretaña, región de Francia (*Bretanna a Mẽor,* 135). Aquí se trata de Inglaterra.

3 El *architriclinus* de las Bodas de Caná (Ioan, 2, 8-9), título que, en la edad media, se interpretó como el nombre del marido.

se non fosse pola Madre do Vell' e Meniõ.
Como Deus fez vỹo d'agua ant' Archtecrỹo...

E con aquest' asperança foi aa eigreja 25
e diss' "Ai, Santa Maria, ta mercee seja
que me saques daquesta vergonna tan sobeja;
se non, nunca vestirei ja mais lãa nen lỹo."
Como Deus fez vỹo d'agua ant' Archtecrỹo...

Mantenent' a oraçon da dona foi oyda, 30
e el Rei e ssa companna toda foi conprida
de bon vinn', e a adega non en foi falida
que non achass' y avond' o riqu' e o mesqỹo.
Como Deus fez vỹo d'agua ant' Archtecrỹo...

24

ESTA É COMO SANTA MARIA FEZ NACER HŨA FROR NA BOCA AO CRERIGO, DEPOIS QUE FOI MORTO, E ERA EN SEMELLANÇA DE LILIO, PORQUE A LOAVA.

Madre de Deus, non pod' errar | quen en ti á fiança.

Non pod' errar nen falecer
quen loar te sab' e temer. 5
Dest' un miragre retraer
quero, que foi en França.
Madre de Deus, non pod' errar | quen en ti á fiança.

En Chartes ouv' un crerizon,
que era tafur e ladron, 10
mas na Virgen de coraçon
avia esperança.
Madre de Deus, non pod' errar | quen en ti á fiança.

24 *E, T, To.* 9 ouun *E T To.* 22 per sa gran malandança (*corrección posterior*) To.
M.: N^8 A^6 / b^8 b^8 b^8 a^6 [A*B*/ccc*b*].
Val./Muss. p. XXXI; Gautier II, 109; Berceo 3.

Quand' algur ya mal fazer,
se via omagen seer 15
de Santa Maria, correr
ya lá sen tardança.
Madre de Deus, non pod' errar | quen en ti á fiança.

E pois fazia oraçon,
ya comprir seu mal enton; 20
poren morreu sen confisson,
per sua malandança.
Madre de Deus, non pod' errar | quen en ti á fiança.

Porque tal morte foi morrer,
nono quiseron receber 25
no sagrad', e ouv' a jazer
fora, sen demorança.
Madre de Deus, non pod' errar | quen en ti á fiança.

Santa Maria en vison
se mostrou a pouca sazon 30
a un prest', e disse-ll' enton:
"Fezestes malestança,
Madre de Deus, non pod' errar | quen en ti á fiança.

Porque non quisestes coller
o meu crerigo, nen meter 35
no sagrad', e longe põer
o fostes por viltança.
Madre de Deus, non pod' errar | quen en ti á fiança.

Mas cras, asse Deus vos perdon,
ide por el con procisson, 40
con choros e con devoçon,
ca foi grand' a errança."
Madre de Deus, non pod' errar | quen en ti á fiança.

O preste logo foi-ss' erger
e mandou os sinos tanger, 45
por ir o miragre veer
da Virgen sen dultança.
Madre de Deus, non pod' errar | quen en ti á fiança.

Os crerigos en mui bon son
cantando "kyrieleyson", 50
viron jazer aquel baron,
u fez Deus demostrança.
Madre de Deus, non pod' errar | quen en ti á fiança.

Que, porque fora ben dizer
de ssa Madre, fez-lle nacer 55
fror na boca e parecer
de liro semellança.
Madre de Deus, non pod' errar | quen en ti á fiança.

Esto teveron por gran don
da Virgen, e mui con razon; 60
e pois fezeron en sermon,
levárono con dança.
Madre de Deus, non pod' errar | quen en ti á fiança.

25

ESTA É COMO A YMAGEN DE SANTA MARIA FALOU EN TESTIMONIO ONTR' O CRISCHÃO E O JUDEU.

Pagar ben pod' o que dever
o que à Madre de Deus fia.

E desto vos quero contar 5
un gran miragre mui fremoso,
que fezo a Virgen sen par,
Madre do gran Rei grorioso,
por un ome que seu aver
todo ja despendud' avia 10
por fazer ben e mais valer,
ca non ja en outra folia.
Pagar ben pod' o que dever...

25 *E, T, To.* 69 fazer a el paga *E.*
M.: A⁸ *B*⁸ / c⁸ *d*⁸ c⁸ *d*⁸ a⁸ *b*⁸ a⁸ *b*⁸ [*A/bbaa*].
Val./Muss. p. XXIII; Adgar 29; Gautier IV, 110; Berceo 23.

Quand' aquel bon ome o seu
aver ouv' assi despendudo, 15
non pod' achar, com' aprix eu,
d' estrãyo nen de connoçudo
quen sol ll' emprestido fazer
quisess'; e pois esto viia,
a un judeu foi sen lezer 20
provar se ll' alg' enprestaria.
Pagar ben pod' o que dever...

E o judeu lle diss' enton:
"Amig', aquesto que tu queres
farei eu mui de coraçon 25
sobre bon pennor, se mio deres."
Disse-ll' o crischão: "Poder
d'esso fazer non averia,
mas fiador quero seer
de cho pagar ben a un dia." 30
Pagar ben pod' o que dever...

O judeu lle respos assi:
"Sen pennor non será ja feito
que o per ren leves de mi."
Diz o crischão: "Fas un preito: 35
ir-t-ei por fiador meter
Jeso-Crist' e Santa Maria."
Respos el: "Non quer' eu creer
en eles; mas fillar-chos-ya,
Pagar ben pod' o que dever... 40

Porque sei que santa moller
foi ela, e el ome santo
e profeta; poren, senner,
fillar-chos quer' e dar-ch-ei quanto
quiseres, tod' a teu prazer." 45
E o crischão respondia:
"Sas omagẽes, que veer
posso, dou-t' en fiadoria."
Pagar ben pod' o que dever...

Pois o judeu est' outorgou, 50
ambos se foron mantenente,
e as omagẽes lle mostrou
o crischão, e ant' a gente
tangeu e fillou-ss' a dizer
que por fiança llas metia 55
por que ll' o seu fosse render
a seu prazo sen tricharia.
Pagar ben pod' o que dever...

"E vos, Jeso-Cristo, Sennor,
e vos, sa Madre muit' onrrada," 60
diss' el, "se daqui longe for
ou mia fazenda enbargada,
non possa per prazo perder,
se eu pagar non llo podia
per mi, mas vos ide põer 65
a paga u mia eu porria.
Pagar ben pod' o que dever...

Ca eu a vos lo pagarei,
e vos fazed' a el a paga,
por que non diga pois: "Non ei 70
o meu", e en preito me traga,
nen mi o meu faça despender
con el andand' en preitesia;
ca se de coita a morrer
ouvesse, desta morreria." 75
Pagar ben pod' o que dever...

Poi-lo crischão assi fis
fez o judeu, a poucos dias
con seu aver quant' ele quis
gãou en bõas merchandias; 80
ca ben se ṣoub' entrameter
dest' e ben faze-lo sabia;
mas foi-ll' o praz' escaecer
a que o el pagar devia.
Pagar ben pod' o que dever... 85

O crischão, que non mentir
quis daquel prazo que posera,
ant' un dia que a vĩir
ouvesse, foi en coita fera;
e por esto fez compõer 90
un' arca, e dentro metia
quant' el ao judeu render
ouv', e diss': "Ai, Deus, tu o guia."
Pagar ben pod' o que dever...

Dizend' est', en mar la meteu; 95
e o vento moveu as ondas,
e outro dia pareceu
no porto das aguas mui fondas
de Besanç'. E pola prender
un judeu mui toste corria, 100
mas log' y ouv' a falecer,
que a arc' ant' ele fogia.
Pagar ben pod' o que dever...

E pois o judeu esto vyu,
foi, metendo mui grandes vozes, 105
a seu sennor, e el sayu
e disse-lle: "Sol duas nozes
non vales, que fuste temer
o mar con mui gran covardia;
mas esto quer' eu cometer, 110
ben leu a mi Deus la daria."
Pagar ben pod' o que dever...

Pois esto disse, non fez al,
mas correu alá sen demora,
e a archa en guisa tal 115
fez que aportou ant' el fora.

99 Bizancio.

Enton foi ssa mão tender
e fillou-a con alegria,
ca non sse podia soffrer
de saber o que y jazia. 120
Pagar ben pod' o que dever...

Des i feze-a levar en
a ssa casa, e seus dĩeiros
achou en ela. E mui ben
se guardou de seus conpanneiros 125
que non ll' ouvessen d'entender
de como os el ascondia;
poi-los foi contar e volver,
a arca pos u el dormia.
Pagar ben pod' o que dever... 130

Pois ouve feito de ssa prol,
o mercador ali chegava,
e o judeu ben come fol
mui de rrijo lle demandava
que lle déss' o que ll' acreer 135
fora; se non, que el diria
atal cousa per que caer
en gran vergonna o faria.
Pagar ben pod' o que dever...

O crischão disse: "Fiel 140
bõo tenno que t' ey pagado:
a Virgen, madre do donzel
que no altar ch' ouvi mostrado,
que te fará ben connocer
como foi, ca non mentiria; 145
e tu non queras contender
con ela, que mal t' en verria."
Pagar ben pod' o que dever...

Diss' o judeu: "Desso me praz;
pois vaamos aa eigreja, 150
e se o disser en mia faz
a ta omagen, feito seja."

Enton fillaron-s' a correr,
e a gente pos eles ya,
todos con coita de saber 155
o que daquel preit' averria.
Pagar ben pod' o que dever...

Pois na eigreja foron, diz
o crischão: "Ai, Majestade
de Deus, se esta paga fiz, 160
rogo-te que digas verdade
per que tu faças parecer
do judeu ssa aleivosia,
que contra mi cuida trager
do que lle dar non deveria." 165
Pagar ben pod' o que dever...

Enton diss' a Madre de Deus,
per como eu achei escrito:
"A falssidade dos judeus
é grand'; e tu, judeu maldito, 170
sabes que fuste receber
teu aver, que ren non falia,
e fuste a arc' asconder
so teu leito con felonia."
Pagar ben pod' o que dever... 175

Quand' est' o judeu entendeu,
bẽes ali logo de chão
en Santa Maria creeu
e en seu Fill', e foi crischão;
ca non vos quis escaecer 180
o que profetou Ysaya,
como Deus verria nacer
da Virgen por nos todavia.
Pagar ben pod' o que dever...

181-183 Cfr. Is. 7, 14; 11, 1 y ss.

26

ESTA É COMO SANTA MARIA JUIGOU A ALMA DO ROMEU QUE YA A SANTIAGO, QUE SSE MATOU NA CARREIRA POR ENGANO DO DIABO, QUE TORNASS' AO CORPO E FEZESSE PẼEDENÇA.

Non é gran cousa se sabe | bon joyzo dar
a Madre do que o mundo | tod' á de joigar. 5

Mui gran razon é que sábia dereito
que Deus troux' en seu corp' e de seu peito
mamentou, e del despeito
nunca foi fillar;
poren de sen me sospeito 10
que a quis avondar.
Non é gran cousa se sabe | bon joyzo dar...

Sobr' esto, se m' oissedes, diria
dun joyzo que deu Santa Maria
por un que cad' ano ya, 15
com' oý contar,
a San Jam' en romaria,
porque se foi matar.
Non é gran cousa se sabe | bon joizo dar...

Este romeu con bõa voontade 20
ya a Santiago de verdade;
pero desto fez maldade
que ant' albergar
foi con moller sen bondade,
sen con ela casar. 25
Non é gran cousa se sabe | bon joizo dar...

26 *E, T, To.*
M.: N^7 A^5 N^7 A^6 / b^{10} b^{10} b^7 a^5 b^7 a^6 [AA/*bb*aa].
Val./Muss. p. XXIV; Gautier II, 237; Berceo 8.
1 *Santiago, San Jame, San James de Compostela*: v. ctgs. 175, 184, 218, 253, 268, 278, 367, 386.

Pois esto fez, meteu-ss' ao camỹo,
e non sse mãefestou o mesqỹo;
e o demo mui festỹo
se le foi mostrar 30
mais branco que un armỹo,
polo tost' enganar.
Non é gran cousa se sabe | bon joizo dar...

Semellança fillou de Santiago
e disse: "Macar m' eu de ti despago, 35
a salvaçon eu cha trago
do que fust' errar,
por que non cáias no lago
d' iferno, sen dultar.
Non é gran cousa se sabe | bon joizo dar... 40

Mas ante farás esto que te digo,
se sabor ás de seer meu amigo:
talla o que trages tigo
que te foi deytar
en poder do ẽemigo, 45
e vai-te degolar."
Non é gran cousa se sabe | bon joizo dar...

O romeu, que ssen dovida cuidava
que Santiag' aquelo lle mandava,
quanto lle mandou tallava; 50
poi-lo foi tallar,
log' enton se degolava,
cuidando ben obrar.
Non é gran cousa se sabe | bon joizo dar...

Seus companneiros, poi-lo mort' acharon, 55
por non lles apõer que o mataron,
foron-ss'; e logo chegaron
a alma tomar
demões, que a levaron
mui toste sen tardar. 60
Non é gran cousa se sabe | bon joizo dar...

E u passavan ant' hũa capela
de San Pedro, muit' aposta e bela,
San James de Conpostela
dela foi travar, 65
dizend': "Ai, falss' alcavela,
non podedes levar
Non é gran cousa se sabe | bon joizo dar...

A alma do meu romeu que fillastes,
ca por razon de mi o enganastes; 70
gran traiçon y penssastes,
e, se Deus m' anpar,
pois falssament' a gãastes,
non vos pode durar."
Non é gran cousa se sabe | bon joizo dar... 75

Responderon os demões louçãos:
"Cuja est' alma foi fez feitos vãos,
por que somos ben certãos
que non dev' entrar
ante Deus, pois con sas mãos 80
se foi desperentar."
Non é gran cousa se sabe | bon joizo dar...

Santiago diss': "Atanto façamos:
pois nos e vos est' assi rezõamos,
ao joyzo vaamos 85
da que non á par,
e o que julgar façamos
logo sen alongar."
Non é gran cousa se sabe | bon joizo dar...

Log' ante Santa Maria vẽeron 90
e rezõaron quanto mais poderon.
Dela tal joiz' ouveron:
que fosse tornar
a alma onde a trouxeron,
por se depois salvar. 95
Non é gran cousa se sabe | bon joizo dar...

Este joyzo logo foi comprido,
e o romeu morto foi resorgido,
de que foi pois Deus servido;
mas nunca cobrar 100
pod' o de que foi falido,
con que fora pecar.
Non é gran cousa se sabe | bon joizo dar.

27

ESTA É COMO SANTA MARIA FILLOU A SINAGOGA DOS JUDEUS E FEZ DELA EIGREJA.

Non devemos por maravilla tẽer
d' a Madre do Vencedor sempre vencer.

Vencer dev' a Madre daquel que deitou 5
Locifer do Ceo, e depois britou
o ifern' e os santos dele sacou,
e venceu a mort' u por nos foi morrer.
Non devemos por maravilla tẽer...

Porend' un miragre a Madre de Deus 10
fez na sinagoga que foi dos judeus
e que os Apostolos, amigos seus,
compraran e foran eigreja fazer.
Non devemos por maravilla tẽer...

Os judeus ouveron desto gran pesar, 15
e a Cesar se foron ende queixar,
dizendo que o aver querian dar
que pola venda foran en receber.
Non devemos por maravilla tẽer...

27 *E, T, To.* 48 uẽer *E T To.* 63 no seu *To.*
M.: VI.
Val./Muss. p. XXIV.

O Emperador fez chamar ante ssi 20
os Apostolos, e disse-lles assi:
"Contra tal querela que or' ante mi
os judeus fezeron, que ides dizer?"
Non devemos por maravilla tẽer...

Os Apostolos, com' omees de bon sen, 25
responderon: "Sennor, nos fezemos ben,
pois que lla compramos e fezemos en
eigreja da que virgen foi conceber."
Non devemos por maravilla tẽer...

Sobr' esto deu Cesar seu joyz' atal: 30
"Serren a eigreja, u non aja al,
e a quaraenta dias, qual sinal
de lei y acharen, tal a dev' aver.
Non devemos por maravilla tẽer...

Os Apostolos log' a Monte Syon 35
foron, u a Virgen morava enton
Santa Maria, e muy de coraçon
a rogaron que os vẽess' acorrer.
Non devemos por maravilla tẽer...

Assi lles respos a mui santa Sennor: 40
"Daqueste preito non ajades pavor,
ca eu vos serei y tal ajudador
per que a os judeus ajan de perder."
Non devemos por maravilla tẽer...

E pois que o prazo chegou, sen falir, 45
mandou enton Cesar as portas abrir,
e amba-las partes fez log' alá ir
e dos seus que fossen a prova veer.
Non devemos por maravilla tẽer...

Des que foron dentr', assi lles conteceu 50
que logo San Pedr' ant' o altar varreu,
e aos judeus tan tost' appareceu
omagen da Virgen pintada seer.
Non devemos por maravilla tẽer...

Os judeus disseron: "Pois que a Deus praz 55
que esta omagen a Maria faz,
leixemos-ll' aqueste seu logar en paz
e non queramos con ela contender."
Non devemos por maravilla tẽer...

Foron-ss' os judeus, e gãou dessa vez 60
aquela eigreja a Sennor de prez,
que foi a primeira que sse nunca fez
en seu nome dela, sen dulta prender.
Non devemos por maravilla tẽer...

Depois Juyão, emperador cruel, 65
que a Santa Maria non foi fiel,
mandou ao poboo dos d' Irrael
que ll' aquela omagen fossen trager.
Non devemos por maravilla tẽer...

E os judeus, que sempr' acostumad' an 70
de querer gran mal à do mui bon talan,
foron y; e assi os catou de pran
que a non ousaron per ren sol tanger.
Non devemos por maravilla tẽer...

28

ESTA É COMO SANTA MARIA DEFFENDEU COSTANTINOBRE DOS MOUROS QUE A CONBATIAN E A CUIDAVAN FILLAR.

Todo logar mui ben pode | sseer deffendudo
o que a Santa Maria | á por seu escudo.

65 *Juyão*: v. 15.2.

28 *E, T, To.* 20 forcia *E* 88 non] o *E T*; non *sobre rasura To.* 95-96 ca ali u el erge[u] / os ollos ao ceo (*enmienda en la margen del ms.*) *To.*
M.: N^7 A^5 N^7 A^5 / b^7 c^6 b^7 c^6 d^7 a^6 d^7 a^6 [*AA/bbaa*].
Val./Muss. p. CII; Gautier IV, 31

Miniaturas de la Cantiga 28.

San Ildefonso escribiendo su libro sobre la *Virgen Santa María*. Recuadro de una de las hojas miniadas del manuscrito de *Las Cantigas*.

Onde daquesta razon 5
un miragre vos quero
contar mui de coraçon,
que fez mui grand' e fero
a Virgen que non á par,
que non quis que perdudo 10
foss' o poboo que guardar
avia, nen vençudo.
Todo logar mui ben pode | seer deffendudo...

De com' eu escrit' achei,
pois que foi de crischãos 15
Costantinobre, un rei
con oste de pagãos
vẽo a vila cercar
mui brav' e mui sannudo,
pola per força fillar 20
por seer mais temudo.
Todo logar mui ben pode | seer deffendudo...

E começou a dizer,
con sanna que avia,
que sse per força prender 25
a cidade podia,
que faria en matar
o poboo myudo
e o tesour' en levar
que tĩian ascondudo. 30
Todo logar mui ben pode | seer deffendudo...

Na cidade, com' oý,
se Deus m' ajud' e parca,
San German dentr' era y,
un santo Patriarcha, 35

34 Germanos I, Patriarca de Constantinopla († 733).

que foi a Virgen rogar
que dela acorrudo
foss' o poblo sen tardar
daquel mour' atrevudo.
Todo logar mui ben pode | seer defendudo... 40

E as donas ar rogou
da mui nobre cidade
mui de rrig' e conssellou
que ant' a majestade
da Virgen fossen queimar 45
candeas, que traudo
o poboo do logar
non fosse, nen rendudo.
Todo logar mui ben pode | seer defendudo...

Mas aquel mouro Soldan 50
fez-lles põer pedreiras
per' aos de dentr' afan
dar de muitas maneiras,
e os arqueiros tirar;
e assi combatudo 55
o muro foi sen vagar,
que toste foi fendudo.
Todo logar mui ben pode | seer defendudo...

E coyta soffreron tal
os de dentro e tanta, 60
que presos foran sen al,
se a Virgen mui santa
non fosse, que y chegar
con seu mant' estendudo
foi polo mur' anparar 65
que non fosse caudo.
Todo logar mui ben pode | seer defendudo...

E ben ali u deceu,
de Santos gran conpanna
con ela appareceu; 70
e ela mui sen sanna

o seu manto foi parar,
u muito recebudo
colb' ouve dos que y dar
fez o Soldan beyçudo. 75
Todo logar mui ben pode | seer defendudo...

E avẽo dessa vez
aos que combatian
que Deus por ssa Madre fez
que dali u ferian 80
os colbes, yan matar
daquel Soldan barvudo
as gentes, e arredar
do muro ja movudo.
Todo logar mui ben pode | seer defendudo... 85

Aquel Soldan, sen mentir,
cuidou que per abete
non querian envayr
os seus, e Mafomete
começou muit' a chamar, 90
o falsso connoçudo,
que os vẽess' ajudar;
mas foy y decebudo.
Todo logar mui ben pode | seer defendudo...

Ali u ergeu os seus 95
ollos contra o ceo,
viu log' a Madre de Deus,
coberta de seu veo,
sobela vila estar
con seu manto tendudo, 100
e as feridas fillar.
Pois est' ouve veudo,
Todo logar mui ben pode | seer defendudo...

Teve-sse por peccador,
ca viu que aquel feito 105
era de Nostro Sennor;
poren per niun preito

non quis conbater mandar,
e fez come sisudo,
e na vila foi entrar 110
dos seus desconnoçudo.
Todo logar mui ben pode | seer defendudo...

Pera San German se foi
aquel Soldan pagão
e disse-lle: "Sennor, oi 115
mais me quer' eu crischão
per vossa mão tornar
e seer convertudo
e Mafomete leixar,
o falsso recreudo. 120
Todo logar mui ben pode | seer defendudo...

E o por que esto fiz,
direi-vo-lo aginna:
segundo vossa lei diz,
a mui santa Reinna 125
vi, que vos vẽo livrar;
pois m' est' apareçudo
foi, quero-me batiçar,
mas non seja sabudo."
Todo logar mui ben pode | seer defendudo... 130

Poderia-vos de dur
dizer as grandes dõas
que aquel Soldan de Sur
deu y, ricas e bõas;
demais foy-os segurar 135
que non fosse corrudo
o reino, se Deus m' anpar,
e foi-lle gradeçudo.
Todo logar mui ben pode | seer defendudo...

133 *Sur*: v. 5.107.

29

ESTA É COMO SANTA MARIA FEZ PARECER NAS PEDRAS OMAGẼES A SSA SEMELLANÇA.

Nas mentes senpre tẽer
devemo-las sas feituras
da Virgen, pois receber 5
as foron as pedras duras.

Per quant' eu dizer oý
a muitos que foron y,
na santa Gessemani
foron achadas figuras 10
da Madre de Deus, assi
que non foron de pinturas.
Nas mentes sempre tẽer...

Nen ar entalladas non
foron, se Deus me perdon, 15
e avia y fayçon
da Sennor das aposturas
con sseu Fill', e per razon
feitas ben per sas mesuras.
Nas mentes sempre tẽer... 20

Poren as resprandecer
fez tan muit' e parecer,
per que devemos creer
que é Sennor das naturas,
que nas cousas á poder 25
de fazer craras d' escuras.
Nas mentes sempre tẽer...

29 *E, T, To.* 8 a omẽes *E*; a muitos (*sobre rasura*) *T*; a omes (*emendado en la margen para* a muitos) *To.*
M.: A⁷ *B*⁷ A⁷ *B*⁷ / c⁷ c⁷ c⁷ *b*⁷ c⁷ *b*⁷ [*AA*/b*aa*].
Val./Muss. p. MCIV.
9 El olivar de Gethsemaní, situado en las inmediaciones de Jerusalén.

Deus x' as quise figurar
en pedra por nos mostrar
que a ssa Madre onrrar 30
deven todas creaturas,
pois deceu carne fillar
en ela das sas alturas.
Nas mentes senpre tẽer...

30

ESTA É DE LOOR DE SANTA MARIA, DE COMO DEUS NON LLE PODE DIZER DE NON DO QUE LLE ROGAR, NEN ELA A NOS.

Muito valvera mais, se Deus m' anpar,
que non fossemos nados,
se nos non désse Deus a que rogar 5
vai por nossos pecados.

Mas daquesto nos fez el o mayor
ben que fazer podia,
u fillou por Madr' e deu por Sennor
a nos Santa Maria, 10
que lle rogue, quando sannudo for
contra nos todavia,
que da ssa graça nen do seu amor
non sejamos deitados.
Muito valvera mais, se Deus m' anpar... 15

Tal foi el meter entre nos e ssi
e deu por avogada,
que madr', amiga ll' é, creed' a mi,
e filla e criada.
Poren non lle diz de non, mas de si, 20

30 *E, T, To.* 16 Tal] Eal *E T*; *en To falta la inicial.*
M.: A^{10} B^{6} A^{10} B^{6} / c^{10} d^{6} c^{10} d^{6} c^{10} d^{6} c^{10} b^{6} [*AA*/*bbba*].

u a sent' afficada,
rogando-lle por nos, ca log' ali
somos del perdõados.
Muito valvera mais, se Deus m' anpar...

Nen ela outrossi a nos de non 25
pode, se Deus m' ajude,
dizer que non rogue de coraçon
seu Fill', ond' á vertude;
ca por nos lle deu el aqueste don,
e por nossa saude 30
fillou dela carn' e sofreu paxon
por fazer-nos onrrados
Muito valvera mais, se Deus m' anpar...

No seu reino que el pera nos ten,
se o nos non perdermos 35
per nossa culpa, non obrando ben,
e o mal escollermos.
Mas seu ben non perderemos per ren
se nos firme creermos
que Jeso-Crist' e a que nos manten 40
por nos foron juntados.
Muito valvera mais, se Deus m' anpar...

31

ESTA É COMO SANTA MARIA LEVOU O BOI DO ALDEÃO DE SEGOVIA QUE LL' AVIA PROMETUDO E NON LLO QUERIA DAR.

Tanto, se Deus me perdon,
son da Virgen connoçudas
sas mercees, que quinnon 5
queren end' as bestias mudas.

31 *E, T, To.* 10 e] a *E.* 38 meridas, *enmendado para* miudas *T.* 68 ascondudas *E.*
M.: A^7 B^7 A^7 B^7 / n^7 c^7 n^7 c^7 a^7 b^7 a^7 b^7 [*AA/bbaa*].

Desto mostrou un miragre | a que é chamada Virga
de Jesse na ssa eigreja | que éste en Vila-Sirga,
que a preto de Carron
é duas leguas sabudas, 10
u van fazer oraçon
gentes grandes e miudas.
Tanto, se Deus me perdon...

Ali van muitos enfermos, | que receben sãydade,
e ar van-x'i muitos sãos, | que dan y ssa caridade; 15
e per aquesta razon
sson as gentes tan movudas,
que van y de coraçon
ou envian sas ajudas.
Tanto, se Deus me perdon... 20

E porend' un aldeão | de Segovia, que morava
na aldea, hũa vaca | perdera que muit' amava;
e en aquela ssazon
foran y outras perdudas,
e de lobos log' enton 25
comestas ou mal mordudas.
Tanto, se Deus me perdon...

E porque o aldeão | desto muito se temia,
ante sa moller estando, | diss' assi: "Santa Maria,
dar-t-ei o que trag', en don, 30
a vaca, se ben m' ajudas
que de lob' e de ladron
mia guardes; ca defendudas
Tanto, se Deus me perdon...

7-8 virga ex radice Iesse. Is. 11, 1.
8 Villalcázar de Sirga (Palencia); v. ctgs. 217, 218, 227, 229, 232, 234, 243, 253, 268, 278, 301, 313, 355.
9 Carrión de los Condes; v. ctgs. 218, 227.

Son as cousas que tu queres; | e por aquesto te rogo 35
que mi aquesta vaca guardes." | E a vaca vẽo logo
sen dan' e sen ocajon,
con ssas orellas merjudas,
e fez fillo sen lijon
con sinaes pareçudas. 40
Tanto, se Deus me perdon...

Pois creceu aquel bezerro | e foi almall' arrizado,
a ssa moller o vilão | diss': "Irey cras a mercado;
mas este novelo non
yrá nas offereçudas 45
bestias qu' en offereçon
sson aos Santos rendudas."
Tanto, se Deus me perdon...

Dizend' esto aa noyte, | outro dia o vilão
quis ir vende-lo almallo; | mas el sayu-lle de mão, 50
e correndo de randon
foi a jornadas tendudas,
come sse con aguillon
o levassen de corrudas.
Tanto, se Deus me perdon... 55

Pois foi en Santa Maria, | mostrou-sse por bestia sage:
meteu-sse na ssa eigreja | e parou-ss' ant' a omage;
e por aver ssa raçon
foi u as bestias metudas
eran, que ena maison 60
foran dadas ou vendudas.
Tanto, se Deus me perdon...

E des ali adeante | non ouv' y boi nen almallo
que tan ben tirar podesse | o carr' e soffrer traballo,
de quantas bestias y son 65
que an as unnas fendudas,
sen feri-lo de baston
nen d' aguillon a 'scodudas.
Tanto, se Deus me perdon...

O lavrador que pos ele | a mui gran pressa vẽera, 70
poi-lo vyu en Vila-Sirga, | ouv' en maravilla fera;
e fez chamar a pregon,
e gentes foron vỹudas,
a que das cousas sermon
fez que ll'eran conteçudas. 75
Tanto, se Deus me perdon...

32

ESTA É COMO SANTA MARIA AMẼAÇOU O BISPO QUE DESCOMUNGOU O CRERIGO QUE NON SABIA DIZER OUTRA MISSA SENON A SUA.

Quen loar podia,
com' ela querria,
a Madre de quen 5
o mundo fez,
seria de bon sen.

Dest' un gran miragre | vos contarei ora,
que santa Maria | fez, que por nos ora, 10
dũu que al, fora
a ssa missa, ora-
çon nunca per ren
outra sabia
dizer mal nen ben. 15
Quen loar podia...

32 *E, T, To.* 1 ameaçou *E.* 11 dun *E.* 17 Unde *E T.* 49 se leuou *E T.* 50 *sobre rasura To*; τ ao capelan / deu raçon dobrada *E T.*
M.: A^5 A^5 B^5 N^4 B^6 / n^5 c^5 n^5 c^5 c^5 c^5 b^5 a^4 b^5 [AA/*bb*aa].
Val./Muss. p. XLII; Gautier II, 105; Berceo 9.

Onde ao Bispo | daquele bispado
en que el morava | foi end' acusado;
e ant' el chamado
e enpreguntado 20
foy, se era ren
o que oya
del. Respos: "O ben."
Quen loar podia...

Poi-lo Bispo soube | per el a verdade, 25
mandou-lle tan toste | mui sen piedade
que a vezindade
leixas' da cidade
tost' e sen desden,
e que ssa via 30
logo sse foss' en.
Quen loar podia...

Aquela noit' ouve | o Bispo veuda
a Santa Maria | con cara sannuda,
dizendo-lle: "Muda 35
a muit' atrevuda
sentença, ca ten
que gran folia
fezist'. E poren
Quen loar podia... 40

Te dig' e ti mando | que destas perfias
te quites; e se non, | d' oj' a trinta dias
morte prenderias
e alá yrias
u dem' os seus ten 45
na ssa baylia,
ond' ome non ven."
Quen loar podia...

45 *u*: = u o.

O Bispo levou-sse | mui de madurgada,
e deu ao preste | ssa raçon dobrada. 50
"E missa cantada
com' acostumada
ás," disse, "manten
da que nos guia,
ca assi conven." 55
Quen loar podia…

33

ESTA É COMO SANTA MARIA LEVOU EN SALVO O ROMEU QUE CAERA NO MAR, E O GUYOU PER SO A AGUA AO PORTO ANTE QUE CHEGASS' O BATEL.

Gran poder á de mandar
o mar e todo-los ventos
a Madre daquel que fez 5
todo-los quatr' elementos.

Desto vos quero contar
un miragre, que achar
ouv' en un livr', e tirar
o fui ben d' ontre trezentos, 10
que fez a Virgen sen par
por nos a todos mostrar
que seus sson os mandamentos.
Gran poder á de mandar…

33 *E, T, To.*
M.: A^7 B^7 N^7 B^7 / a^7 a^7 a^7 b^7 a^7 a^7 b^7 [*AA/baa*].
Val./Muss. p. XLIII; Gautier IV, 321; Berceo 22.
8 *achar*: = a achar.

Hũa nav' ya per mar, 15
cuidand' en Acre portar;
mas tormenta levantar
se foi, que os bastimentos
da nave ouv' a britar,
e começou-ss' afondar 20
con romeus mais d' oitocentos.
Gran poder á de mandar...

Un Bispo fora entrar
y, que cuidava passar
con eles; e pois torvar 25
o mar viu, seus penssamentos
foron dali escapar;
e poren se foi cambiar
no batel ben con duzentos
Gran poder á de mandar... 30

Omẽes. E ũu saltar
deles quis e se lançar
cuidou no batel; mas dar
foi de pees en xermentos
que y eran, e tonbar 35
no mar foi e mergullar
be até nos fondamentos.
Gran poder á de mandar...

Os do batel a remar
se fillaron sen tardar 40
per sse da nav' alongar
e fugir dos escarmentos,
de que oyran falar,
dos que queren perfiar
sen aver acorrimentos. 45
Gran poder á de mandar...

16 *Acre*: v. 5.40.
20 *afondar*: = a afondar.

E con coyta d' arribar,
ssa vea foron alçar,
e terra foron fillar
con pavor e medorentos; 50
e enton viron estar
aquel que perigoar
viran enos mudamentos.
Gran poder á de mandar...

Começaron-ss' a sinar, 55
e fórono preguntar
que a verdad' enssinar
lles fosse sen tardamentos,
se guarira per nadar,
ou queno fora tirar 60
do mar e dos seus tormentos.
Gran poder á de mandar...

E el fillou-ss' a chorar
e disse: "Se Deus m' anpar,
Santa Maria guardar 65
me quis por merecimentos
non meus, mas por vos mostrar
que quen per ela fiar,
valer-ll-an seus cousimentos."
Gran poder á de mandar... 70

Quantos eran no logar
começaron a loar
e "mercee" lle chamar,
que dos seus ensinamentos
os quisess' acostumar, 75
que non podessen errar
nen fezessen falimentos.
Gran poder á de mandar...

34

ESTA É COMO SANTA MARIA FILLOU DEREITO DO JUDEU POLA DESONRRA QUE FEZERA A SUA OMAGEN.

Gran dereit' é que fill' o demo por escarmento
quen contra Santa Maria filla atrevemento.

Poren direi un miragre, que foi gran verdade, 5
que fez en Costantinoble, na rica cidade,
a Virgen, Madre de Deus, por dar entendimento
que quen contra ela vay, palla é contra vento.
Gran dereit' é que fill' o demo por escarmento...

Hũa omage pintada na rua siya 10
en tavoa, mui ben feita, de Santa Maria,
que non podian achar ontr' outras mais de cento
tan fremosa, que furtar foi un judeu a tento
Gran dereit' é que fill' o demo por escarmento...

De noit'. E poi-la levou sso ssa capa furtada, 15
en ssa cas' a foi deitar na camara privada,
des i assentous-ss' aly e fez gran falimento;
mas o demo o matou, e foi a perdimento.
Gran dereit' é que fill' o demo por escarmento...

Pois que o judeu assi foi mort' e cofondudo, 20
e o demo o levou que nunc' apareçudo
foi, un crischão enton con bon enssinamento
a omagen foi sacar do logar balorento.
Gran dereit' é que fill' o demo por escarmento...

34 *E, T, To.* 12 ent outras *T To.* 31 leuoa *E To.*
M.: N^7 A^6 N^7 A^6 / n^7 b^5 n^7 b^5 n^7 a^6 n^7 a^6 [*AA/bbaa*].
Val./Muss. p. XIV; Adgar 37; Gautier II, 101.

E pero que o logar muit' enatio estava, 25
a omagen quant' en si muy bõo cheiro dava,
que specias d'Ultramar, balssamo nen onguento,
non cheiravan atan ben com' esta que emento.
Gran dereit' é que fill' o demo por escarmento...

Pois que a sacou daly, mantenente lavou-a 30
con agua e log' enton a ssa casa levou-a,
e en bon logar a pos e fez-lle comprimento
de quant' ouve de fazer por aver salvamento.
Gran dereit' é que fill' o demo por escarmento...

Pois lle tod' esto feit' ouve, mui gran demostrança 35
fez y a Madre de Deus, que d' oyo semellança
correu daquela omage grand' avondamento,
que ficasse deste feito por renenbramento.
Gran dereit' é que fill' o demo por escarmento...

35

ESTA É COMO SANTA MARIA FEZ QUEIMAR A LÃA AOS MERCADORES QUE OFFERERAN ALGO A SUA OMAGE, E LLO TOMARAN DEPOIS.

O que a Santa Maria | der algo ou prometer,
dereit' é que ss' en mal ache | se llo pois quiser toller.

Ca muit' é ome sen siso | quen lle de dar algu' é greu, 5
ca o ben que nos avemos, | Deus por ela no-lo deu.

27 *Ultramar*: v. 1.38.

35 *E, T, To.* 42 britus *To.* 46 podiã *T To.* 57 de quantos mercadores yan *E T*; nauu un *E.* 67 tĩia *E T.* 68 alte] a alte *T.* 70 O] E *E.* 78 nauu *E T.* 92 doura que pobrou bõ rey artur *To.* 101 como uos ia dito ey *E T.* 107 gãarmos *E,* guaanarmos *T.* 120 madre *E.*
M.: XIV.
Val./Muss. p. XV; Gautier IV, 76.

E por esto non lle damos | ren do nosso, mas do seu,
onde quen llo toller cuida | gran sobervia vay fazer.
O que a Santa Maria | der algo ou prometer...

Desta razon un miragre | direi fremoso, que fez 10
a Virgen Santa Maria, | que é Sennor de gran prez,
por hũas sas reliquias | que levaron hua vez
uus crerigos a França, | de que vos quero dizer.
O que a Santa Maria | der algo ou prometer...

Estes foron da cidade | que é chamada Leon 15
do Rodão, u avia | muy grand' igreja enton,
que ardeu tan feramente | que sse fez toda carvon;
mas non tangeu nas relicas, | esto devedes creer.
O que a Santa Maria | der algo ou prometer...

Ca avia y do leyte | da Virgen esperital, 20
outrossi dos seus cabelos | envoltos en un cendal,
tod' aquest' en hũa arca | feita d' ouro, ca non d'al;
estas non tangeu o fogo, | mai-lo al foi tod' arder.
O que a Santa Maria | der algo ou prometer...

Os crerigos, quando viron | que a eigreja queimar 25
se fora, como vos digo, | ouveron-sse d' acordar
que sse fossen pelo mundo | conas relicas gãar
per que ssa eigreja feita | podess' agynna seer.
O que a Santa Maria | der algo ou prometer...

Maestre Bernald' avia | nom' un que er' en dayan 30
da egreija, ome bõo, | manss' e de mui bon talan,
que por aver Parayso | sempre soffria afan;
este foi conas relicas | polas fazer connocer.
O que a Santa Maria | der algo ou prometer...

15-16 *Leon (do Rodão, do Rodan)*: Lyon (Rhône), Francia; v. ctgs. 255, 362. Trátase de un error, probablemente del autor de las *Ctgs.*, pues en los textos latinos y franceses los milagros están relacionados con un famoso santuario en Laon (Francia).
30 Gautier: *Maistre Buesard (Buisnars).*

E andou primeiro França, | segundo com' aprendi, 35
u fez Deus muitos miragres | per elas; e foi assy
que depois a Ingraterra | ar passou e, com' oý,
polas levar mais en salvo | foy-as na nave meter.
O que a Santa Maria | der algo ou prometer...

Dun mercador que avia | per nome Colistanus, 40
que os levass' a Bretanna, | a que pobrou rei Brutus;
e entrou y tanta gente | que non cabian y chus,
de mui ricos mercadores | que levavan grand' aver.
O que a Santa Maria | der algo ou prometer...

E u ja pelo mar yan | todos a mui gran sabor, 45
ouveron tan gran bonaça | que non podia mayor;
e estando en aquesto, | ar ouveron gran pavor,
ca viron ben seis galeas | leixar-ss' a eles correr,
O que a Santa Maria | der algo ou prometer...

De cossarios que fazian | en aquel mar mal assaz. 50
Mas pois o sennor da nave | os viu, disse: "Non me praz
con estes que aqui vẽen; | mais paremo-nos en az,
e ponnamos as relicas | alt' u as possan veeer"
O que a Santa Maria | der algo ou prometer...

Logo que esto foi dito, | maestre Bernalt sacou 55
a arca conas relicas; | e tanto que as mostrou,
dos mercadores que yan | ena nav' un non ficou
que tan toste non vẽessen | mui grand' alg' y offerer.
O que a Santa Maria | der algo ou prometer...

Todos enton mui de grado | offerian y mui ben: 60
os ũus davan y panos, | os outros our' ou argen,
dizendo: "Sennor, tod' esto | filla que non leixes ren,
sol que non guardes os corpos | de mort' e de mal prender."
O que a Santa Maria | der algo ou prometer...

40 Gautier: *Coldystanus (Clodistanus).*
41 *Bretanna*: v. 23.2.
Brutus: Legendario biznieto de Eneas y primer rey de los britanos.

En tod' est' as seis galeas | non quedavan de vĩir, 65
cada hũa de ssa parte, | por ena nave ferir.
E o que tĩi' a arca | das relicas, sen mentir,
alçou-a contra o ceo, | pois foy-a alte põer.
O que a Santa Maria | der algo ou prometer...

O almiral das galeas | vĩia muit' ant' os seus, 70
e o que tĩia a arca | da Virgen, Madre de Deus,
lles diss' a mui grandes vozes: | "Falssoss, maos e encreus,
de Santa Maria somos, | a de que Deus quis nacer,
O que a Santa Maria | der algo ou prometer...

E poren mal non nos faças, | se non, logo morrerás 75
e con quantos tigo trages | ao inferno yrás
e de quant' acabar cuidas | ren en non acabarás,
ca a nav' estas relicas | queren de ti deffender."
O que a Santa Maria | der algo ou prometer...

Quant' o crerigo dizia | o almiral tev' en vil, 80
e fez tirar das galeas | saetas mui mais de mil
por mataren os da nave; | mas un vento non sotil
se levantou muit' agỹa, | que as galeas volver
O que a Santa Maria | der algo ou prometer...

Fez, que a do almirallo | de fond' a cima fendeu, 85
e britou logo o maste, | e sobr' el enton caeu
e deu-lle tan gran ferida, | que os ollos lle verteu
logo fora da cabeça | e fez-lo no mar caer.
O que a Santa Maria | der algo ou prometer...

E fez as outras galeas | aquele vento de sur 90
alongar enton tan muito | que as non viron nenllur;
e apareceu-lles Dovra, | a que pobrou rey Artur,
e enton cuydaron todos | o seu en salvo tẽer.
O que a Santa Maria | der algo ou prometer...

68 *alte*: = a alte.
92 Dover (Inglaterra).
Artur: Supuesto rey de los britanos. V. ctg. 419.

E logo aas relicas | correndo mui gran tropel 95
vẽo desses mercadores, | e cada un seu fardel
fillou e quant' aly dera, | e non cataron o bel
miragre maravilloso, | per que os fez guarecer
O que a Santa Maria | der algo ou prometer...

A Virgen Santa Maria, | Madre do muit' alto Rey, 100
que matou seus ẽemigos, | como vos eu ja dit' ey.
E maestre Bernal disse: | "Un preito vosco farey:
dar-vos-ey a meyadade, | e leixad' o al jazer."
O que a Santa Maria | der algo ou prometer...

Todos responderon logo: | "Preit' outr' y non averá 105
que o todo non tomemos, | mas tornaremos dacá;
daquelo que gaannarmos | cada ũu y dará
o que vir que é guisado, | como o poder soffrer."
O que a Santa Maria | der algo ou prometer...

Os mais desses mercadores | de Frandes e de Paris 110
eran; e pois s' apartaron, | cada ũu deles quis
comprar de seu aver lãa, | cuidando seer ben fis
que en salvo a ssa terra | a poderia trager.
O que a Santa Maria | der algo ou prometer...

E poy-ll' ouveron conprada, | un dia ante da luz 115
moveron do porto Dovra; | mais o que morreu na cruz,
querendo vingar sa Madre, | fez com' aquel que aduz
gran poder de meter medo | que ll' ajan de correger
O que a Santa Maria | der algo ou prometer...

O gran torto que fezeran | a ssa Madr' Emperadriz, 120
a que é Sennor do mundo. | E poren, par San Fiiz,
feriu corisco na nave, | e com' o escrito diz,
queimou tod' aquela lãa | e non quis o al tanger.
O que a Santa Maria | der algo ou prometer...

121 *San Fiiz*: San Félix.

Quand' este miragre viron, | tornaron mui volonter 125
u leixaran as relicas, | e disseron: "Pois Deus quer
que a ssa Madre do nosso | demos, quis do que tever
dará y de bõa mente, | e ide-o receber."
O que a Santa Maria | der algo ou prometer...

Disso maestre Bernaldo: | "Esto mui gran dereit' é 130
de vos nenbrar das relicas | da Virgen que con Deus ssé,
a que fezestes gran torto | guardando mal vossa fe."
E non quis en mais do terço, | que fezo logo coller.
O que a Santa Maria | der algo ou prometer...

36

ESTA É DE COMO SANTA MARIA PARECEU NO MASTE DA NAVE, DE NOITE, QUE YA A BRETANNA, E A GUARDOU QUE NON PERIGOASSE.

Muit' amar devemos en nossas voontades
a Sennor, que coitas nos toll' e tempestades.

E desto mostrou a Virgen maravilla quamanna 5
non pode mostrar outro santo, no mar de Bretanna,
u foi livrar hũa nave, u ya gran companna
d'omees por sa prol buscar, no que todos punnades.
Muit' amar devemos en nossas voontades...

36 *E, T, To.* 17 un] ũu *E.* 28 a suas *To.* 33 alumeaua *E T.*
M.: A^{12} A^{12} / b^{14} b^{14} b^{14} a^{14}.
Val./Muss. p. CIV; Gautier III, 51. Cfr. ctg. 313.
2 *Bretanna*: v 23.2.

E u singravan pelo mar, atal foi ssa ventura 10
que sse levou mui gran tormenta, e a noit' escura
se fez, que ren non lles valia siso nen cordura,
e todos cuidaron morrer, de certo o sabiades.
Muit' amar devemos en nossas voontades...

Pois viron o perigo tal, gemendo e chorando 15
os santos todos a rogar se fillaron, chamando
por seus nombres cada un deles, muito lles rogando
que os vẽessen acorrer polas ssas piedades.
Muit' amar devemos en nossas voontades...

Quand' est' oyu un sant' abade, que na nave ya, 20
disse-lles: Tenno que fazedes ora gran folia,
que ides rogar outros santos, e Santa Maria,
que nos pode desto livrar, sol nona ementades.
Muit' amar devemos en nossas voontades...

Quand' aquest' oyron dizer a aquel sant' abade, 25
enton todos dun coraçon e dũa voontade
chamaron a Virgen santa, Madre de piedade,
que lles valvess' e non catasse as suas maldades.
Muit' amar devemos en nossas voontades...

E dizian: "Sennor, val-nos, ca a nave sse sume!" 30
E dizend' esto, cataron, com' er é de costume,
contra o masto, e viron en cima mui gran lume,
que alumẽava mui mais que outras craridades.
Muit' amar devemos en nossas voontades...

E pois lles est' apareceu, foi o vento quedado, 35
e o ceo viron craro e o mar amanssado,
e ao porto chegaron cedo, que desejado
avian; e se lles proug' en, sol dulta non prendades.
Muit' amar devemos en nossas voontades...

37

ESTA É COMO SANTA MARIA FEZ COBRAR SEU PEE AO OME QUE O TALLARA CON COYTA DE DOOR.

Miragres fremosos
faz por nos Santa Maria,
e maravillosos. 5

Fremosos miragres faz que en Deus creamos,
e maravillosos, por que o mais temamos;
porend' un daquestes é ben que vos digamos,
dos mais piadosos.
Miragres fremosos... 10

Est' avẽo na terra que chaman Berria,
dun ome coytado a que o pe ardia,
e na ssa eigreja ant' o altar jazia
ent' outros coitosos.
Miragres fremosos ... 15

Aquel mal do fogo atanto o coytava,
que con coita dele o pe tallar mandava;
e depois eno conto dos çopos ficava,
desses mais astrosos,
Miragres fremosos... 20

Pero con tod' esto sempr' ele confiando
en Santa Maria e mercee chamando
que dos seus miragres en el fosse mostrando
non dos vagarosos,
Miragres fremosos... 25

37 *E, T, To.* 28 teudo *E.*
M.: A^5 N^7 A^5 / b^{12} b^{12} b^{12} a^5 [*AA/bbba*].
Val./Muss. p. CVII; Adgar 12; Gautier IV, 244.
11 *Berria*: Adgar: *Vinarie*; Gautier: "Un sien home, qui de Joÿ / Aporter se fist a Soyssonz."
16 *mal do fogo*: v. 19.27.

E dizendo: "Ay, Virgen, tu que es escudo
sempre dos coitados, queras que acorrudo
seja per ti; se non, serei oi mais tẽudo
por dos mais nojosos.
Miragres fremosos... 30

Logo a Santa Virgen a el en dormindo
per aquel pe a mão yndo e vĩindo
trouxe muitas vezes, e de carne conprindo
con dedos nerviosos.
Miragres fremosos... 35

E quando s' espertou, sentiu-sse mui ben são,
e catou o pe; e pois foi del ben certão,
non semellou log', andando per esse chão,
dos mais preguiçosos.
Miragres fremosos... 40

Quantos aquest' oyron, log' ali vẽeron
e aa Virgen santa graças ende deron,
e os seus miragres ontr' os outros teveron
por mais groriosos.
Miragres fremosos... 45

38

ESTA É COMO A OMAGEN DE SANTA MARIA TENDEU O BRAÇO E TOMOU O DE SEU FILLO, QUE QUERIA CAER DA PEDRADA QUE LLE DERA O TAFUR, DE QUE SAYU SANGUI.

Pois que Deus quis da Virgen fillo
seer por nos pecadores salvar, 5
porende non me maravillo
se lle pesa de quen lle faz pesar.

38 *E, T, To.* 21 moesteiro *E.* 22 deffazer *E.*
M.: A^8 B^{10} A^8 B^{10} / c^{10} d^{14} c^{10} d^{14} c^8 d^{10} c^8 b^{10} [AA/bbba].
Val./Muss. p. XV. Cfr. ctg. 51.

Ca ela e sseu Fillo son juntados
d'amor, que partidos per ren nunca poden seer;
e poren son mui neicios provados 10
os que contra ela van, non cuidand' y el tanger.
Esto fazen os malfadados
que est' amor non queren entender
como Madr' e Fill' acordados
son en fazer ben e mal castigar. 15
Pois que Deus quis da Virgen fillo...

Daquest' avẽo, tempos sson passados
grandes, que o Conde de Peiteus quis batall' aver
con Rey de Franç'; e foron assũados
en Castro Radolfo, per com' eu oý retraer, 20
un mõesteiro d' ordỹados
monges qu' el Conde mandou desfazer
porque os ouv' el sospeytados
que a franceses o querian dar.
Pois que Deus quis da Virgen fillo... 25

Poi-los monges foron ende tirados,
mui maas conpannas se foron tan tost' y meter,
ribaldos e jogadores de dados
e outros que lles tragian y vỹo a vender;
e ontr' os malaventurados 30
ouv' y un que começou a perder,
per que foron del dẽostados
os Santos e a Reynna sen par.
Pois que Deus quis da Virgen fillo...

Mas hũa moller, que por seus pecados 35
entrara na eigreja, como sol acaecer,
ben u soyan vesti-los sagrados
panos os monges quando yan sas missas dizer,
porque viu y ben entallados

18-19 Se refiere a la guerra (1194-1198) entre Ricardo I Corazón de León, conde de Poitiers, y Felipe Augusto II.
20 *Castro Radolfo*: Châteauroux (Indre), Francia.

en pedra Deus con ssa Madre seer, 40
os gẽollos logo ficados
ouv' ant' eles e fillou-s' a culpar.
Pois que Deus quis da Virgen fillo...

O tafur, quand' esto vyu, con yrados
ollos a catou, e começou-a mal a trager 45
dizendo: "Vella, son muit' enganados
os que nas omagẽes de pedra querer creer;
e por que vejas com' errados
sson, quer' eu ora logo cometer
aqueles ydolos pintados." 50
E foi-lles log' hũa pedra lançar.
Pois que Deus quis da Virgen fillo...

E deu no Fillo, que ambos alçados
tĩia seus braços en maneira de bẽeizer;
e macar non llos ouv' ambos britados, 55
britou-ll' end' un assi que ll' ouvera log' a caer;
mas sa Madre os seus deitados
ouve sobr' el, con que llo foy erger,
e a fror que con apertados
seus dedos tĩia foy logo deytar. 60
Pois que Deus quis da Virgen fillo...

Mayores miragres ouv' y mostrados
Deus, que sangui craro fez dessa ferida correr
do Menỹo, e os panos dourados
que tĩia a Madre fez ben sso as tetas decer, 65
assi que todos desnuados
os peitos ll' ouveron de parecer;
e macar non dava braados,
o contenente parou de chorar.
Pois que Deus quis da Virgen fillo... 70

E demais ouve os ollos tornados
tan bravos, que quantos a soyan ante veer,
atan muit' eran dela espantados
que sol ena face non ll' ousavan mentes tẽer.

E demões log' assembrados 75
contra o que esto fora fazer,
come monteyros ben mandados
o foron logo tan toste matar.
Pois que Deus quis da Virgen fillo...

Outros dous tafures demoniados 80
ouv' y, porque foran aquel tafur mort' asconder;
poren sass carnes os endiabrados
con gran ravia as começaron todas de roer;
e poys no rio affogados
foron, ca o demo non lles lezer 85
deu, que todos escarmentados
fossen quantos dest' oyssen falar.
Pois que Deus quis da Virgen fillo...

O Conde, quando' est' oyu, con armados
cavaleiros vẽo e ant' a eigreja decer 90
foi; e un daqueles mais arrufados
diss' assi: "No meu coraçon non pod' esto caber,
se a pedra que me furados
os queixos ouv', e mia vedes trager,
e por que dỹeiros pagados 95
ouvi muitos, se me non quer sãar."
Pois que Deus quis da Virgen fillo...

Pois esto disse, pernas e costados
e a cabeça foi log' ant' a omagen merger,
e log' os ossos foron ben soldados 100
e a pedra ouv' ele pela boca de render.
Desto foron maravillados
todos, e el foy a pedra põer,
estand' y omees onrrados,
ant' a omagen sobelo altar. 105
Pois que Deus quis da Virgen fillo...

39

ESTA É COMO SANTA MARIA GUARDOU A SA OMAGEN,
QUE A NON QUEIMAS' O FOGO.

Torto seria grand' e desmesura
de prender mal da Virgen ssa figura.

Ond' avẽo en San Miguel de Tomba, 5
no mõesteiro que jaz sobre lomba
dũa gran pena, que ja quant' é comba,
en que corisco feriu noit' escura.
Torto seria grand' e desmesura...

Toda a noite ardeu a perfia 10
ali o fog' e queimou quant' avia
na eigreja, mas non foi u siia
a omagen da que foi Virgen pura.
Torto seria grand' e desmesura...

E como quer que o fogo queimasse 15
en redor da omagen quant' achas[s]e,
Santa Maria non quis que chegasse
o fum' a ela, nena caentura.
Torto seria grand' e desmesura...

Assi guardou a Reỹa do Ceo 20
a ssa omagen, que nen sol o veo
tangeu o fogo, come o ebreo
guardou no forno con ssa vestidura.
Torto seria grand' e desmesura...

39 *E, T, To.* 6 no] un *E.* 33 pintura] brancura *E T.*
M.: *V.*
Val./Muss. p. CV:, Berceo 14.
5 El monasterio del Mont-Saint-Michel (Francia); cfr. ctg. 86. 20-21.
22-23 Alude a la ctg. 4.

Assi lle foi o fog' obediente 25
a Santa Maria, que sol niente
non tangeu sa omage veramente,
ca de seu Fill' el era creatura.
Torto seria grand' e desmesura...

Daquesto foron mui maravillados 30
quantos das terras y foron juntados,
que solament' os fios defumados
non viron do veo, nena pintura.
Torto seria grand' e desmesura...

Da omagen nen ar foi afumada, 35
ante semellava que mui lavada
fora ben toda con agua rosada,
assi cheirava con ssa cobertura.
Torto seria grand' e desmesura...

40

ESTA É DE LOOR DE SANTA MARIA DAS MARAVILLAS QUE DEUS FEZ POR ELA.

Deus te salve, groriosa
Reỹa Maria,
Lume dos Santos fremosa 5
e dos Ceos Via.

Salve-te, que concebiste
mui contra natura,
e pois teu padre pariste
e ficaste pura 10

40 *E, To,* Cancioneiro da Biblioteca Nacional (Colocci Brancuti) 409. 2 faz *E*; seu] teu *E*.
M.: A^7 B^5 A^7 B^5 / c^7 d^5 c^7 d^5 c^7 d^5 c^7 b^5 [*AA/bbba*].

Virgen, e poren sobiste
sobela altura
dos ceos, porque quesiste
o que el queria.
Deus te salve groriosa... 15

Salve-te, que enchoisti
Deus gran sen mesura
en ti, e dele fezisti
om' e creatura;
esto foi porque ouvisti 20
gran sen e cordura
en creer quando oisti,
ssa mesageria.
Deus te salve, groriosa...

Salve-te Deus, ca nos disti 25
en nossa figura
o seu Fillo que trouxisti,
de gran fremosura,
e con el nos remĩisti
da mui gran locura 30
que fez Eva, e vencisti
o que nos vencia.
Deus te salve, groriosa...

Salve-te Deus, ca tollisti
de nos gran tristura 35
u por teu Fillo frangisti
a carcer escura
u yamos, e metisti
nos en gran folgura;
con quanto ben nos vĩisti, 40
queno contaria?
Deus te salve, groriosa...

41

ESTA É COMO SANTA MARIA GUARECEU O QUE ERA SANDEU.

A Virgen, Madre de Nostro Sennor,
ben pode dar seu siso
ao sandeu, pois ao pecador
faz aver Parayso. 5

En Seixons fez a Garin cambiador
a Virgen, Madre de Nostro Sennor,
que tant' ouve de o tirar sabor
a Virgen, Madre de Nostro Sennor,
do poder do demo, ca de pavor 10
del perdera o siso;
mas ela tolleu-ll' aquesta door
e deu-lle Parayso.
A Virgen, Madre de Nostro Sennor...

Gran ben lle fez en est' e grand' amor 15
a Virgen, Madre de Nostro Sennor,
que o livrou do dem' enganador,
a Virgen, Madre de Nostro Sennor,
que o fillara come traedor
e tollera-ll' o siso; 20
mas cobrou-llo ela, e por mellor
ar deu-lle Parayso.
A Virgen, Madre de Nostro Sennor...

Loada será mentr' o mundo for
a Virgen, Madre de Nostro Sennor, 25
de poder, de bondad' e de valor,
a Virgen, Madre de Nostro Sennor,

41 *E, T, To.*
M.: A^{10} B^{6} A^{10} B^{6} / a^{10} A^{10} a^{10} A^{10} a^{10} b^{6} a^{10} b^{6} [*AA*/bbbb*aa*].
Val./Muss. p. CVII.
6 *Seixons, Seixon, Saixon, Sansonna, Sosonna*: Soissons (Francia). Cfr. ctgs. 7, 41, 49, 53, 61, 91, 101, 106, 298, 308.

porque a ssa mercee é mui mayor
ca o nosso mal siso,
e sempre a seu Fill' é rogador 30
que nos dé Parayso.
A Virgen, Madre de Nostro Sennor...

42

ESTA É DE COMO O CRERIZON METEU O ANEL ENO DEDO DA OMAGEN DE SANTA MARIA, E A OMAGEN ENCOLLEU O DEDO CON EL.

A Virgen mui groriosa,
Reỹa espirital,
dos que ama é ceosa, 5
ca non quer que façan mal.

Dest' un miragre fremoso, | ond' averedes sabor,
vos direy, que fez a Virgen, | Madre de Nostro Sennor,
per que tirou de gran falla | a un mui falss' amador,
que amỹude cambiava | seus amores dun en al. 10
A Virgen mui groriosa...

Foi en terra d'Alemanna | que querian renovar
hũas gentes ssa eigreja, | e poren foran tirar
a majestad' ende fora, | que estava no altar,
e posérona na porta | da praça, sso o portal. 15
A Virgen mui groriosa...

42 *E, T, To.* 1 crerizon] *lacuna por rasura E.* 37 geollos *E.*
M.: X. [AA/bbba].
Val./Muss. p. XXVI; Gautier II, 197. cfr. P. F. Baum, *The Young Man Betrothed to a Statue.* PMLA 34 (1919), 523-579; A. Wyrembek, J. Morawski, *Les légendes du "Fiancé de la Vierge" dans la littérature médiévale.* Poznan, 1934.

En aquela praç' avia | un prado mui verd' assaz,
en que as gentes da terra | yan tẽer seu solaz
e jogavan à pelota, | que é jogo de que praz
muit' a omẽes mancebos | mais que outro jog' atal. 20
A Virgen mui groriosa...

Sobr' aquest' hũa vegada | chegou y un gran tropel
de mancebos por jogaren | à pelot', e un donzel
andava y namorado, | e tragia seu anel
que ssa amiga lle dera, | que end' era natural. 25
A Virgen mui groriosa...

Este donzel, con gran medo | de xe l' o anel torcer
quando feriss' a pelota, | foy buscar u o põer
podess'; e viu a omage | tan fremosa parecer,
e foi-llo meter no dedo, | dizend': "Oi mais non m'enchal 30
A Virgen mui groriosa...

Daquela que eu amava, | ca eu ben o jur' a Deus
que nunca tan bela cousa | viron estes ollos meus;
poren daqui adeante | serei eu dos servos teus,
e est' anel tan fremoso | ti dou porend' en sinal." 35
A Virgen mui groriosa...

E os gẽollos ficados | ant' ela con devoçon,
dizendo "Ave Maria", | prometeu-lle log' enton
que des ali adelante | nunca no seu coraçon
outra moller ben quisesse | e que lle fosse leal. 40
A Virgen mui groriosa...

Pois feit' ouve ssa promessa, | o donzel logo ss' ergeu,
e a omagen o dedo | cono anel encolleu;
e el, quando viu aquesto, | tan gran pavor lle creceu
que diss' a mui grandes vozes: | "Ay, Santa Maria, val! 45
A Virgen mui groriosa...

As gentes, quand' est' oyron, | correndo chegaron y
u o donzel braadava, | e el contou-lles des i

como vos ja dit' avemos; | e conssellaron-ll' assi
que orden logo fillasse | de monges de Claraval. 50
A Virgen mui groriosa...

Que o fezesse cuidaron | logo todos dessa vez;
mas per consello do demo | ele d' outra guisa fez,
que o que el prometera | aa Virgen de gran prez,
assi llo desfez da mente | como desfaz agua sal. 55
A Virgen mui groriosa...

E da Virgen groriosa | nunca depois se nenbrou,
mas da amiga primeira | outra vez sse namorou,
e per prazer dos parentes | logo con ela casou
e sabor do outro mundo | leixou polo terreal. 60
A Virgen mui groriosa...

Poi-las vodas foron feitas | e o dia sse sayu,
deitou-ss' o novio primeiro | e tan toste ss' adormyu;
e el dormindo, en sonnos | a Santa Maria vyu,
que o chamou mui sannuda: | "Ai, meu falss' e mentiral! 65
A Virgen mui groriosa...

De mi por que te partiste | e fuste fillar moller?
Mal te nenbrou a sortella | que me dést'; ond' á mester
que a leixes e te vaas | comigo a como quer,
se non, daqui adeante | averás coyta mortal." 70
A Virgen mui groriosa...

Logo s' espertou o novio, | mas pero non se quis ir;
e a Virgen groriosa | fez-lo outra vez dormir,
que viu jazer ontr' a novia | e ssi pera os partir,
chamand' a el mui sannuda: | "Mao, falsso, desleal, 75
A Virgen mui groriosa...

50 *Claraval*: El monasterio cisterciense de Clairvaux (Francia). Cfr. ctg. 88.

Ves? E por que me leixaste | e sol vergonna non ás?
Mas se tu meu amor queres, | daqui te levantarás,
e vai-te comigo logo, | que non esperes a cras;
erge-te daqui correndo | e sal desta casa, sal!" 80
A Virgen mui groriosa...

Enton ss' espertou o novio, | e desto tal medo pres
que ss' ergeu e foi ssa via, | que non chamou dous nen tres
omẽes que con el fossen; | e per montes mais dun mes
andou, e en un' hermida | se meteu cab' un pĩal. 85
A Virgen mui groriosa...

E pois en toda ssa vida, | per com' eu escrit' achei,
serviu a Santa Maria, | Madre do muit' alto Rei,
que o levou pois conssigo | per com' eu creo e sei,
deste mund' a Parayso, | o reino celestial. 90
A Virgen mui groriosa...

43

ESTA É DE COMO SANTA MARIA RESUCITOU UN MENỸO NA SSA EIGREJA DE SALAS.

Porque é Santa Maria | leal e mui verdadeira,
poren muito ll' avorrece | da paravla mentireira.

E porend' un ome bõo | que en Darouca morava, 5
de ssa moller, que avia | bõa e que muit' amava,
non podia aver fillos, | e porende se queixava
muit' end' el; mas disse-ll' ela: | "Eu vos porrei en carreira
Porque é Santa Maria | leal e mui verdadeira...

43 *E, T, To.* 2 eigresa *E.* 4 paravra *enmendado en la margen para* promessa *To.* 7 fillo *To.* 57 mas guardar y meu proueito *To.* 62 amerceasse *E.*
M.: XIII.
5 Daroca (Zaragoza).

Com' ajamos algun fillo, | ca se non, eu morreria. 10
Poren dou-vos por conssello | que log' a Santa Maria
de Salas ambos vaamos, | ca quen se en ela fia,
o que pedir dar-ll-á logo, | aquest' é cousa certeira."
Porque é Santa Maria | leal e mui verdadeira...

Muit' en proug' ao marido, | e tan toste se guisaron 15
de fazer sa romaria | e en seu camỹ' entraron.
E pois foron na eigreja, | Santa Maria rogaron
que podessen aver fillo | ontr' el e ssa conpanneira.
Porque é Santa Maria | leal e mui verdadeira...

E a moller fez promessa | que se ela fill' ouvesse, 20
que con seu peso de cera | a un ano llo trouxesse
e por seu servidor sempre | na ssa eigreja o désse;
e que aquesto comprisse | entrou-ll' ende par maneira.
Porque é Santa Maria | leal e mui verdadeira...

E pois aquesto dit' ouve, | ambos fezeron tornada 25
a Darouca u moravan; | mas non ouv' y gran tardada
que log' a poucos de dias | ela se sentiu prennada,
e a seu temp' ouve fillo | fremoso de gran maneira.
Porque é Santa Maria | leal e mui verdadeira...

Des que lle naceu o fillo, | en logar que adianos 30
déss' end' a Santa Maria | teve-o grandes set' anos
que lle non vẽo emente | nen da cera nen dos panos
con que o levar devera, | e cuidou seer arteira.
Porque é Santa Maria | leal e mui verdadeira...

Ca u quis tẽe-lo fillo | e a cera que tĩia, 35
deu fever ao menỹo | e mató-o muit' agĩa,
que lle nunca prestar pode | fisica nen meezỹa;
mas gran chanto fez la madre | pois se viu dele senlleira.
Porque é Santa Maria | leal e mui verdadeira...

12 Salas (Huesca). Cfr. ctgs. 44, 109, 114, 118, 129, 161, 163, 164, 166, 167, 168, 171, 172, 173, 176, 177, 178, 179, 189, 247, 408.

Que o soterrassen logo | o marido ben quisera; 40
mas la madre do menỹo | disse con gran coita fera
que el' a Santa Maria | o daria, que llo dera
con sa cera como ll' ela | prometera da primeira.
Porque é Santa Maria | leal e mui verdadeira...

E logo en outro dia | entraron en seu camỹo, 45
e a madr' en ataude | levou sig' aquel menỹo;
e foron en quatro dias, | e ant' o altar festinno
o pos, fazendo gran chanto, | depenando sa moleira
Porque é Santa Maria | leal e mui verdadeira...

E dizend' a grandes vozes: | "A ti venno, Groriosa, 50
con meu fill' e cona cera | de que te fui mentirosa
en cho dar quand' era vivo; | mas, porque es piadosa,
o adug' ante ti morto, | e dous dias á que cheira.
Porque é Santa Maria | leal e mui verdadeira...

Mas se mio tu dar quisesses, | non porque seja dereito, 55
mas porque sabes mia coita, | e non catasses despeito
de como fui mentirosa, | mas quisesses meu proveito
e non quisesses que fosse | nojosa e mui parleira."
Porque é Santa Maria | leal e mui verdadeira...

Toda a noit' a mesquinna | estev' assi braadando 60
ant' o altar en gẽollos, | Santa Maria chamando
que ss' amercẽasse dela | e seu Fillo ll' ementando,
a quen polas nossas coitas | roga senpr' e é vozeira.
Porque é Santa Maria | leal e mui verdadeira...

Mas, que fez Santa Maria, | a Sennor de gran vertude 65
que dá aos mortos vida | e a enfermos saude?
Logo fez que o menỹo | chorou eno ataude
u jazia muit' envolto | en panos dũa liteira.
Porque é Santa Maria | leal e mui verdadeira...

Quando o padr' e a madre, | que fazian muit' esquivo 70
doo por seu fillo, viron | que o menỹ' era vivo,
britaron o ataude | u jazia o cativo.
Enton vẽo y mais gente | que non ven a hũa feira,
Porque é Santa Maria | leal e mui verdadeira...

Por veer o gran miragre | que a Virgen demostrara 75
de como aquel meninno | de morte ressucitara,
que a cabo de seis dias | jazendo morto chorara
por prazer da Groriosa, | santa e dereitureira.
Porque é Santa Maria | leal e mui verdadeira...

44

ESTA É COMO O CAVALEIRO QUE PERDERA SEU AÇOR FOY-O PEDIR A SANTA MARIA DE SALAS; E ESTANDO NA EIGREJA, POSOU-LLE NA MÃO.

Quen fiar na Madre do Salvador
non perderá ren de quanto seu for.

Quen fiar en ela de coraçon, 5
averrá-lle com' a un ifançon
avẽo eno reino d' Aragon,
que perdeu a caça un seu açor,
Quen fiar na Madre do Salvador...

Que grand' e mui fremos' era, e ren 10
non achava que non fillasse ben
de qual prijon açor fillar conven,
d' ave pequena tro ena mayor.
Quen fiar na Madre do Salvador...

E daquest' o ifançon gran pesar 15
avia de que o non pod' achar,
e porende o fez apregõar
pela terra toda en derredor.
Quen fiar na Madre do Salvador...

44 *E, T, To.* 1 açor ⁊ foyo *E T To.*
M.: IV.
2 *Salas*: v. 43.5.
12 *açor*: = a açor.

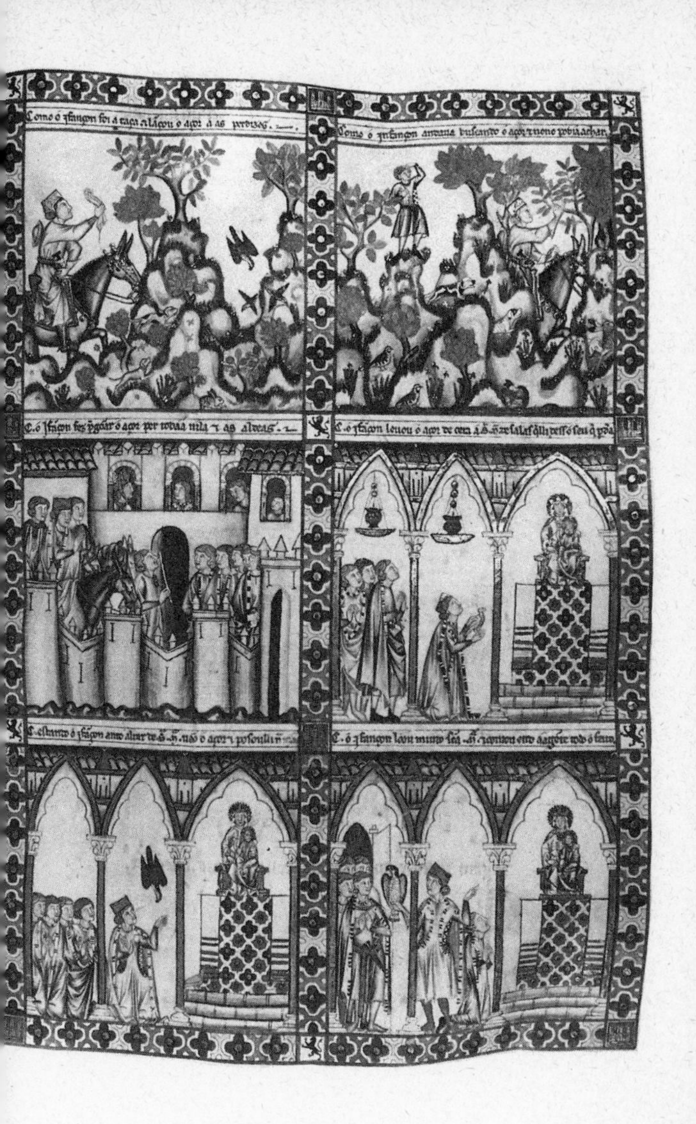

Miniaturas de la Cantiga 44.

Recuadro primero, a la izquierda, de las miniaturas de la página precedente.

E pois que por esto nono achou, 20
pera Salas seu camỹo fillou
e de cera semellança levou
de ssa av', e diss' assi: "Ai, Sennor
Quen fiar na Madre do Salvador...

Santa Maria, eu venno a ti 25
con coita de meu açor que perdi,
que mio cobres; e tu fas-lo assi,
e aver-m-ás sempre por servidor.
Quen fiar na Madre do Salvador...

E demais esta cera ti darei 30
en sa figura, e sempr' andarei
pregõando teu nome e direi
como dos Santos tu es la mellor."
Quen fiar na Madre do Salvador...

Pois esto disse, missa foi oyr 35
mui cantada; mas ante que partir
s' en quisesse, fez-ll' o açor vĩir
Santa Maria, ond' ouv' el sabor.
Quen fiar na Madre do Salvador...

E que ouvess' end' el mayor prazer, 40
fez-ll' o açor ena mão decer,
come se ouvesse log' a prender
caça con el como faz caçador.
Quen fiar na Madre do Salvador...

E el enton muit' a Madre de Deus 45
loou, e chorando dos ollos seus,
dizend': "Ai, Sennor, tantos son os teus
bẽes que fazes a quen ás amor!"
Quen fiar na Madre do Salvador...

45

ESTA É COMO SANTA MARIA GÃOU DE SEU FILLO QUE FOSSE SALVO O CAVALEIRO MALFEITOR QUE CUIDOU DE FAZER UN MÕESTEIRO E MORREU ANTE QUE O FEZESSE.

A Virgen Santa Maria | tant' é de gran piedade,
que ao peccador colle | por feito a voontade. 5

E desta guisa avẽo | pouc' á a un cavaleiro
fidalg' e rico sobejo, | mas era brav' e terreiro,
sobervios' e malcreente, | que sol por Deus un dĩeiro
non dava, nen polos Santos, | esto sabed' en verdade.
A Virgen Santa Maria | tant' é de gran piadade... 10

Aqueste de fazer dano | sempre ss' ende traballava,
e a todos seus vezỹos | feria e dẽostava;
sen esto os mõesteiros | e as igrejas britava,
que vergonna non avia | do prior nen do abade.
A Virgen Santa Maria |tant' é de gran piadade... 15

E todo seu cuidad' era | de destroir los mesqỹos
e de roubar os que yan | seguros pelos camỹos,
e per ren non perdõav' a | molleres nen a menỹos,
que ss' en todo non metesse | por de mui gran crueldade.
A Virgen Santa Maria | tant' é de gran piadade... 20

E esta vida fazendo, | tan brava e tan esquiva,
un dia meteu ben mentes | como sa alma cativa
era chẽa de pecados | e mui mais morta ca viva,
se mercee non ll' ouvesse | a comprida de bondade.
A Virgen Santa Maria | tant' é de gran piadade... 25

45 *E, T, To.* 2 moesteiro *E.* 9 sabet *E T.* 28 claustia *E.* 49 e] mais *To.* 56 diaboos *E.* 74 omildade] castidade *To.* 91 esto] desto *To*; castidade] omildade *To.*
M.: XIII.
Val./Muss. p. XXXII; Gautier II, 261.

E, porque sempre os bõos | lle davan mui gran fazfeiro
do muito mal que fazia, | penssou que un mõesteiro
faria con bõa claustra, | igreja e cymiteiro,
estar e enfermaria, | e todo en ssa herdade.
A Virgen Santa Maria | *tant' é de gran piadade...* 30

E des i ar cuidou logo | de meter y gran convento
de monges, se el podesse, | ou cinquaenta ou cento;
e per que mui ben vivessen | lles daria conprimento,
e que por Santa Maria | servir seria y frade.
A Virgen Santa Maria | *tant' é de gran piadade...* 35

Tod' aquesto foi cuidando | mentre siia comendo;
e poi-ll' alçaron a mesa, |foi catar logo correndo
logar en que o fezesse, | e achó-o, com' aprendo,
muit' apost' e mui viçoso, | u compris' ssa caridade.
A Virgen Santa Maria | *tant' é de gran piadade...* 40

En este coidad' estando | muit' aficad' e mui forte,
ante que o começasse, | door lo chegou a morte;
e os demões a alma | fillaron del en sa sorte,
mais los angeos chegaron | dizendo: "Estad', estade!
A Virgen Santa Maria | *tant' é de gran piadade...* 45

Ca non quer Santa Maria | que a vos assi levedes."
E disseron os diabos: | "Mais vos, que razon avedes
d' ave-la? Ca senpr' est' ome | fezo mal, como sabedes,
por que est' alma é nossa, | e allur outra buscade."
A Virgen Santa Maria | *tant' é de gran piadade...* 50

Os angeos responderon: | "Mais vos folia fezestes
en fillardes aquest' alma, | mao conssell' y ouvestes
e mui mal vos acharedes | de quanto a ja tevestes;
mais tornad' a vosso fogo | e nossa alma leixade."
A Virgen Santa Maria | *tant' é de gran piadade...* 55

Os diabos ar disseron: | "Esto per ren non faremos,
ca Deus é mui justiceiro, | e por esto ben sabemos
que esta alma fez obras | por que a aver devemos
toda ben enteiramente, | sen terç' e sen meadade."
A Virgen Santa Maria | *tant é de gran piadade...* 60

E un dos angeos disse: | "O que vos dig' entendede:
eu sobirei ao ceo, | e vos aqui mi atendede,
e o que Deus mandar desto, | vos enton esso fazede;
e oi mais non vos movades | nen faledes, mais calade."
A Virgen Santa Maria | *tant' é de gran piadade...* 65

Depois aquestas palavras | o angeo logo ss' ya
e contou aqueste feito | mui tost' a Santa Maria;
ela log' a Jeso-Cristo | aquela alma pidia,
dizend': "Ai, meu Fillo santo, | aquesta alma me dade."
A Virgen Santa Maria | *tant' é de gran piadade...* 70

E ele lle respondia: | "Mia Madr', o que vos quiserdes
ei eu de fazer sen falla, | pois vos en sabor ouverdes;
mais torn' a alma no corpo, | se o vos por ben teverdes,
e faça o mõesteyro, | u viva en omildade."
A Virgen Santa Maria | *tant' é de gran piadade...* 75

E pois Deus est' ouve dito, | un pano branco tomava,
feito ben come cogula, | que ao angeo dava,
e sobela alma logo | o pano deitar mandava,
porque a leixass' o demo | comprido de falssidade.
A Virgen Santa Maria | *tant' é de gran piadade...* 80

Tornou-ss' o angeo logo; | e atan toste que viron
os diabos a cogula, | todos ant' ela fugiron;
e os angeos correndo | pos eles mal los feriron,
dizendo: "Assi perdestes | o ceo per neycidade."
A Virgen Santa Maria | *tant' é de gran piadade...* 85

Pois que ss' assi os diabos | foron dali escarnidos
e maltreitos feramente, | dẽostados e feridos,
foron pera seu iferno, | dando grandes apelidos,
dizendo aos diabos: | "Varões, oviad', oviade."
A Virgen Santa Maria | *tant' é de gran piadade...* 90

Os angeos depos esto | aquela alma fillaron,
e cantando "Surgat Deus" | eno corpo a tornaron

92 Gautier: *Exsurgat Deus.* "Exsurgat Deus, et dissipentur inimici eius." Ps. 67 (68), 2.

daquel cavaleiro morto, | e vivo o levantaron;
e fezo seu mõesteiro, | u viveu en castidade.
A Virgen Santa Maria | tant' é de gran piadade... 95

46

ESTA É COMO A OMAGEN DE SANTA MARIA, QUE UN MOURO GUARDAVA EN SA CASA ONRRADAMENTE, DEITOU LEITE DAS TETAS.

Porque ajan de seer
seus miragres mais sabudos
da Virgen, deles fazer 5
vai ant' omees descreudos.

E dest' avẽo assi
como vos quero contar
dun mouro, com' aprendi,
que con ost' en Ultramar 10
grande foi, segund' oý,
por crischãos guerrejar
e roubar,
que non eran percebudos.
Porque ajan de seer... 15

Aquel mouro astragou
as terras u pod' entrar,
e todo quanto robou
feze-o sigo levar;
e mui ledo sse tornou 20
a ssa terra, e juntar

46 *E, T, To.* 5 deles] de lles *E*; 56 sou] seu *E*. 59 con estes mouros baruudos *E T*. 72 un] ũu *E*.
M.: A^7 B^7 A^7 B^7 / c^7 d^7 c^7 d^7 c^7 d^7 d^3 b^7 [*AA*/bbb*a*].
Val./Muss. p. CII; Gautier III, 23.
10 *Ultramar*: v. 1.38.

foi e dar
os roubos que ouv' avudos.
Porque ajan de seer...

Daquel aver que partiu 25
foi en pera ssi fillar
hũa omagen que vyu
da Virgen que non á par;
e pois la muito cousyu,
feze-a logo alçar 30
e guardar
en panos d' ouro teçudos.
Porque ajan de seer...

E ameude veer
a ya muit' e catar; 35
pois fillava-ss' a dizer
ontre ssi e rezõar
que non podia creer
que Deus quisess' encarnar
nen tomar 40
carn' en moller. "E perdudos
Porque ajan de seer...

Son quantos lo creer van,"
diss' el, "ca non poss' osmar
que quisesse tal afan 45
prender Deus nen ss' abaxar,
que el que éste tan gran
se foss' en corp' ensserrar
nen andar
ontre poboos mỹudos, 50
Porque ajan de seer...

Como dizen que andou
pera o mundo salvar;
mas se de quant' el mostrou
foss' a mi que quer mostrar, 55
faria-me logo sou

crischão, sen detardar,
e crismar
con estes mouros barvudos."
Porque ajan de seer... 60

Adur pod' esta razon
toda o mour' encimar,
quand' à omagen enton
viu duas tetas a par,
de viva carn' e d' al non, 65
que foron logo mãar
e deitar
leite come per canudos.
Porque ajan de seer...

Quand' esto viu, sen mentir, 70
começou muit' a chorar,
e un crerigo vĩir
fez, que o foi batiçar;
e pois desto, sen falir,
os seus crischãos tornar 75
fez, e ar
outros bẽes connosçudos.
Porque ajan de seer...

47

ESTA É COMO SANTA MARIA GUARDOU O MONGE, QUE O DEMO QUIS ESPANTAR POR LO FAZER PERDER.

Virgen Santa Maria,
guarda-nos, se te praz,
da gran sabedoria 5
que eno demo jaz.

47 *E, T, To.* 29 logu e *E*; ameaçou *E.* 35 que] ca *T To.*
M.: A^6 B^6 A^6 B^6 / n^6 c^6 n^6 c^6 n^6 c^6 n^6 b^6 [AA/bbba].
Val./Muss. p. LXI; Gautier II, 114; Berceo 20.

Ca ele noit' e dia | punna de nos meter
per que façamos erro, | porque a Deus perder
ajamo-, lo teu Fillo, | que quis por nos sofrer
na cruz paxon e morte, | que ouvessemos paz. 10
Virgen Santa Maria...

E desto, meus amigos, | vos quer' ora contar
un miragre fremoso, | de que fix meu cantar,
como Santa Maria | foi un monge guardar
da tentaçon do demo, | a que do ben despraz. 15
Virgen Santa Maria...

Este mong' ordỹado | era, segund' oý,
muit', e mui ben sa orden | tĩia, com' aprendi;
mas o demo arteiro | o contorvou assy
que o fez na adega | bever do vỹ' assaz. 20
Virgen Santa Maria...

Pero beved' estava | muit', o monge quis s' ir
dereit' aa eigreja; | mas o dem' a sair
en figura de touro | o foi, polo ferir
con seus cornos merjudos, | ben como touro faz. 25
Virgen Santa Maria...

Quand' esto viu o monge, | feramen s' espantou
e a Santa Maria | mui de rrijo chamou,
que ll' appareceu log' e | o tour' amẽaçou,
dizendo: "Vai ta via, | muit' es de mal solaz." 30
Virgen Santa Maria...

Pois en figura d' ome | pareceu-ll' outra vez,
longu' e magr' e veloso | e negro come pez;
mas acorreu-lle logo | a Virgen de bon prez,
dizendo: "Fuge, mao, | mui peor que rapaz." 35
Virgen Santa Maria...

Pois entrou na eigreja, | ar pareceu-ll' enton
o demo en figura | de mui bravo leon;
mas a Virgen mui santa | deu-lle con un baston,
dizendo: "Tol-t', astroso, | e logo te desfaz." 40
Virgen Santa Maria...

Pois que Santa Maria | o seu mong' acorreu,
como vos ei ja dito, | e ll'o medo tolleu
do demo e do vinno, | con que era sandeu,
disse-ll': "Oy mais te guarda | e non sejas malvaz." 45
Virgen Santa Maria...

48

ESTA É COMO SANTA MARIA TOLLEU A AGUA DA FONTE AO CAVALEIRO, EN CUJA ERDADE ESTAVA, E A DEU AOS FRADES DE MONSSARRAD A QUE A EL QUERIA VENDER.

Tanto son da Groriosa | seus feitos mui piadosos,
que fill' aos que an muyto | e dá aos menguadosos. 5

E daquest' un gran miragre | fez pouc' á en Catalonna
a Virgen Santa Maria, | que con Jeso-Cristo ponna
que no dia do joyzo | possamos ir sen vergonna
ant' el e que non vaamos | u yrán os soberviosos.
Tanto son da Groriosa | seus feitos mui piadosos... 10

Monssarrat éste chamado | o logar u é a fonte
saborosa, grand' e crara, | que naç' encima dun monte,
que era dun cavaleiro; | e d'outra parte de fronte
avia un mõesteyro | de monges religiosos.
Tanto son da Groriosa | seus feitos mui piadosos... 15

Mas en aquel mõesteiro | ponto d'agua non avia
se non quant' o cavaleiro | da fonte lles dar queria,
por que os monges lle davan | sa renta da abadia;
e quando lla non conprian, | eran dela perdidosos.
Tanto son da Groriosa | seus feitos mui piadosos... 20

48 *E, T, To.* 11 monssaraz *E T.* 18 renta *E.* 34 en] dela *To.* H.: XIII.
1 El Montserrat (Cataluña). Cfr. ctgs. 52, 57, 113, 302, 311.
11 La grafía *Monssarraz* en *E* y *T* resulta de una confusión con un lugar en Portugal (Alemtejo), cfr. ctg. 223.

E demais, sobre tod' esto, | el assi os pennorava,
que quanto quer que achasse | do mõesteiro fillava;
e porend' aquel convento | en tan gran coita estava,
que non cantavan as oras | e andavan mui chorosos.
Tanto son da Groriosa | seus feitos mui piadosos... 25

Os monges, porque sentian | a ssa casa mui menguada,
entre ssi acord' ouveron | de lle non daren en nada,
ca tĩian por sobervia | de bever agua conprada;
poren todos na eigreja | entraron muit' omildosos,
Tanto son da Groriosa | seus feitos mui piadosos... 30

Dizend': "Ai Santa Maria, | a nossa coyta veede,
e con Deus, o vosso Fillo, | que todo pode, põede
que nos dé algun consello, | que non moiramos de sede,
veend' agua conos ollos | e seer en desejosos."
Tanto son da Groriosa | seus feitos mui piadosos... 35

Pois ssa oraçon fezeron, | a Sennor de piadade
fez que sse canbiou a fonte | ben dentro na sa erdade
dos monges, que ant' avian | da agua gran soidade,
e des alia adeante | foron dela avondosos.
Tanto son da Groriosa | seus feitos mui piadosos... 40

Pois que viu o cavaleiro | que ssa font' assi perdera
por prazer da Groriosa, | que lla aposto tollera,
deu a erdad' u estava | a fonte ond' el vendera
a agu' àquele convento, | onde pois foron viçosos.
Tanto son da Groriosa | seus feitos mui piadosos... 45

49

ESTA É DE COMO SANTA MARIA GUIOU OS ROMEUS, QUE YAN A SA EIGREJA A SEIXON E ERRARAN O CAMỸO DE NOITE.

Ben com' aos que van per mar
a estrela guia,
outrossi aos seus guiar 5
vai Santa Maria.

Ca ela nos vai demostrar
de como nos guardemos
do demo e de mal obrar,
e en como gãemos 10
o seu reyno que non á par,
que nos ja perdemos
per don' Eva, que foi errar
per sa gran folia.
Ben com' aos que van per mar... 15

E ar acorre-nos aqui
enas mui grandes coitas,
segund' eu sei ben e oý,
quaes avemos doitas;
ca muitos omees eu vi 20
e molleres moitas
a que el' acorreu assi
de noit' e de dia.
Ben com' aos que van per mar...

49 *E, T, To.* 21 muitas *E.* 57 mã' un] maun *E T To.*
M.: A^8 B^5 A^8 B^5 / c^8 d^6 c^8 d^6 c^8 d^6 c^8 b^5 [*AA/bbba*].
Val./Muss. p. LIII.
2 *Seixon*: v. 41.6.

E, segund' eu oý dizer, 25
hũa mui gran conpanna
de romeus ar foi guarecer
en hũa gran montanna,
en que ss' ouveran de perder
con coita estranna, 30
porque lles foi escurecer
e perderon via.
Ben com' aos que van per mar...

E sen aquest' un med' atal
enos seus corações 35
avian mui fero mortal,
ca andavan ladrões
per y fazendo muito mal;
porend' orações
fezeron todos y sen al, 40
quis come sabia.
Ben com' aos que van per mar...

E chamand' a Madre de Deus,
com' é nosso costume,
que dos graves pecados seus 45
perdess' ela queixume;
e logo aqueles romeus
viron mui gran lume
e disseron: "Ai, Sennor, teus
somos todavía." 50
Ben com' aos que van per mar...

E en aquel gran lum' enton
viron hũa mui bela
moller de corp' e de faiçon,
e ben come donzela 55
lles pareceu; e pero non
siia en sela,
mas tĩa na mã' un baston
que resprandecia.
Ben com' aos que van per mar... 60

E poi-la donzela chegou,
todas essas montannas
do seu gran lum' alumẽou,
e logo as compannas
dereito a Seixon levou 65
e per muit' estrannas
terras en salvo os guiou
come quen podia.
Ben com' aos que van per mar...

50

ESTA É DE LOOR DE SANTA MARIA, QUE MOSTRA POR QUE RAZON ENCARNOU NOSTRO SENNOR EN ELA.

Non deve null' ome desto per ren dultar
que Deus ena Virgen vẽo carne fillar.

E dultar non deve, por quanto vos direi, 5
porque, se non foss' esto, non viramos Rei
que corpos e almas nos julgass', eu o sei,
como Jeso-Cristo nos verrá joigar.
Non deve null' ome desto per ren dultar...

Nen d' outra maneira non viramos Deus, 10
nen amor con doo nunca dos feitos seus
ouveramos, se el non foss', amigos meus,
tal que nossos ollos o podessen catar.
Non deve null' ome desto per ren dultar...

Ca Deus en ssi mẽesmo ele mingua non á, 15
nen fame nen sede nen frio nunca ja,
nen door nen coyta; pois quen sse doerá
del, nen piadade averá nen pesar?
Non deve null' ome desto per ren dultar...

50 *E, T, To.* 15 meesmo *T To.* 17 coyta] morte, *enmendado para* coita *To.* 25 Unde *E T.*
M.: A^{12} A^{12} / b^{12} b^{12} b^{12} a^{12}.

E poren dos ceos quis en terra decer 20
sen seer partido nen menguar seu poder;
e quis ena Virgen por nos carne prender,
e leixou-ss' encima, demais, por nos matar.
Non deve null' ome desto per ren dultar...

Onde come a Deus lle devemos amor 25
e come a Padre e nosso Criador,
e come a ome del coyta e door
avermos de quanto quis por nos endurar.
Non deve null' ome desto per ren dultar...

E a Santa Virgen, en que ss' el ensserrou, 30
de que prendeu carne e por madre fillou,
muit' amar devemos, ca per ela mostrou
todas estas cousas que vos fui ja contar.
Non deve null' ome desto per ren dultar...

51

ESTA É COMO A OMAGE DE SANTA MARIA ALÇOU O GẼOLLO E RECEBEU O COLBE DA SAETA POR GUARDAR O QUE ESTAVA POS ELA.

A Madre de Deus
devemos tẽer mui cara,
porque aos seus 5
sempre mui ben os ampara.

E desto vos contar quero | hũa mui gran demostrança
que mostrou Santa Maria | en terra d'Orlens en França
al Con de Peiteus,
que un castelo cercara 10
e come judeus
a gent' en fillar cuidara.
A Madre de Deus...

51 *E, T, To.* 12 assi filla los cuidara *To.* 65 du *E.*
M.: A^5 B^7 A^5 B^7 / n^7 c^7 n^7 c^7 d^5 b^7 d^5 b^7 [*AA/bbaa*].
Val./Muss. p. XLIV; Gautier III, 42.
8 Orléans.
9 *Con de Peiteus*: v. 38.18.

Este castel' aquel conde | por al fillar non queria
senon pola gran requeza | que eno logar avia; 15
poren gran poder
de gent' ali assũara
con que combater
o fez, e que o tomara,
A Madre de Deus... 20

Se non foss' os do castelo | que, pois se viron coitados,
que fillaron a omagen, | por seer mais anparados,
da Virgen enton,
Santa Maria, que para
mentes e que non 25
os seus nunca desanpara.
A Madre de Deus...

E logo sobela porta | do castelo a poseron
e, aorando-a, muito | chorand' assi lle disseron:
"Madre do Sennor 30
do mund', estrela mui crara,
sei defendedor
de nos, tu, altar e ara
A Madre de Deus...

En que o corpo de Cristo | foi feito e conssagrado; 35
e porende te rogamos | que daqueste cond' irado
nos queras guardar,
e sei nossa acitara,
ca nos quer britar
con seus engẽos que para." 40
A Madre de Deus...

Mantenente dos de fora | vẽo log' un baesteiro
e diss' a outro da vila, | que poseran por porteiro,
que pera guarir
da omagen s' escudara, 45
que vẽess' abrir
a porta que el serrara.
A Madre de Deus...

O de dentro respos logo | que non faria en nada;
e o de fora tan toste | ouv' a baesta armada 50
e tirou-ll' assi
que sen dulta o chagara.
Mais, com' aprendi,
un dos gẽollos alçara
A Madre de Deus... 55

A omagen atan alte | que chegou preto da teta,
por guarda-lo baesteiro, | e feriu-lli a saeta.
E ar aprix al,
que o de dentro tirara
en maneira tal 60
que o de fora matara.
A Madre de Deus...

Esta maravilla viron | os de dentr' e os da oste,
e outrossi fez el Conde; | e deceu a terra toste
dun cavalo seu, 65
en que enton cavalgara,
e come romeu
aprix que dentro entrara.
A Madre de Deus...

E os gẽollos ficados | aorou a magestade, 70
muito dos ollos chorando, | connocendo sa maldade;
e logo mandou
tornar quant' ali fillara,
e ssa ost' alçou
que sobr' a vila deitara. 75
A Madre de Deus...

Desto a Santa Maria | todos loores lle deron,
e punnaron d 'a saeta | tirar, mas nunca poderon,
com' escrit' achey,
da perna u lla ficara 80
o que vos dit' ei
baesteiro que osmara
A Madre de Deus...

Mata-lo outro de dentro | que a omagen guardava;
e poren Santa Maria | tan gran pesar en mostrava, 85
que nunca per ren
achei que depois tornara
a perna, mas ten
na como quand' mudara.
A Madre de Deus... 90

52

ESTA É COMO SANTA MARIA FEZ VĨIR LAS CABRAS MONTESAS A MONTSARRAT, E SE LEIXAVAN ORDENNAR AOS MONGES CADA DIA.

Mui gran dereit' é d' as bestias obedecer
a Santa Maria, de que Deus quis nacer.

E dest' un miragre, se Deus m' anpar, 5
mui fremoso vos quer' ora contar,
que quiso mui grand' a Groriosa mostrar;
oyde-mio, se ouçades prazer:
Mui gran dereit' é d' as bestias obedecer...

En Monsarrat, de que vos ja contei, 10
á un' igreja, per quant' apres' ei,
feita no nome da Madre do alto Rei
que quis por nos morte na cruz prender.
Mui gran dereit' é d' as bestias obedecer...

52 *E, T, To.* 1 monssarraz *E.* 2 leixauan se *To.* 8 se ouçades] *sobre rasura T To*; se deus uos amostre *E, enmendado por mano posterior entre las lineas* se ouçades. 10 monssarraz *E.* M.: A^{12} A^{12} / b^{10} b^{10} b^{12} a^{10}.

1 *Monsarrat*: v. 48.1.

Aquel logar a pe dun mont' está 15
en que muitas cabras montesas á;
ond' estrãya maravilla avẽo ja,
ca foron todas ben juso decer.
Mui gran dereit' é d' as bestias obedecer...

Ant' a eigreja qu' en un vale jaz, 20
e ant' a porta paravan-ss' en az
e estavan y todas mui quedas en paz,
ta que os monges las yan monger.
Mui gran dereit' é d' as bestias obedecer...

E quatr' anos durou, segund' oý, 25
que os monges ouveron pera si
assaz de leite; que cada noite ali
vĩian as cabras esto fazer.
Mui gran dereit' é d' as bestias obedecer...

Atẽes que un crerizon sandeu 30
furtou un cabrit' en e o comeu;
e das cabras depois assi lles conteceu
que nunca mais las poderon aver.
Mui gran dereit' é d' as bestias obedecer...

E desta guisa a Madre de Deus 35
quis governar aqueles monges seus,
por que depois gran romaria de romeus
vẽeron polo miragre saber.
Mui gran dereit' é d' as bestias obedecer...

53

COMO SANTA MARIA GUARECEU O MOÇO PEGUREIRO QUE LEVARON A SEIXON E LLE FEZ SABER O TESTAMENTO DAS ESCRITURAS, MACAR NUNCA LEERA.

Como pod' a Groriosa | mui ben enfermos sãar,
assi aos que non saben | pode todo saber dar.

E de tal ja end' avẽo | un miragre que dizer 5
vos quer' ora, que a Virgen | quis grand' en Seixon fazer,
dun menỹo pegureiro, | a que os pees arder
começaron daquel fogo | que salvaj' ouço chamar.
Como pod' a Groriosa | mui ben enfermos sãar...

Seu padre del era morto; | mas hũa pobre moller 10
sa madr' era que fiava | a lãa mui volonter,
per que ss' ambos governavan; | mas quen m' ascoitar [quiser,
direi-ll' eu de com' a Virgen | quis no menỹo mostrar.
Como pod' a Groriosa | mui ben enfermos sãar...

Aquel fog' ao mininno | tan feramente coitou 15
que a per poucas dos pees | os dedos non lle queimou;
e a madre mui coitada | pera Seixon o levou
e chorando mui de rrijo, | o pos ben ant' o altar.
Como pod' a Groriosa | mui ben enfermos sãar...

53 *E, T, To.* 27 quiserdes o] quiserdo *E T*; verrá] uerna *E*. 33 toste] logo *T To.* 57 spirito *E T To.* 60-63 *To*:
E q*ua*nto no testamẽto uedro ⁊ no nouo iaz
todest el mui ben sabia ⁊ ainda mais assaz
⁊ dizia aas gentes a santa maria praz
que aq*ue*sta sa igreia façades mui bẽ obrar.
M.: XIV.
Val./Muss. p. CVIII; Gautier IV, 190.
1 *Seixon*: v. 41.6.
8 *fogo salvage*: v. 19.27.

Tod' essa noite vigia | tev'; e logo guareceu 20
o menỹo en tal guisa | que andou ben e correu,
des i foi-sse con ssa madre; | mas atal amor colleu
daquel logar u sãara, | que sse quis log' y tornar.
Como pod' a Groriosa | mui ben enfermos sãar...

Depois a cabo dun ano | lle rogou que o ali 25
tornass', e non quis la madre; | e ele lle diss' assi:
"Se non quiserdes, o fogo | sei eu que verná a mi
e que vos pes m'averedes | eno col' a soportar."
Como pod' a Groriosa | mui ben enfermos sãar...

Dizend' aquest' o menỹo, | o fog' en el salto deu, 30
e travou log' en sa madre, | dizendo: "Ay eu, ay eu!"
E ela o en seu colo | fillou, com' aprendi eu,
e a Seixon de caminno | começou toste d' andar.
Como pod' a Groriosa | mui ben enfermos sãar...

E pois entrou na eigreja, | ant' o altar sen falir 35
o pos; e log' o meninno | se fillou ben a dormir,
e viu en vijon a Madre | de Deus, que o foi guarir,
e seu fillo Jeso-Cristo, | a que ela presentar
Como pod' a Groriosa | mui ben enfermos sãar...

A alma en Parayso | foi dele. E alá vyu 40
que a Virgen a seu Fillo | mercee por el pediu
e por todo-los da terra | de Seixon, e ben sentiu
que por seu rogo do fogo | os quis Deus todos livrar.
Como pod' a Groriosa | mui ben enfermos sãar...

E oyu mais que a Virgen | diss' a Deus esta razon: 45
"Fillo, esta mia capela | que é tan pobr' en Seixon,
fas tu que seja ben feita." | E el lle respos enton:
"Madr', eu farei y as gentes | vĩir ben dalend' o mar
Como pod' a Groriosa | mui ben enfermos sãar...

E de muitas outras terras, | que darán aver assaz, 50
ca todo quanto demandas | e queres, todo me praz;
e que eu faça teu rogo, | aquest' en dereito jaz,
ca fillo por bõa madre | fazer dev' o que mandar."
Como pod' a Groriosa | mui ben enfermos sãar...

Quand' esto viu o menỹo | no Ceo, foi-lli tal ben 55
que quant' al depois viia | sol nono preçava ren;
ca o Espirito Santo | pos en el atan gran sen
que as Escrituras soube, | e latin mui ben falar.
Como pod' a Groriosa | mui ben enfermos sãar...

E quanto no Testamento | Vedro e no Novo sé 60
escrito muy ben sabia, | e mui mais, per bõa fe;
e dizia aas gentes: | "De Santa Maria é
prazer que esta igreja | façades mui ben obrar.
Como pod' a Groriosa | mui ben enfermos sãar...

E por que certos sejades | que tod' est' e mui mais sei, 65
mostrade-mi as Escrituras, | ca eu as espranarey;
demais, d' oj' a trinta dias | sabiades que morrerey,
ca a que me mostrou esto | me quer consigo levar."
Como pod' a Groriosa | mui ben enfermos sãar...

Todos quantos est' oyron | deron graças e loor 70
aa Virgen groriosa, | Madre de Nostro Sennor;
e acharon en verdade | quanto diss' aquel pastor,
e começaron tan toste | na eigreja de lavrar.
Como pod' a Groriosa | mui ben enfermos sãar...

54

ESTA É DE COMO SANTA MARIA GUARYU CON SEU LEITE O MONGE DOENTE QUE CUIDAVAN QUE ERA MORTO.

Toda saude da Santa Reÿa
ven, ca ela é nossa meezÿa.

Ca pero avemos enfermidades 5
que merecemos per nossas maldades,
atan muitas son as sas piedades,
que sa vertude nos acorr' agÿa.
Toda saude da Santa Reÿa...

54 *E, T, To.* 1 guaryu] guareceu *T To.* 28 e pois] depois *To.* 68 catelinna *E T.* 73 canpanía *E T.* 78 madodinna *E T.*
M.: V.
Val./Muss. CVIII; Adgar 13; Gautier III, 134.

Dest' un miragre me vẽo emente 10
que vos direi ora, ay, bõa gente,
que fez a Virgen por un seu sergente,
monge branco com' estes da Espỹa.
Toda saude da Santa Reỹa...

Est' era sisudo e leterado 15
e omildoso e ben ordinnado,
e a Santa Maria todo dado,
sen tod' orgullo e sen louçaỹa.
Toda saude da Santa Reỹa...

E tal sabor de a servir avia 20
que, poi-lo convent' as oras dizia,
ele fazend' oraçon remania
en hũa capela mui pequenĩa;
Toda saude da Santa Reỹa...

E dizia prima, terça e sesta 25
e nõa e vesperas, e tal festa
fazia sempre baixada a testa,
e pois completas e a ledanĩa.
Toda saude da Santa Reỹa...

E vivend' en aquesta santidade, 30
ena garganta ouv' enfermidade
tan maa que, com' aprix en verdade,
peyor cheirava que a caavrỹa.
Toda saude da Santa Reỹa...

Ca o rostr' e a garganta ll' enchara 35
e o coiro fendera-ss' e britara,
de maneira que atal se parara
que non podia trocir a taulĩa.
Toda saude da Santa Reỹa...

13 *monge branco*: perteneciente a la orden del Císter.
Espỹa: N. S. de la Espina (Valladolid).

38 *taulĩa*: J. L. Pensado tiene probablemente razón cuando explica la palabra como variante con metátesis de *(a)talvina* 'papilla' (*Verba* 6, 1979, 35-36).

Os frades, que cuidavan que mort' era, 40
porque un dia sen fala jouvera,
cada un deles de grado quisera
que o ongessen como convĩia.
Toda saude da Santa Reӯa...

E porend' o capeyron lle deitaron 45
sobelos ollos, porque ben cuidaron
que era mort', e torna-lo mandaron
a ourient' onde o sol vĩia.
Toda saude da Santa Reӯa...

E u el en tan gran coita jazia 50
que ja ren non falava nen oya,
vee-lo vẽo a Virgen Maria,
e con hua toalla que tĩia
Toda saude da Santa Reӯa...

Tergeu-ll' as chagas ond' el era chẽo; 55
e pois tirou a ssa teta do sẽo
santa, con que criou aquel que vẽo
por nos fillar nossa carne mesquӯa.
Toda saude da Santa Reӯa...

E deitou-lle na boca e na cara 60
do seu leite. E tornou-lla tan crara,
que semellava que todo mudara
como muda penas a andorӯa.
Toda saude da Santa Reӯa...

E disse-lle: "Por esto vin, irmão, 65
que ti acorress' e te fezesse são;
e quando morreres, sei ben certão
que irás u é Santa Catelӯa."
Toda saude da Santa Reӯa...

Pois esto dit' ouve, foi-ss'. E mui cedo 70
se levantou o monge; e gran medo
ouveron os outros, e quedo, quedo
foron tanger hũa ssa canpaӯa,
Toda saude da Santa Reӯa...

A que logo todos foron juntados 75
e deste miragre maravillados,
e a Santa Maria muitos dados
loores, a Estrella Madodĩa.
Toda saude da Santa Reỹa...

55

ESTA É COMO SANTA MARIA SERVIU POLA MONJA QUE SE FORA DO MÕESTEYRO E LLI CRIOU O FILLO QUE FEZERA ALÁ ANDANDO.

Atant é' Santa Maria | de toda bondade bõa,
que mui d' anvidos s' assanna | e mui de grado perdõa.

Desto direi un miragre | que quis mostrar en Espanna 5
a Virgen Santa Maria, | piadosa e sen sanna,
por hũa monja, que fora | fillar vida d' avol manna
fora de seu mõesteiro | con un preste de corõa.
Atant' é Santa Maria | de toda bondade bõa...

Esta dona mais amava | d'outra ren Santa Maria, 10
e porend' en todo tempo | sempre sas oras dizia
mui ben e conpridamente, | que en elas non falia
de dizer prima e terça, | sesta, vesperas e nõa.
Atant' é Santa Maria | de toda bondade bõa...

Compretas e madodinnos | ben ant' a ssa majestade. 15
Mais o demo, que sse paga | pouco de virgĩidade,
fez, como vos eu ja dixe, | que sse foi con un abade,
que a por amiga teve | un mui gran tenp' en Lisbõa.
Atant' é Santa Maria | de toda bondade bõa...

55 *E, T, To.* 33 eras] eres *T.* 63 e d'infançõa] ou dinfançõa *E.* M.: XIII. Sobre la leyenda de la sacristana, tratada también en las ctgs. 94 y 285, cfr. A. Cotarelo y Valledor, *Una cantiga célebre del Rey Sabio. Fuentes y desarrollo de la leyenda de Sor Beatriz* (Madrid, 1904) y R. Guiette, *La légende de la Sacristine* (Paris, 1927).

8 *preste de corõa*: que ha recibido la tonsura.

Ambos assi esteveron | ta que ela foi prennada; 20
enton o crerig' astroso | leixou-a desanparada,
e ela tornou-sse logo | vergonnosa e coitada,
andando senpre de noite, | come sse fosse ladrõa.
Atant' é Santa Maria | de toda bondade bõa...

E foi ao mõesteiro | ali onde sse partira, 25
e falou-ll' a abadessa, | que a nunca mẽos vira
ben des que do mõesteiro | sen ssa lecença sayra,
dizendo: "Por Deus, mia filla, | logo aa terça sõa."
Atant' é Santa Maria | de toda bondade bõa...

E ela foi fazer logo | aquelo que lle mandava; 30
mas de que a non achavan | mẽos sse maravillava,
e dest' a Santa Maria | chorando loores dava,
dizendo: "Bẽeita eras, | dos pecadores padrõa."
Atant' é Santa Maria | de toda bondade bõa...

Estas loores e outras | a Santa Maria dando 35
muitas de noit' e de dia, | fois-sse-ll' o tenpo chegando
que avia d'aver fillo; | e enton sse foi chorando
pera a ssa majestade, | e como quen sse razõa
Atant' é Santa Maria | de toda bondade bõa...

Con sennor, assi dizia, | chorando mui feramente: 40
"Mia Sennor, eu a ti venno | como moller que se sente
de grand' erro que á feito; | mas, Sennor, venna-ch' a
[mente
se che fiz algun serviço, | e guarda-me mia pessõa
Atant' é Santa Maria | de toda bondade bõa...

Que non cáia en vergonna, | Sennor, e alma me guarda 45
que a non lev' o diablo | nen eno inferno arda.
Esto con medo cho peço, | ca eu sõo mui covarda
de por nulla ren rogar-te, | mas peço-ch' esto por dõa."
Atant' é Santa Maria | de toda bondade bõa...

45 *alma*: = a alma.

Quand' ela est' ouve dito, | chegou a Santa Reỹa 50
e ena coita da dona | pos logo ssa meezynna,
e á un angeo disse: | "Tira-ll' aquel fill' agynna
do corp' e criar-llo manda | de pan, mais non de borõa."
Atant' é Santa Maria | de toda bondade bõa...

Foi-ss' enton Santa Maria, | e a monja ficou sãa; 55
e cuidou achar seu fillo, | mais en seu cuidar foi vãa,
ca o non viu por gran tempo, | senon quand' era ja cãa,
e por el foi mas coitada | que por seu fill' é leõa.
Atant' é Santa Maria | de toda bondade bõa...

Mais depois assi ll' avẽo | que, u vesperas dizendo 60
estavan todas no coro | e ben cantand' e leendo,
viron entrar y un moço | mui fremosỹo correndo,
e cuidaron que fill' era | d' infançon e d' infançõa.
Atant' é Santa Maria | de toda bondade bõa...

E pois entrou eno coro, | en mui bõa voz e crara 65
começou: "Salve Regina", | assi como lle mandara
a Virgen Santa Maria | que o gran tenpo criara,
que aos que ela ama | por ll' errar non abaldõa.
Atant' é Santa Maria | de toda bondade bõa...

A monja logo tan toste | connoceu que seu fill' era, 70
e el que era ssa madre; | e a maravilla fera
foi enton ela mui leda | poi-ll' el diss' onde vẽera,
dizendo: "Tornar-me quero, | e leixade-m' yr, varõa."
Atant' é Santa Maria | de toda bondade bõa...

Mantenent' aqueste feito | soube todo o convento, 75
que eran y ajuntadas | de monjas mui mais ca cento,
e loaron muit' a Virgen | por aqueste cousimento
que fezera, cujos feitos | todo o mund' apregõa.
Atant' é Santa Maria | detoda bondade bõa...

56

ESTA É COMO SANTA MARIA FEZ NACER AS CINCO ROSAS NA BOCA DO MONGE DEPOS SSA MORTE, POLOS CINCO SALMOS QUE DIZIA A ONRRA DAS CINCO LETERAS QUE Á NO SEU NOME.

Gran dereit' é de seer
seu miragre mui fremoso 5
da Virgen, de que nacer
quis por nos Deus grorioso.

Poren quero retraer
un miragre que oý,
ond' averedes prazer 10
oyndo-o outrossi,
per que podedes saber
o gran ben, com' aprendi,
que a Virgen foi fazer
a un bon religioso. 15
Gran dereit' é de seer...

Este sabia leer
pouco, com' oý contar,
mas sabia ben querer
a Virgen que non á par; 20
e poren foi compõer
cinque salmos e juntar,
por en ssa loor crecer,
de que era desejoso.
Gran dereit' é de seer... 25

Dos salmos foi escoller
cinque por esta razon
e de ssũu os põer
por cinque letras que son

56 *E, T, To.* 1 cinco] cinque *To.* 26 Dos] Nos *To.*
M.: A^7 B^7 A^7 B^7 / a^7 c^7 a^7 c^7 a^7 c^7 a^7 b^7 [*AA*/bbb*a*].
Val./Muss. p. XLIV; Gautier II, 224; Berceo 3.

en Maria, por prender 30
dela pois tal galardon,
per que podesse veer
o seu Fillo piadoso.
Gran dereit' é de seer...

Quen catar e revolver 35
estes salmos, achará
"Magnificat" y jazer,
e "Ad Dominum" y á,
e cabo del "In conver-
tendo" e "Ad te" está, 40
e pois "Retribue ser-
vo tuo" muit' omildoso.
Gran dereit' é de seer...

Pera ben de Deus aver,
ond' aquestes, sen falir, 45
salmos sempr' ya dizer
cada dia, sen mentir,
ant' o altar e tender
se todo e repentir
do que fora merecer 50
quand' era fol e astroso.
Gran dereit' é de seer...

Est' uso foi mantẽer
mentre no mundo viveu;
mas pois, quand' ouv' a morrer, 55
na boca ll' apareceu
rosal, que viron tẽer
cinque rosas, e creceu
porque fora bẽeizer
a Madre do Poderoso. 60
Gran dereit' é de seer...

37 Magnificat anima mea Dominum (Luc. 1, 46); Magnificate Dominum mecum (Ps. 33.4).
38 Ad Dominum cum tribularer clamavi (Ps. 119 [120]).
39 In convertendo Dominus captivitatem Sion (Ps. 125 [126]).
40 Ad te levavi oculos meos (Ps. 122 [123]).
41 Retribue servo tuo, vivica me (Ps. 118 [119], 17).

57

ESTA É COMO SANTA MARIA FEZ GUAREÇER OS LADRÕES QUE FORAN TOLLEITOS PORQUE ROUBARAN ŨA DONA E SSA CONPANNA QUE YAN EN ROMARIA A MONSARRAT.

Mui grandes noit' e dia
devemos dar porende 5
nos a Santa Maria
graças, porque defende
os seus de dano
e sen engano
en salvo os guia. 10

E daquesto queremos
un miragre preçado
dizer, porque sabemos
que será ascuitado
dos que a Virgen santa 15
aman, porque quebranta
sempr' aos soberviosos
e os bõas avanta
e dá-les siso
e Parayso 20
con tod' alegria.
Mui grandes noit' e dia...

En Monsarrat vertude
fez, que muy longe sõa,
a Virgen, se mi ajude 25
ela, por hũa bõa

57 *E, T, To.* 39 reimond *T To.* 77 dũ'] dun *E T To*; enpanada *E.* 78 so] su *E.*
M.: A^6 B^6 A^6 B^6 C^4 C^4 A^5 / d^6 e^6 d^6 e^6 f^6 f^6 n^6 f^6 h^4 h^4 a^5 [*AAB/ccddb*]. Sobre la fuente de esta ctg. cfr. C. Baraut, *Estudis Romànics,* 4 (1953-1954), 205-209).
3 *Monsarrat*: v. 48.1.

dona que na montanna
d' i muy grand' e estranna
deçeu a hua fonte
con toda sa companna, 30
por y jantaren,
des i folgaren
e yren sa via.
Mui grandes noit' e dia...

U seyan comendo 35
cabo daquela fonte,
a eles muy correndo
sayu ben desse monte
Reimund', un cavaleiro
roubador e guerreiro, 40
que de quanto tragian
non lles leyxou dinneiro
que non roubasse
e non fillase
con sa compannia. 45
Mui grandes noit' e dia...

A dona mantenente,
logo que foy roubada,
foi-ss' ende con sa gente
muy trist' e muy coitada; 50
a Monsarrat aginna
chegou essa mesquinna,
dando grandes braados:
"Virgen santa, Reynna,
dá-me vingança, 55
ca pris viltança
en ta romaria."
Mui grandes noit' e dia...

E os frades sayron
aas vozes que dava; 60
e quand' esto oyron,
o prior cavalgava
corrend' e foi muy toste.

e passou un recoste
e viu cabo da fonte 65
de ladrões grand' hoste
    jazer maltreitos,
    cegos, contreitos,
  que un non s' ergia.
Mui grandes noit' e dia... 70

Entr' esses roubadores
viu jazer un vilão
desses mais malfeitores,
hũa perna na mão
de galinna, freame 75
que sacara con fame
enton dũ' enpãada,
que so un seu çurame
    comer quisera;
    mais non podera, 80
  ca Deus non queria.
Mui grandes noit' e dia...

Ca se ll' atravessara
ben des aquela ora
u a comer cuidara, 85
que dentro nen afora
non podia saca-la,
nen comer nen passa-la;
demais jazia çego
e ar mudo sen fala 90
    e muy maltreito
    por aquel preito,
  ca xo mereçia.
Mui grandes noit' e dia...

O prior e seus frades, 95
pois que assi acharon
treitos por sas maldades
os ladrões, mandaron
que logo d' i levados
fossen, atravessados 100

en bestias que trouxeran,
ant' o altar deitados
que y morressen,
ou guareçessen
se a Deus prazia. 105
Mui grandes noit' e dia...

E pois que os ladrões
ant' o altar trouxeron,
por eles orações
e pregairas fezeron. 110
E log' ouveron sãos
ollos, pees e mãos;
e porende juraron
que nunca a crischãos
jamais roubassen, 115
e se quitassen
daquela folia.
Mui grandes noit' e dia...

58

COMO SANTA MARIA DESVIOU A MONJA QUE SE NON FOSSE CON UN CAVALEIRO CON QUE POSERA DE SS' IR.

De muitas guisas nos guarda de mal
Santa Maria, tan muyt' é leal.

E dest' un miragre vos contarei 5
que Santa Maria fez, com' eu sei,
dũa monja, segund' escrit' achei,
que d' amor lle mostrou mui gran sinal.
De muitas guisas nos guarda de mal...

58 *E, T, To.* 1 a] aa *E.* 21 pois] depois *E.* 31 negro mais ca *T To.* 48 e] a *T To.* 55 a pos] foi *T* (*assi también primitivamente en To*).
M.: IV.
Val./Muss. XLV; Gautier II, 246; III, 191. Cfr. ctg. 59.

Esta monja fremosa foi assaz 10
e tĩia ben quant' en regla jaz,
e o que a Santa Maria praz,
esso fazia senpr' a comunal.
De muitas guisas nos guarda de mal...

Mas lo demo, que dest' ouve pesar, 15
andou tanto pola fazer errar
que a troux' a que ss' ouve de pagar
dun cavaleiro; e pos preit' atal
De muitas guisas nos guarda de mal...

Con ele que sse foss' a como quer, 20
e que a fillasse pois por moller
e lle déss' o que ouvesse mester;
e pos de s'ir a el a un curral
De muitas guisas nos guarda de mal...

Do mõesteir'; e y a atendeu. 25
Mas en tant' a dona adormeçeu
e viu en vijon, ond' esterreçeu
con mui gran pavor que ouve mortal.
De muitas guisas nos guarda de mal...

Ca sse viu sobr' un poç' aquela vez, 30
estreit' e fond' e mais negro ca pez,
e o demo, que a trager y fez,
deita-la quis per i no infernal
De muitas guisas nos guarda de mal...

Fogo, u mais de mil vozes oyu 35
d' omes e muitos tormentar y viu;
e con med' a poucas xe lle partiu
o coraçon, e chamou: Sennor, val
De muitas guisas nos guarda de mal...

Santa Maria, que Madr' es de Deus, 40
ca sempre punnei en faze-los teus
mandamentos, e non cates los meus
pecados, ca o teu ben nunca fal."
De muitas guisas nos guarda de mal...

Pois esto disse, foi-ll' aparecer 45
Santa Maria e mui mal trager,
dizendo-lle: "Venna-ch' or' acorrer
o por que me deitast', e non m' en cal."
De muitas guisas nos guarda de mal...

Esto dito, un diaboo a puxou 50
dentro no poç'; e ela braadou
por Santa Maria, que a sacou
del, a Reynna nobre spirital.
De muitas guisas nos guarda de mal...

Des que a pos fora, disse-ll' assi: 55
"Des oge mais non te partas de mi
nen de meu Fillo, e se non, aqui
te tornarei, u non averá al."
De muitas guisas nos guarda de mal...

Pois passou esto, acordou enton 60
a monja, tremendo-ll' o coraçon;
e con espanto daquela vijon
que vira, foi logo a un portal
De muitas guisas nos guarda de mal...

U achou os que fezera vĩyr 65
aquele con que posera de ss' ir,
e disse-lles: "Mal quisera falir
en leixar Deus por ome terrẽal.
De muitas guisas nos guarda de mal...

Mais, se Deus quiser, esto non será, 70
nen fora daqui non me veerá
ja mais null' ome; e ide-vos ja,
ca non quer' os panos neno brial.
De muitas guisas nos guarda de mal...

Nen mentre viva nunca amador 75
averei, nen non quer' eu outr' amor
senon da Madre de Nostro Sennor,
a Santa Reynna celestial."
De muitas guisas nos guarda de mal...

59

COMO O CRUCIFISSO DEU A PALMADA A ONRRA DE SA MADRE AA MONJA DE FONTEBRAR QUE POSERA DE SS' IR CON SEU ENTENDEDOR.

Quena Virgen ben servir
nunca poderá falir.

E daquesto un gran feito 5
dun miragre vos direi
que fez mui fremos' afeito
a Madre do alto Rey,
per com' eu escrit' achey,
se me quiserdes oyr. 10
Quena Virgen ben servir...

Esto foi dũa donzela
que era en Fontebrar
monja, fremosa e bela,
que a Virgen muit' amar 15
sabia, se Deus m' anpar.
Mais quis da orden sayr
Quena Virgen ben servir...

Con un cavaleir' aposto
e fremos' e de bon prez, 20
e non catou seu dẽosto,
mais como moller rafez
quisiera ss' ir dessa vez.
Mais nona quis leixar ir
Quena Virgen ben servir... 25

59 *E, T, To.* 1 a] aa *E.* 13 font enbrar *T To.* 17 da orden quis *E.* 40 sacristãa *T To.* 72 aduz] a aduz *T To.* 84 trões o] trões que o *To* (que *añadido por mano posterior*). 93 segund *E T To.*
M.: A^7 A^7 / b^7 c^7 b^7 c^7 c^7 a^7 [A/bba].
Val./Muss. p. XLV. Cfr. ctg. 58.
2 *Fontebrar*: Fontevrault (Maine-et-Loire, Francia)?

A Virgen Santa Maria,
a que mui de coraçon
saudava noit' e dia
cada que sa oraçon
fazia, e log' enton 30
ya beyjar, sen mentir,
Quena Virgen ben servir...

Os pees da majestade
e dun crucifiss' assi,
que y de gran santidade 35
avia, com' aprendi.
E pois s' ergia dali,
ya as portas abrir.
Quena Virgen ben servir...

Da ygreg', e sancristãa 40
era, com' oý dizer,
do logar, e a campãa
se fillava a tanger
por s' o convento erger
e a sas oras vỹir. 45
Quena Virgen ben servir...

Fazend' assi seu offiço,
mui gran tenp' aquest' usou,
atẽes que o proviço
a fez que se namorou 50
do cavaleir', e punnou
de seu talante comprir.
Quena Virgen ben servir...

E porend' hũa vegada
a meya noite s' ergeu 55
e, com' era costumada,
na ygreja se meteu
e à omagen correu
por se dela espedir.
Quena Virgen ben servir... 60

E ficando os gẽollos,
disse: "Con graça, Sennor."
Mas chorou logo dos ollos
a Madre do Salvador,
en tal que a pecador 65
se quisesse repentir.
Quena Virgen ben servir...

Enton s' ergeu a mesquinna
por s' ir log' ante da luz;
mas o crucifiss' aginna 70
tirou a mão da cruz
e, com' ome que aduz,
de rrijo a foi ferir.
Quena Virgen ben servir...

E ben cabo da orella 75
lle deu orellada tal
que do cravo a semella
teve sempre por sinal,
por que non fezesse mal
nen s' assi foss' escarnir. 80
Quena Virgen ben servir...

Desta guisa come morta
jouve tolleita sen sen,
trões o convent' a porta
britou; e espantou-s' en 85
quand' ela lles contou quen
a feriu pola partir
Quena Virgen ben servir...

Do grand' erro que quisera
fazer, mais que non quis Deus 90
nena sa Madre, que fera-

72 *aduz*: = a aduz.
84 *trões o*: = trões u o.

mente quer guarda-los seus,
segun Lucas e Matheus
e os outros escrivir
Quena Virgen ben servir... 95

Foron. Porend' o convento
se pararon log' en az,
u avia mil e çento
donas, todas faz a faz,
e cantando ben assaz 100
est' a Deus foron graçir.
Quena Virgen ben servir...

60

ESTA É DE LOOR DE SANTA MARIA, DO DEPARTIMENTO QUE Á ENTRE AVE E EVA.

Entre Av' e Eva
gran departiment' á.

Ca Eva nos tolleu 5
o Parays' e Deus,
Ave nos y meteu;
porend', amigos meus:
Entre Av' e Eva...

Eva nos foi deitar 10
do dem' en sa prijon,
e Ave en sacar;
e por esta razon:
Entre Av' e Eva...

60 *E, T, To.* 2 Aue Eua *E.*
M.: A^6 A^6 / b^6 c^6 b^6 c^6.

Eva nos fez perder 15
amor de Deus e ben,
e pois Ave aver
no-lo fez; e poren:
Entre Av' e Eva...

Eva nos ensserrou 20
os çeos sen chave,
e Maria britou
as portas per Ave.
Entre Av' e Eva...

61

COMO SANTA MARIA GUAREÇEU AO QUE XE LLE TORÇERA A BOCA PORQUE DESCREERA EN ELA.

Fol é o que cuida que non poderia
faze-lo que quisesse Santa Maria.

Dest' un miragre vos direi que avẽo 5
en Seixons, ond' un livro á todo chẽo
de miragres ben d' i, ca d'allur non vẽo,
que a Madre de Deus mostra noit' e dia.
Fol é o que cuida que non poderia...

En aquel mõesteir' á hũa çapata 10
que foi da Virgen por que o mundo cata,
por que diss' un vilão de gran barata
que aquesto per ren ele non creya.
Fol é o que cuida que non poderia...

61 *E, T, To.* 1 ao] o *To*; se lle] se *E.*
M.: VII.
Val./Muss. p. XVI; Gautier IV, 201.
6 *Seixons*: v. 41.6.

Diss' el: "Ca de o creer non é guisada 15
cousa; pois que tan gran sazon é passada,
de seer a çapata tan ben guardada
que ja podre non foss', esto non seria."
Fol é o que cuida que non poderia...

Esto dizend' ya per hũa carreyra 20
ele e outros quatro a hũa feyra;
e torceu-xe-ll' a boca en tal maneira
que quen quer que o visse espantar-s-ia.
Fol é o que cuida que non poderia...

E tal door avia que ben cuidava 25
que ll' os ollos fora da testa deitava,
e con esta coita logo se tornava
u a çapata era en romaria.
Fol é o que cuida que non poderia...

E logo que chegou deitou-se tendudo 30
ant' o altar en terra como perdudo,
repentindo-se de que for' atrevudo
en sol ousar dizer atan gran folia.
Fol é o que cuida que non poderia...

Enton a abadessa do mõesteyro 35
lle trouxe a çapata por seu fazfeiro
pelo rostro, e tornou-llo tan enteiro
e tan são ben como xo ant' avia.
Fol é o que cuida que non poderia...

Poi-lo vilão se sentiu ben guarido, 40
do sennor de que era foi espedido,
e ao mõesteiro logo vĩido
foi, e dali sergent' é pois todavia.
Fol é o que cuida que non poderia...

62

COMO SANTA MARIA DEU O FILLO A HŨA BÕA DONA QUE O DEITARA EN PENNOR, E CREÇERA A USURA TANTO QUE O NON PODIA QUITAR.

Santa Maria sempr' os seus ajuda
e os acorr' a gran coita sabuda. 5

A qual acorreu ja hũa vegada
a hũa dona de França coitada,
que por fazer ben tant' endevedada
foi que sa erdad' ouvera perduda.
Santa Maria sempr' os seus ajuda... 10

Se non fosse pola Virgen Maria
que a acorreu, todo quant' avia
perdud' ouvera; que ja non podia
usura soffrer, tant' era creçuda.
Santa Maria sempr' os seus ajuda... 15

E macar a dona de gran linnage
era, non quiseron dela menage
seus devedores; mais deu-lles en gage
seu fill', onde foi pois mui repentuda.
Santa Maria sempr' os seus ajuda... 20

Ca daquesto pois pres mui gran quebranto,
porque a usura lle creceu atanto
que a non podia pagar por quanto
avia, se d' al non foss' acorruda.
Santa Maria sempr' os seus ajuda... 25

62 *E, T, To.* 21 Ca] E *E.* 22 crecera tanto *To.* 29 sesuda *E.* 44 que e logo muda *E.* 48 bestie que *E.* 54 fara sempre *T To.*
M.: V.
Val./Muss. p. XLV.

E porque achar non pode consello
nos que fiava, porend' a cançello
non ousou sayr, mas ao Espello
das Virgẽes foi ben come sisuda.
Santa Maria sempr' os seus ajuda... 30

E de coraçon que a acorresse
lle rogou enton, como non perdesse
seu fill' en prijon, mais que llo rendesse.
E ssa demanda lle foi ben cabuda;
Santa Maria senpr' os seus ajuda... 35

Ca ben como se lle ouvesse dito
Santa Maria: "vai, e dar-ch-ey quito
teu fillo do usureiro maldito",
assi foi ela led' e atrevuda.
Santa Maria senpr' os seus ajuda... 40

E cavalgou logo sen demorança
e foi a seu fillo con esperança,
e viu-o estar u fazian dança
a gente da vila, qu' esteve muda,
Santa Maria senpr' os seus ajuda... 45

Que non disse nada quand' o chamava:
"ven acá, meu fillo", e poi-lo deitava
depos si na bestia que o levava
per meya a vila, de todos viuda.
Santa Maria sempr' os seus ajuda... 50

Que sol non disseron: "Dona, onde vẽes?"
nen "de que o levas, gran torto nos tẽes."
Esto fez a Virgen que ja outros bẽes
fez e senpre faz, ca dest' é tẽuda.
Santa Maria sempr' os seus ajuda... 55

63

COMO SANTA MARIA SACOU DE VERGONNA A UN CAVALEIRO QUE OUVER' A SEER ENA LIDE EN SANT' ESTEVAN DE GORMAZ, DE QUE NON POD' Y SEER POLAS SUAS TRES MISSAS QUE OYU.

Quen ben serv' a Madre do que quis mor[*r*]*er*
por nos, nunca pod' en vergonna caer. 5

Dest' un gran miragre vos quero contar
que Santa Maria fez, se Deus m'anpar,
por hun cavaleiro a que foi guardar
de mui gran vergonna que cuidou prender.
Quen ben serv' a Madre do que quis morrer... 10

Este cavaleiro, per quant' aprendi,
franqu' e ardid' era, que bẽes ali
u ele morava nen redor dessi
d'armas non podian outro tal saber.
Quen ben serv' a Madre do que quis morrer... 15

E de bõos costumes avia assaz
e nunca con mouros quiso aver paz;
porend' en Sant' Estevão de Gormaz
entrou, quand' Almançor a cuidou aver,
Quen ben serv' a Madre do que quis morrer... 20

63 *E, T, To.* 2 gromaz *E.* 16 E de] De *T To.* 18 esteuã de gromaz *E.* 23 d'atal] de tal *T To.* 47 dos] de *E.* 53 tornẽo *E,* torneo *T.* 69 ouv' a] ouue *E.*
M.: VI.
Val./Muss. p. XLV-XLVI.
Este milagro, que se refiere al sitio de San Esteban de Gormaz (Soria) en 989, se cuenta también en la *Primera Crónica General* (cap. 729). Para otras versiones de la leyenda v. *F. E. Spencer / R. Schevill, The Dramatic Works of Luis Vélez de Guevara* (Berkeley, 1937), 269-270.
19 *Almançor*: Muḥammad ibn Abi Amīr al-Mansūr († 1002).

Con el conde don Garcia, que enton
tĩya o logar en aquela sazon,
que era bon om' e d'atal coraçon
que aos mouros se fazia temer.
Quen ben serv' a Madre do que quis morrer... 25

Este conde de Castela foi sennor
e ouve gran guerra con rei Almançor,
que Sant' Estevão tod' a derredor
lle vẽo çercar, cuidando-lla toller.
Quen ben serv' a Madre do que quis morrer... 30

Mais el conde defendia-sse mui ben,
ca era ardido e de mui bon sen;
e poren do seu non lle leixava ren,
mais ya-os mui de rrijo cometer.
Quen ben serv' a Madre do que quis morrer... 35

Mais o cavaleiro de que vos faley
tanto fez y d'armas, per quant' end' eu sei,
que non ouv' y lide nen mui bon torney
u se non fezesse por bõo tẽer.
Quen ben serv' a Madre do que quis morrer... 40

E avẽo-ll' un dia que quis sayr
con el conde por na hoste ir ferir
dos mouros; mais ante foi missa oir,
como cada dia soya fazer.
Quen ben serv' a Madre do que quis morrer... 45

Pois foi na ygreja, ben se repentiu
dos seus pecados e a missa oyu
de Santa Maria, que ren non faliu,
e outras duas que y foron dizer,
Quen ben serv' a Madre do que quis morrer... 50

21 García Fernández, Conde de Castilla (970-995).

Que da Reynna eran espirital.
Mais un seu escudeiro o trouxe mal
dizendo: "Quen en tal torneyo non sal
com' aqueste, nunca dev' apareçer."
Quen ben serv' a Madre do que quis morrer... 55

Por nulla ren que lle dissess' aquel seu
escudeiro, ele nulla ren non deu,
mais a Santa Maria diz: "Sõo teu,
e tol-me vergonna, ca ás en poder."
Quen ben serv' a Madre do que quis morrer... 60

As missas oydas, logo cavalgou
e ena carreira o conde achou,
que ll' o braço destro no colo deitou
dizend': "En bon ponto vos fui connocer.
Quen ben serv' a Madre do que quis morrer... 65

Ca se vos non fossedes, juro par Deus
que vençudos foramos eu e os meus;
mais tantos matastes vos dos mouros seus
del rei Almançor, que ss' ouv' a recreer.
Quen ben serv' a Madre do que quis morrer... 70

E tanto fezestes por gãardes prez,
que ja cavaleiro nunca tanto fez
nen soffreu en armas com' aquesta vez
soffrer fostes vos polos mouros vençer.
Quen ben serv' a Madre do que quis morrer... 75

Mas rogo-vos, porque vos é mui mester,
que de vossas chagas pensedes, senner;
e eu ey un meje dos de Monpisler
que vos pode çedo delas guareçer."
Quen ben serv' a Madre do que quis morrer... 80

78 *Monpisler*: Montpellier. Cfr. ctgs. 98, 123, 135, 245, 256, 271, 318.

Disse-ll' est' el conde, e mui mais ca tres
lle disseron aquesta razon medes;
e el deles todos tal vergonna pres
que con vergonna se cuidou ir perder.
Quen ben serv' a Madre do que quis morrer... 85

Mais pois que sas armas viu e couseçeu
que feridas eran, logo connosçeu
que miragre fora, ca ben entendeu
que d'outra guisa non podia seer.
Quen ben serv' a Madre do que quis morrer... 90

Pois est' entendudo ouve, ben foi fis
que Santa Maria leixa-lo non quis
caer en vergonna; e maravidis
e outras offrendas lle foi offreçer.
Quen ben serv' a Madre do que quis morrer... 95

64

COMO A MOLLER QUE O MARIDO LEIXARA EN COMENDA A SANTA MARIA NON PODO A ÇAPATA QUE LLE DERA SEU ENTENDEDOR METER NO PEE NEN DESCALÇA-LA.

Quen mui ben quiser o que ama guardar,
a Santa Maria o dev' a encomendar. 5

E dest' un miragre, de que fiz cobras e son,
vos direi mui grande, que mostrou en Aragon
Santa Maria, que a moller dun infançon
guardou de tal guisa, por que non podess' errar.
Quen mui ben quiser o que ama guardar... 10

64 *E, T, To.* 2-3 nõ podo calçar a çapata que lle dera seu entendedor mas de ate ena meadade do pe nena ar pode descalçar ta *que* o marido lla descalçou *To.* 32 e depois foi *E.* 41 sennora *E.* 47 seu mui bõ *E.* 74 tomar] fillar *E.* 81 esteve] estede *T To.* 87 marido dela *E.*
M.: A^{11} A^{13} / b^{13} b^{13} b^{13} a^{13}.

Esta dona, per quant' eu dela oý dizer,
aposta e ninna foi, e de bon parecer;
e por aquesto a foi o infançon prender
por moller, e foi-a pera sa casa levar.
Quen mui ben quiser o que ama guardar... 15

Aquel infançon un mui gran tenp' assi morou
con aquela dona; mais pois s' ir dali cuidou
por hũa carta de seu sennor que lle chegou,
que avia guerra e que o foss' ajudar.
Quen mui ben quiser o que ama guardar... 20

Ante que movesse, diss-ll' assi sa moller:
"Sennor, pois vos ides, fazede, se vos prouguer,
que m' encomendedes a alguen, ca m' é mester
que me guarde e que me sábia ben consellar."
Quen mui ben quiser o que ama guardar... 25

E o infançon lle respondeu enton assi:
"Muito me praz ora daquesto que vos oý;
mais ena ygreja mannãa seremos y,
e enton vos direi a quen vos cuid' a leixar."
Quen mui ben quiser o que ama guardar... 30

Outro dia foron ambos a missa oyr,
e pois foi dita, u se lle quis el espedir,
chorand' enton ela lle começou a pedir
que lle désse guarda por que ouvess' a catar.
Quen mui ben quiser o que ama guardar... 35

E ar ele, chorando muito dos ollos seus,
mostrou-ll' a omagen da Virgen, Madre de Deus,
e disse-ll': "Amiga, nunca os pecados meus
sejan perdõados, se vos a outri vou dar
Quen mui ben quiser o que ama guardar... 40

Senon a esta, que é Sennor Espirital,
que vos pode ben guardar de posfaz e de mal;
e porende a ela rog' eu, que pod' e val,
que mi vos guarde e leix' a min cedo tornar."
Quen mui ben quiser o que ama guardar... 45

Foi-ss' o cavaleiro logo dali. Mas, que fez
o diabr' arteiro por lle toller seu bon prez
a aquela dona? Tant' andou daquela vez
que un cavaleiro fezo dela namorar.
Quen mui ben quiser o que ama guardar... 50

E con seus amores a poucas tornou sandeu;
e porend' hũa sa covilleira cometeu
que lle fosse bõa, e tanto lle prometeu
que por força fez que fosse con ela falar.
Quen mui ben quiser o que ama guardar... 55

E disse-ll' assi: "Ide falar con mia sennor
e dizede-lle como moiro por seu amor;
e macar vejades que lle desto grave for,
nona leixedes vos poren muito d' aficar."
Quen mui ben quiser o que ama guardar... 60

A moller respos: "Aquesto de grado farei,
e que a ajades quant' eu poder punnarei;
mas de vossas dõas me dad', e eu llas darei,
e quiçay per esto a poderei enganar."
Quen mui ben quiser o que ama guardar... 65

Diss' o cavaleir': "Esto farei de bon talan."
Log' ũas çapatas lle deu de bon cordovan;
mais a dona a trouxe peor que a un can
e disse que per ren non llas queria fillar.
Quen mui ben quiser o que ama guardar... 70

Mais aquela vella, com' era moller mui vil
e d' alcayotaria sabedor e sotil,
por que a dona as çapatas fillasse, mil
razões lle disse, trões que llas fez tomar.
Quen mui ben quiser o que ama guardar... 75

Mais a mesquinna, que cuidava que era ben,
fillou logo as çapatas, e fez y mal sen;
ca u quis calça-la hũa delas, ja per ren
fazer nono pode, nena do pee sacar.
Quen mui ben quiser o que ama guardar... 80

E assi esteve un ano e ben un mes,
que a çapata ao pee assi se ll' apres
que, macar de toller-lla provaron dous nen tres,
nunca lla poderon daquel pee descalçar.
Quen mui ben quiser o que ama guardar... 85

E depos aquest' a poucos dias recodiu
seu marid' a ela, e tan fremosa a viu
que a logo quis; mas ela non llo consentiu
ata que todo seu feito ll' ouve a contar.
Quen mui ben quiser o que ama guardar... 90

O cavaleiro disse: "Dona, desto me praz,
e sobr' esto nunca averemos senon paz,
ca sei que Santa Mari', en que todo ben jaz,
vos guardou." E a çapata lle foi en tirar.
Quen mui ben quiser o que ama guardar... 95

65

COMO SANTA MARIA FEZ SOLTAR O OME QUE ANDARA GRAN TEMPO ESCOMUNGADO.

A creer devemos que todo pecado
Deus pola sa Madr' averá perdõado.

Porend' un miragre vos direi mui grande 5
que Santa Maria fez; e ela mande
que mostra-lo possa per mi e non ande
demandand' a outre que m'en dé recado.
A creer devemos que todo pecado...

65 *E, T, To.* 8 m'en] me *E.* 51 se non nono] ⁊ se non no *E.* 63 ouv'] ouui *E.* 116 tẽela *E,* teena *T.* 121 das gentes furtando *E.* 163 o] ao *E.* 231 de sũu e] e de sũu *E,* e dessuun *T.*
M.: VII.
Val./Muss. p. LXII; Gautier III, 74.

Poren direi com' un clerig' aldeão, 10
de mui santa vida e mui bon crischão,
ouv' un seu feegres sobervi' e loução,
que nunca queria fazer seu mandado.
A creer devemos que todo pecado...

E o ome bõo sempre lle rogava 15
que sse corregesse e o castigava;
mais aquel vilão poren ren non dava,
assi o tragia o dem' enganado.
A creer devemos que todo pecado...

Pois que o preste viu que mõestamento 20
non lle valia ren hũa vez nen çento,
escomungou-o enton por escarmento,
cuidando que fosse per i castigado.
A creer devemos que todo pecado...

Mais el por aquesto non deu nemigalla 25
nen preçou sa escomoyon hũa palla.
Entanto o preste morreu, e sen falla
ficou o vilão del escomungado.
A creer devemos que todo pecado...

E durou depois muit' en esta maldade, 30
ata que caeu en grand' enfermidade
que lle fez canbiar aquela voontade,
e do que fezera sentiu-se culpado.
A creer devemos que todo pecado...

E quis comungar e fillar pẽedença, 35
mais non lla quiseron dar pola sentença
en que el jazia por sa descreença,
mais mandaron-lle que foss' a seu prelado.
A creer devemos que todo pecado...

E logo que podo foi a el correndo 40
e seu mal le disso, chorand' e gemendo;
e ele lle disse, per quant' eu entendo:
"Vai-te ao Papa, ca muit' ás errado."
A creer devemos que todo pecado...

El, quand' est' oyu, ouv' alegria fera 45
e foi log' a Roma u o Papa era
e disso-ll' aquelo sobre que vẽera.
El mandou-o livrar a un seu privado,
A creer devemos que todo pecado...

Que lle disse, se livre seer queria, 50
que lle déss' algo, se non nono seria.
El dar non llo pode, ca o non tragia,
e poren foy-sse mui trist' e mui coitado.
A creer devemos que todo pecado...

E pensou que sempr' assi ja mais andasse 55
ata que algun bon crischão achasse
que lle nono pediss' e que o consellasse
como saysse daquel mao estado.
A creer devemos que todo pecado...

Atan muit' andou per terras e per mares, 60
soffrendo traballos muitos e pesares,
buscando ermidas e santos logares
u achasse tal om'. E tant' ouv' andado
A creer devemos que todo pecado...

Que achou un ome mui de santa vida 65
na Montanna Negra, en hũa ermida;
e pois sa fazenda toda ouv' oyda,
ouve do cativo gran doo ficado,
A creer devemos que todo pecado...

E disse-ll': "Amigo, se me tu creveres 70
e desta ta coita bon consello queres,
vay Alexandria, e se o fezeres,
dar-ch-á y consello un fol trosquiado."
A creer devemos que todo pecado...

66 *Montanna Negra*: Cerca de Antioquía (hoy Antakya, en el Sur de Turquía); v. 115.208.
72 *Alexandria*: = a Alexandria.

Quand' aquest' oyu aquel ome cativo, 75
quiser' enton seer mais morto ca vivo;
e semellou-lle consello muit' esquivo,
e teve-ss' enton ja por desasperado.
A creer devemos que todo pecado...

E diss': "Aquesto semella-me trebello, 80
que poi-lo Papa nen todo seu conçello
en este feito non me deron consello,
como mio dará o que é fol provado?"
A creer devemos que todo pecado...

E o ermitan lle diss' enton: "Sandeçe 85
non á en aquel se non quanto pareçe
aas gentes, e tod' aquest' el padeçe
por lle seer de Deus pois galardõado."
A creer devemos que todo pecado...

E o ome disse: "Pero eu fezesse 90
esto, non cuido que mio ele crevesse
se ll' ant' algũa vossa carta non désse
per que fosse del creud' e ascuitado."
A creer devemos que todo pecado...

E o ermitan deu-lle sa carta logo 95
que lle levasse, e disse-ll': "Eu te rogo
que lla leves, e se en este meogo
morreres, morrerás de Deus perdõado."
A creer devemos que todo pecado...

Foi-s' o om' e punnou de chegar mui çedo 100
a Alexandria, que come Toledo
é grand' ou mayor; mais ya con gran medo
de non aver ali seu preit' ençimado.
A creer devemos que todo pecado...

E morou ena vila ben quinze dias, 105
buscand' o fol per carreiras e per vias;
e poi-lo non achou, disso: "A Messias
poss' eu aver ante que aquest' achado."
A creer devemos que todo pecado...

Esto dizendo, viu vĩir muita gente 110
escarneçend' un ome mui feramente,
mui magr' e roto e de fol contenente,
e diss': "Aquest' é o que tant' ei buscado.
A creer devemos que todo pecado...

Pero se aquest' é fol, pela ventura, 115
aguarda-lo-ei tẽena noit' escura;
ca se el non é ben louco de natura,
algur irá long' albergar apartado."
A creer devemos que todo pecado...

Dizend' aquesto, foi-ss' a noite chegando, 120
e o sandeu foi-sse da gent' esfurtando,
e el depos el, sempre o aguardando,
ata que o viu mui longe do poblado,
A creer devemos que todo pecado...

U entrava en hũa eigreja vedra, 125
mui ben feita tod' a boveda de pedra,
pero con velleçe ja cuberta d'edra,
que fora d' antigo lugar muit' onrrado.
A creer devemos que todo pecado...

Pois aquel fol na ygreja foi metudo, 130
non vos semellaria fol, mais sisudo;
ca se deitou log' ant' o altar tendudo,
chorando muito com' avia usado.
A creer devemos que todo pecado...

E des i ergeu-s' e como quen ss'aparta 135
tomou dun pan d' orjo quant' é hũa quarta
polo comer, mais o ome deu-ll' a carta
ante que huviasse comer nen bocado.
A creer devemos que todo pecado...

E pois que a carta ouve ben leuda 140
e ouv' a razon dela ben entenduda,
disse-lle chorand': "Eu vos farei ajuda,
e seed' esta noit' aqui albergado.
A creer devemos que todo pecado...

E dormid' agora, pois canssad' andades; 145
mais pois que for noite, nada non dormiades
nen vos espantedes por ren que vejades,
mais jazed' en este lugar mui calado."
A creer devemos que todo pecado...

E fez-lle sa cama ben entre dous cantos; 150
e a mea noite aque-vo-los santos
con Santa Maria, e chegaron tantos
que todo o lugar foi alumẽado.
A creer devemos que todo pecado...

Os angeos Santa Maria fillaron 155
e ena çima do altar a sentaron
e os madudinnos todos ben cantaron,
e o fol cantava con eles de grado.
A creer devemos que todo pecado...

E pois que os ouveron todos ben ditos 160
de coraçon, ca non per outros escritos,
o fol chamou o outr', e 'n gẽollos fitos
vẽo ant' a Virgen muit' envergonnado.
A creer devemos que todo pecado...

E diss' o fol: "Sennor santa piadosa, 165
est' om' en sentença jaz mui perigoosa;
mays tu que es mui misericordiosa,
solta-ll' este laço en que jaz liado."
A creer devemos que todo pecado...

Respos a Virgen con paravoas doces: 170
"Vay ora mui quedo e non t' alvoroçes;
e o que t' escomungou, se o connoçes,
chama-o ante mi, e serás soltado."
A creer devemos que todo pecado...

Levantou-ss' o ome, e con el o louco, 175
e catou-os todos; mais tardou mui pouco
que achou o preste, que non era rouco
de cantar, pero muit' avia cantado.
A creer devemos que todo pecado...

Des i ant' a Virgen todos tres vẽeron 180
e de como fora o feito disseron;
e ela disse, pois que llo dit' ouveron:
"Soltade-o, preste, pois sodes vingado."
A creer devemos que todo pecado...

Foi-ss' enton a Virgen pois esto foi feito; 185
e o fol ao outro moveu tal preito
que sse foss', e teve-ss' end' el por maltreito
e disse: "Sol de m' ir non será pensado,
A creer devemos que todo pecado...

Nen que vos eu leixe, assi Deus m' ajude, 190
cá, pois que m' a Virgen mostrou tal vertude
por vos que mia alma cobrou ja saude
e o ben de Deus de que era deitado."
A creer devemos que todo pecado...

O fol diss' enton: "Pois que ficar queredes, 195
toda mia fazenda ora saberedes:
non soon louco, nen vos nono cuidedes,
pero ando nuu e mui mal parado.
A creer devemos que todo pecado...

Ca esta terra foi de meu poderio, 200
e meu linnage a mantev' a gran brio;
e morreron todos, e o sennorio
me ficou end' a mi, e fui rei alçado.
A creer devemos que todo pecado...

E macar vos paresc' ora tan astroso, 205
muito fui loução, apost' e fremoso,
ardid' e grãado, ric' e poderoso,
e de bõas mannas e ben costumado.
A creer devemos que todo pecado...

E seend' assi sennor de muitas gentes, 210
vi morrer meu padr' e todos meus parentes;
e en mia fazenda enton parei mentes
e daqueste mundo fuy log' enfadado.
A creer devemos que todo pecado...

Enton cuidei logo como me partisse 215
daquesta terra que neun non me visse,
e que como fol entr' as gentes guarisse
per que fosse do mundo mais despreçado.
A creer devemos que todo pecado...

E por razon tive que en esta terra 220
dos meus que soffresse desonrra e guerra
por amor de Deus, que aos seus non erra
e polos salvar quis seer marteirado.
A creer devemos que todo pecado...

Aynda vos direi mais de mia fazenda: 225
d' oj' a quinze dias serei sen contenda
no Parayso, e dou-vos por comenda
que ata enton sol non seja falado."
A creer devemos que todo pecado...

Assi esteveron, que non se partiron, 230
ambos de sũu, e cada noite viron
a Santa Maria; e pois se conpriron
estes quinze dias, o fol foi passado.
A creer devemos que todo pecado...

E Santa Maria, a que el servira 235
porque sse do ben deste mundo partira,
levou del a alma, ca des que a vira,
en a servir fora todo seu cuidado.
A creer devemos que todo pecado...

E pois que foy morto, quis Deus que soubessen 240
sa mort' os da vila e logo vẽessen
sobr' el fazer doo e ll' onrra fezessen
com' a seu sennor natural e amado,
A creer devemos que todo pecado...

Que os avia mui gran tenp' enganados, 245
e que o perderan pelos seus pecados;
mais Deus por el logo miragres mostrados
ouve, por que fosse pois santo chamado.
A creer devemos que todo pecado...

E gran doo fez por el seu companneiro, 250
e quant' el viveu foi senpr' ali senlleiro,
guardand' o sepulcro; mais Deus verdadeiro
levó-o consigu', e el seja loado. Amen.
A creer devemos que todo pecado...

66

COMO SANTA MARIA FEZ A UN BISPO CANTAR MISSA E DEU-LL'A VESTIMENTA CON QUE A DISSESSE, E LEIXOU-LLA QUANDO SE FOI.

Quantos en Santa Maria
esperança an, 5
ben se porrá sa fazenda.

Os que m' oen cada dia
e que m' oyrán,
de grado lles contaria
miragre mui gran 10
dun bon bispo que avia
en Alverna, tan
santo que viu sen contenda,
Quantos en Santa Maria...

Na capela u jazia, 15
a do Bon Talan.
Vẽo con gran conpannia
desses que están
ante Deus e todavia
por nos rogarán 20
que el de mal nos defenda.
Quantos en Santa Maria...

66 *E, T, To.* 1 ll'a] lle *E.* 45 ti] y *E.* 67 que eu *E.* 69 tio *T To.* M.: A^7 B^5 C^7 / a^7 b^5 a^7 b^5 a^7 b^5 c^7 [A*B*/aaa*b*]. Val./Muss. p. LXVI; Gautier III, 60.

11 *bon bispo*: S. Bonus (Saint Bonet, Bonit, Bon), obispo de Clermont (859-892).

12 *Alverna*: la Auvergne (Francia).

E a seu destro tragia
 sigo San Johan,
que ll' enton assi dizia 25
 "Quaes cantarán
a missa que converria,
 ou quaes dirán
toda a outra leenda?
Quantos en Santa Maria... 30

E dizede, quen seria
 vosso capelan?"
E ela lle respondia:
 "O bispo que man
aqui, que sempre perfia 35
 fillou e affan
por mi en esta prebenda."
Quantos en Santa Maria...

E logo pera el ya
 e diss' ao san- 40
t' om': "Aquesta missa di-a,
 e responderán
esta santa crerizia,
 que ben saberán
responder-ti sen emenda." 45
Quantos en Santa Maria...

O bispo, quand' est' oya,
 logo manaman
as vestimentas pedia;
 e taes llas dan 50
que ome non poderia
 preça-las de pran
nen a conpra nen a venda.
Quantos en Santa Maria...

E pois que se revestia, 55
 come sancristan
San Pedr' o sino tangia,
 e os outros van

cantand', e el bẽeizia
o vinn' e o pan 60
como a lee comenda.
Quantos en Santa Maria...

E pois a missa conpria
ben sen adaman,
diss' a Virgen: "Eu ir-m-ia, 65
e todos yr-ss-an;
mais o que ti eu dad' avia
nono levarán,
pois to dey por offerenda."
Quantos en Santa Maria... 70

67

COMO SANTA MARIA FEZ CONNOÇER AO OME BÕO QUE TRAGIA O DEMO CONSIGO POR SERVENTE; E QUISERA-O MATAR, SENON POLA ORAÇON QUE DIZIA.

A Reynna groriosa | tant' é de gran santidade,
que con esto nos defende | do dem' e da sa maldade. 5

E de tal razon com' esta | un miragre contar quero
que fezo Santa Maria, | aposto e grand' e fero,
que non foi feito tan grande | ben des lo tempo de Nero,
que emperador de Roma | foi, daquela gran çidade.
A Reynna gloriosa | tant' é de gran santidade... 10

Ond' avẽo que un ome | mui poderos' e louçใão,
sisud' e fazedor d' algo, | mais tant' era bon crischão,
que tod' ele por Deus dava | quanto collia en mão,
ca de todas outras cousas | mays amava caridade.
A Reynna gloriosa | tant' é de gran santidade... 15

67 *E, T, To.* 2 e quisera-o] ɀ que o queria *T To.* 26 mansso en *E.*
33 rezõado *T To.* 49 el ouuess *E.*
57 de] do *T To.* 66 ponço *T To.* 70 Entonçe] E enton *T To.*
M.: XIII.
Val./Muss. p. LXVII; Gautier III, 107.

E por mellor fazer esto | que muit' ele cobiiçava,
un espital fezo fora | da vila u el morava,
en que pan e vinn' e carne | e pescad' a todos dava,
e leitos en que jouvessen | en yvern' e en estade.
A Reynna gloriosa | tant' é de gran santidade ... 20

E como quen á gran coita | de compri-lo que deseja,
ele mançebos collia | ben mandados, sen peleja,
que aos pobres servissen; | mais o demo con enveja
meteu-s' en un corpo morto | d'ome de mui gran beldade,
A Reynna gloriosa | tant' é de gran santidade... 25

E vẽo pera el logo | manss' e en bon contenente,
e disse: "Sennor, querede | que seja vosso sergente,
e o serviço dos pobres | vos farei de bõa mente,
pois vejo que vos queredes | e fazedes y bondade;
A Reynna gloriosa | tant' é de gran santidade... 30

E ssequer o meu serviço | averedes en dõado."
Quando ll' om' oyu aquesto | dizer, foy en muy pagado;
e demais viu-o fremoso, | apost' e ben razõado,
e cuidou que non andava | senon con gran lealdade.
A Reynna gloriosa | tant' é de gran santidade... 35

En esta guisa o demo | chẽo de mal e arteiro
fez tanto que o bon ome | o fillou por escudeiro;
e en todos seus serviços | a el achava primeiro,
dizendo-lle: "Que queredes, | sennor? A min o mandade."
A Reynna gloriosa | tant' é de gran santidade... 40

Tanto lle soub' o diablo | fazer con que lle prouguesse,
que nunca ll' ele dizia | cousa que el non crevesse;
demais non avia ome | que o atan ben soubesse
servir sempr' en todas cousas | segundo sa voontade.
A Reynna gloriosa | tant' é de gran santidade... 45

32 *om'*: = o om'.

E porende lle fazia | amẽude que caçasse
enas montannas mui fortes, | e eno mar que pescasse;
e muitas artes buscava | per que o algur matasse,
per que ouvess' el a alma, | e outr' ouvess' a erdade.
A Reynna gloriosa | tant' é de gran santidade... 50

En tod' est' o ome bõo | per ren mentes non metia,
e poren de bõa mente | u ll' el consellava ya;
mais quando se levantava, | hũa oraçon dizia
da Virgen mui groriosa, | Reynna de piedade.
A Reynna gloriosa | tant' é de gran santidade... 55

E por aquest' aquel demo | que ll' andava por vassalo
neun poder non avia | per nulla ren de mata-lo;
e pero dia nen noite | non quedava de tenta-lo,
macar lle prol non avia, | por mostrar sa crueldade.
A Reynna gloriosa | tant' é de gran santidade... 60

Desta guisa o bon ome, | que de santidade chẽo
era, viveu mui gran tempo, | trões que un bisp' y vẽo
que foi sacar ao demo | logo as linnas do sẽo,
como vos contarei ora; | e por Deus, ben m' ascuitade:
A Reynna gloriosa | tant' é de gran santidade... 65

Aquel bispo era ome | sant' e de mui bõa vida.
e mui mais religioso | que sse morass' en ermida;
e por aquesto o demo | tanto temeu sa vĩida,
que disse que non podia | servir por enfermidade.
A Reynna gloriosa | tant' é de gran santidade... 70

Ond' avẽo que un dia | ambos jantando siian
e que todo-los sergentes, | foras aquele, servian;
preguntou-lles o bon ome | u era; eles dizian
que y servir non vẽera | con mingua de sãydade.
A Reynna gloriosa | tant' é de gran santidade... 75

63 El sentido parece ser: "desenmascaró los manejos del diablo".

Quand' aquest' oyu o bispo, | preguntou-lle que om' era.
E ele lle contou todo, | de com' a ele vẽera
e como lle lealmente | sempre serviço fereza.
Diss' o bispo: "Venna logo, | ca de veer-l' ei soydade."
A Reynna gloriosa | tant' é de gran santidade... 80

Enton aquel ome bõo | enviou por el correndo.
Quand' esto soub' o diabo, | andou muito revolvendo,
mais pero na çima vẽo | ant' eles todo tremendo;
e poi-lo catou o bispo, | connoçeu sa falsidade.
A Reynna gloriosa | tant' é de gran santidade... 85

E diss' ao ome bõo: | "Deus vos ama, ben sabiades,
que vos quis guardar do demo | falss' e de sas falsidades;
e eu vos mostrarei ora | com' est' om' en que fiades
é demo sen nulla dulta, | mais un pouco vos calade.
A Reynna gloriosa | tant' é de gran santidade... 90

E enton diss' ao demo: | "Di-me toda ta fazenda,
por que aquesta companna | todo teu feito aprenda;
e eu te conjur' e mando | que a digas sen contenda,
per poder de Jesu-Cristo, | que é Deus en Trĩidade."
A Reynna gloriosa | tant' é de gran santidade... 95

Enton começon o demo | a contar de com' entrara
en corpo dun ome morto, | con que enganar cuidara
a aquel con que andava, | a que sen dulta matara,
se a oraçon non fosse | da Madre de caridade:
A Reynna gloriosa | tant' é de gran santidade... 100

"Quand' el aquesta dizia, | sol non era eu ousado
de lle fazer mal niũu." | E pois est' ouve contado,
leixou caer aquel corpo | en que era enserrado,
e esvãeçeu ant' eles, | como x' era vãydade.
A Reynna gloriosa | tant' é de gran santidade... 105

68

COMO SANTA MARIA AVẼO AS DUAS CONBOOÇAS QUE SE QUERIAN MAL.

A Groriosa grandes faz
miragres por dar a nos paz.

E dest' un miragre direi
fremoso, que escrit' achei, 5
que fez a Madre do gran Rei,
en que toda mesura jaz,
A Groriosa grandes faz...

Pola moller dun mercador
que, porque seu marid' amor 10
avia con outra, sabor
dele perdia e solaz.
A Groriosa grandes faz...

E por esto queria mal
a ssa combooça mortal; 15
e Santa Maria sen al
rogava que lle déss' assaz
A Groriosa grandes faz...

Coita e mal, por que perder
lle fazia o gran prazer 20
que seu marido lle fazer
soya na vila d' Arraz.
A Groriosa grandes faz...

68 *E, T, To.*
M.: III.
Val./Muss. p. XXVI; Adgar 34; Gautier III, 35.
22 *Arraz*: Arras (Francia). Cfr. ctgs. 105, 259.

E pois fez esta oraçon,
adormeçeu-sse log' enton; 25
e dormindo viu en vijon
Santa Maria con grand' az
A Groriosa grandes faz...

D' angeos, que lle diss' assi:
"A ta oraçon ben oý; 30
mais pero non conven a mi
fazer crueza, nen me praz.
A Groriosa grandes faz...

Demais, aquela vay ficar
os gẽollos ant' o altar 35
meu e çen vezes saudar
me, põend' en terra sa faz."
A Groriosa grandes faz...

Tan tost' aquela s' espertou
e fois-ss'; e na rua topou 40
cona outra, que sse deitou
ant' ela e disse: "Malvaz
A Groriosa grandes faz...

Demo foi, chus negro ca pez,
que m' este torto fazer fez 45
contra vos; mas ja outra vez
nono farei, pois vos despraz."
A Groriosa grandes faz...

Assi a Virgen avĩir
fez estas duas, sen falir, 50
que x' ant' avian, sen mentir,
denteira come con agraz.
A Groriosa grandes faz...

69

COMO SANTA MARIA FEZ OYR E FALAR O QUE ERA SORDO E MUDO, EN TOLEDO.

Santa Maria os enfermos sãa
e os sãos tira de via vãa.

Dest' un miragre quero contar ora, 5
que dos outros non deve seer fora,
que Santa Maria, que por nos ora,
grande fez na cidade toledãa,
Santa Maria os enfermos sãa...

Seend' y o Emperador d' Espanna 10
e d' omẽes onrrados gran conpanna
con el, e cavalaria tamanna
que dentro non cabian ne-na chãa.
Santa Maria os enfermos sãa...

Ali enton un monje foi vỹudo 15
que del Cond don Ponç' era connoçudo,
e troux' un seu yrmão sord' e mudo
que chamavan Pedro de Solarãa.
Santa Maria os enfermos sãa...

Aqueste non falava nen oya, 20
mais per sinas todo ben entendia
o que lle mandavan, e o fazia,
ca non vos avia el outr' açãa.
Santa Maria os enfermos sãa...

69 *E, T, To.* 38 tangen a *T To.* 48 era que nona neue e a grãa *E.* 57 de] do *T To.* 66 ponço *T To.* 70 Entonçe] *E* enton *T To.* 75 isto *E.* 76 aa] a ssa *T.* 77 u] ꝛ *T.*
M.: V.

16 Un Conde don Ponce de Minerva se menciona en la *Primera Crónica General* como vasallo de Fernando II (1157-1188) y en documentos de 1144 y 1146 como *alférez* o *signifer.*

18 Solaranas, cerca de Lerma.

E pero non oya nen falava, 25
en Santa Maria muito fiava,
e chorand' e mugindo lle rogava
que o sãasse. E hũa mannãa
Santa Maria os enfermos sãa...

Ll' aveo que foi perant' a ygreja 30
e viu dentro claridade sobeja,
e entre ssi disse: "Se Deus me veja,
esta claridade non é humãa."
Santa Maria os enfermos sãa...

Pois isto viu un ome mui fremoso, 35
vestido ben come religioso,
que no levar non foi mui preguiçoso
cab' o altar u tangen-na canpãa
Santa Maria os enfermos sãa...

Do Corpus Domini. E viu estando 40
un om' ant' o altar, ben como quando
está o que diz missa consagrando
a hostia a costume romãa.
Santa Maria os enfermos sãa...

E a destro viu estar da capela 45
de gran fremosura hũa donzela,
que de faiçon e de coor mais bela
era que non ést' a nev' e a grãa,
Santa Maria os enfermos sãa...

Que lle fezo sinas que sse chegasse 50
ant' o preste e que ss' agẽollasse;
e ao preste fez que o catasse
a Virgen piedosa e louçãa,
Santa Maria os enfermos sãa...

37 "que non foi mui preguiçoso en levar Pedro".
43 A diferencia del rito mozárabe.

Que lle meteu o dedo na orella 55
e tirou-ll' end' un vermen a semella
destes de sirgo, mais come ovella
era velos' e coberto de lãa.
Santa Maria os enfermos sãa...

E tan toste oyr ouve cobrado 60
e foi-ss' a casa do monje privado,
e logo per sinas ll' ouve mostrado
que ja oya o galo e a rãa.
Santa Maria os enfermos sãa...

Enton corrend' o monge como cerva 65
se foi a cas don Ponçe de Minerva
e disse: "Conde, non sei con qual erva
oe Pedr' e a orella lle mãa."
Santa Maria os enfermos sãa...

Entonçe diss' el conde muit' agynna: 70
"M' ide polo que fez a meezinna,
ca ben leu é maestre de Meçinna,
ou de Salerna, a çizillãa."
Santa Maria os enfermos sãa...

E depus esto, vernes madurgada, 75
levava vinn' e pan aa pousada
Pedro do monge, u fez sa passada
perant' a porta que é mais jusãa
Santa Maria os enfermos sãa...

Da ygreja; e ya pela mão 80
con el un preste. E viu ben de chão
Pedro vĩir a ssi un ome cão
ena cabeça, e a barva cãa,
Santa Maria os enfermos sãa...

60 *oyr*: = o oyr.
72 *Meçinna*: Messina.
73 *Salerna a cizillãa*: Salerno, en el Reino de Sicilia, famoso por su escuela de medicina.

Que o tirou contra ssi mui correndo 85
a foy-o ena eigreja metendo,
u viu a preto do altar seendo
a Virgen, d' Elisabet coirmãa,
Santa Maria os enfermos sãa...

Que mandou ao preste revestido 90
que lle fezera cobra-lo oydo,
que lle fezesse que logo guarido
fosse da lingua, que non dissess' "ãa".
Santa Maria os enfermos sãa...

Logo o que mandou ela foi feito, 95
ca o preste sabia de tal preito;
poren da lingua, ond' era contreito,
lle fez falar paravoa çertãa.
Santa Maria os enfermos sãa...

E pois sãydad' ouve reçebuda, 100
diss' a gran voz: "Madre de Deus, ajuda
ao teu servo que á connoçuda
a ta graça", e cantou antivãa.
Santa Maria os enfermos sãa...

Quantos aqueste miragre souberon 105
a Santa Maria loores deron;
e tantos aa eigreja veeron
que non cabian y nena quintãa.
Santa Maria os enfermos sãa...

70

ESTA É DE LOOR DE SANTA MARIA, DAS ÇINQUE LETERAS QUE Á NO SEU NOME E O QUE QUEREN DIZER.

Eno nome de Maria
çinque letras, no-mais, y á.

M mostra MADR' e MAYOR 5
e mais MANSA e mui MELLOR
de quant' al fez Nostro Sennor
nen que fazer poderia.
Eno nome de Maria...

A demostra AVOGADA, 10
APOSTA e AORADA,
e AMIGA e AMADA
da mui santa conpannia.
Eno nome de Maria...

R mostra RAM' e RAYZ, 15
e REYNN' e Emperadriz,
ROSA do mundo; e fiiz
quena visse ben seria.
Eno nome de Maria...

I nos mostra JHESU-CRISTO, 20
JUSTO JUYZ, e por isto
foi por ela de nos visto,
segun disso Ysaýa.
Eno nome de Maria...

A ar diz que AVEREMOS 25
e que tod' ACABAREMOS
aquelo que nos queremos
de Deus, pois ela nos guia.
Eno nome de Maria...

70 *E, T, To.* 6 mui] mais *E.*
M.: A^7 A^7 / b^8 b^8 b^8 a^7
(b^7 b^7 b^7 a^7)
23 *Ysaya*: Cfr. 25.181.

71

COMO SANTA MARIA MOSTROU AA MONJA COMO DISSESSE BREVEMENT' "AVE MARIA"

Se muito non amamos, | gran sandeçe fazemos,
a Sennor que nos mostra | de como a loemos.

E porend' un miragre | vos quero dizer ora 5
que fez Santa Maria, | a que nunca demora
a buscar-nos carreiras | que non fiquemos fora
do reyno de seu Fillo, | mais per que y entremos.
Se muito non amamos, | gran sandeçe fazemos...

E direi dũa monja | que en un mõesteiro 10
ouve, de santa vida, | e fillava lazeiro
en loar muit' a Virgen, | ca un gran livr' enteiro
rezava cada dia, | como nos aprendemos,
Se muito non amamos, | gran sandeçe fazemos...

De grandes orações | sempre, noites e dias. 15
E sen esto rezava | ben mil Ave Marias,
por que veer podesse | a Madre de Messias,
que os judeus atenden | e que nos ja avemos.
Se muito non amamos, | gran sandeçe fazemos...

Tod' aquesto dizia | chorando e gemendo, 20
e suspirava muito, | mais rezava correndo
aquestas orações. | E poren, com' aprendo,
viu a Santa Maria, | com' agora diremos,
Se muito non amamos, | gran sandeçe fazemos...

Dentro no dormidoiro | en seu leit' u jazia 25
por dormir mui cansada, | e pero non durmia.
Enton a Virgen santa | ali ll' apareçia,
Madre de Jhesu-Cristo, | aquel en que creemos.
Se muito non amamos, | gran sandeçe fazemos...

71 *E, T, To.* 31 non aias tal espanto *T.* 48 che] cho *E.* 50 quando falar ouço *E.*
M.: XI.
Val./Muss. p. XLVI; Gautier II, 273.

Quando a viu a monja, | espantou-se ja quanto, 30
mais a Virgen lle disse: | "Sol non prendas espanto,
ca eu soon aquela | que ás chamada tanto;
e sey ora mui leda, | e un pouco falemos."
Se muito non amamos, | gran sandeçe fazemos...

Respos enton a monja: | "Virgen santa, Reynna, 35
como veer quisestes | hũa monja mesquinna?
Esto mais ca mesura | foi, e porend' aginna
levade-nos convosco, | que sen vos non fiquemos.
Se muito non amamos, | gran sandeçe fazemos...

Disse Santa Maria: | "Esto farei de grado, 40
ca ja teu lugar tees | no Çeo apartado;
mais mentre fores viva, | un rezar ordinnado
che mostrarei que faças | ca ja que en sabemos.
Se muito non amamos, | gran sandeçe fazemos...

Se tu queres que seja | de teu rezar pagada, 45
u dizes la saude | que me foi enviada
pelo angeo santo, | di-a assessegada-
mente e non te coites; | ca certo che dizemos
Se muito non amamos, | gran sandeçe fazemos...

Que, quand' ouço u fala | como Deus foi comigo, 50
tan gran prazer ey ende, | amiga, que che digo
que enton me semella | que Deus Padr' e Amigo
e Fill' en nosso corpo | outra vez ben tẽemos.
Se muito non amamos, | gran sandeçe fazemos...

E poren te rogamos | que filles tal maneyra 55
de rezares mui passo, | amiga companneyra,
e duas partes leixa | e di ben a terçeira,
de quant' ante dizias, | e mais t' end' amaremos."
Se muito non amamos, | gran sandeçe fazemos...

Pois dit' ouv' esto, foi-sse | a Virgen groriosa. 60
E des enton a monja | sempre muit' omildosa-
mente assi dizia | como ll' a Piadosa
mostrara que dissesse, | daquesto non dultemos.
Se muito non amamos, | gran sandeçe fazemos...

Ca sempr' "Ave Maria" | mui ben e passo disse; 65
e quando deste mundo | quis Deus que se partisse,
fez levar a ssa alma | ao Çeo, u visse
a ssa bẽeita Madre, | a que loores demos.
Se muito non amamos, | gran sandeçe fazemos...

72

COMO O DEMO MATOU A UN TAFUR QUE DEOSTOU A SANTA MARIA PORQUE PERDERA.

Quen diz mal
da Reynna Espirital,
log' é tal 5
que mereç' o fog' ynfernal.

Ca non pode dela dizer
mal, en que a Deus tanger
non aja, que quis naçer
dela por Natal. 10
Quen diz mal...

E desto vos quero contar
miragre que quis mostrar
Deus por sa Madre vingar
dun mui mentiral, 15
Quen diz mal...

Que ena taverna beveu
e aos dados perdeu
algu', e poren descreeu
mui descomunal- 20
Quen diz mal...

72 *E, T, To.* 39 morto en *E.*
M.: A^3 A^8 A^3 A^8 / b^8 b^7 b^7 a^5 [AA/bba].
Val./Muss. p. XVI.

Mente; ca a Deus dẽostou
e sa Madre non leixou,
e en seus nenbros travou
come desleal. 25
Quen diz mal...

E u quis do ventre seu
dizer mal, morte lle deu
Deus come a fals' encreu
que de razon sal. 30
Quen diz mal...

Seu padre, quand' est' oyu,
de sa casa enton sayu;
na via un morto viu
ben d' i natural, 35
Quen diz mal...

Que lle disse atal razon:
"Teu fillo, mui mal garçon,
é mort' e en perdiçon,
que nunca mais fal; 40
Quen diz mal...

Non porque de Nostro Sennor
disse mal, mais que da Flor,
sa Madre, disse peor.
E poren sinal 45
Quen diz mal...

Te dou que o acharás
pelas costas tod' atras
partid', e ll' o cor verás
assi per ygual, 50
Quen diz mal...

Da testa e a serviz.
Porque da Emperadriz
disse mal, Deus foi joyz,
que pod' e que val." 55
Quen diz mal...

E o padre foi log' ali
e achou seu fill' assi
como vos ja retraý,
ben oystes qual.
Quen diz mal...

73

COMO SANTA MARIA TORNOU A CASULA BRANCA QUE TINGIU O VINNO VERMELLO.

Ben pod' as cousas feas fremosas tornar
a que pod' os pecados das almas lavar.

E dest' un miragre fremoso vos direi 5
que avẽo na Clusa, com' escrit' achei,
que fez Santa Maria; e creo e sei
que mostrou outros muitos en aquel lugar.
Ben pod' as cousas feas fremosas tornar...

De monjes gran convento eran y enton 10
que servian a Virgen mui de coraçon;
un tesoureir' y era aquela sazon,
que Santa Maria sabia muit' amar.
Ben pod' as cousas feas fremosas tornar...

E quando algũa cousa ll' ia falir, 15
log' a Santa Maria o ya pedir,
e ela llo dava; porend' ena servir
era todo seu sis' e todo seu coidar.
Ben pod' as cousas feas fremosas tornar...

73 *E, T, To.* 1 fez branca a casula *To*; tingira *T To.* 50 dos] de *E.*
M.: A^{12} A^{12} / b^{12} b^{12} b^{12} a^{12}.
Val./Muss. p. LXVII; Adgar 4.
6 *Clusa*: Se trata de la famosa abadía benedictina llamada *Sagra di San Michele,* cerca de Chiusa di San Michele (Turín, Italia).

Onde ll' avẽo que na festa de Natal, 20
que dizian os monges missa matinal,
fillou hũa casula de branco çendal
pola yr põer enton sobelo altar.
Ben pod' as cousas feas fremosas tornar...

E fillou na outra mão, com' aprendi, 25
vinno con que fezessen sacrifiç' ali;
e indo na carreira avẽo-ll' assi
que ouv' en hũa pedra a entrepeçar.
Ben pod' as cousas feas fremosas tornar...

E avẽo-ll' assi que quand' entrepeçou, 30
que do vinno sobrela casula 'ntornou,
que era mui vermello; e tal la parou
como se sangue fresco fossen y deitar.
Ben pod' as cousas feas fremosas tornar...

E aquel vinn' era de vermella coor 35
e espessa tan muito que niun tintor
vermello non poderia fazer mellor,
e u caya nono podian tirar.
Ben pod' as cousas feas fremosas tornar...

Quando viu o mong' esto, pesou-lle tant' en 40
que per poucas ouvera de perder o sen,
e diss' enton: "Ay, Madre do que nos manten,
Virgen Santa Maria, e ven-mi ajudar.
Ben pod' as cousas feas fremosas tornar...

E non me leixes en tal vergonnna caer 45
com' esta, ca ja nunca, enquant' eu viver,
non ousarey ant' o abad' apareçer,
nen u for o convento ousarei entrar."
Ben pod' as cousas feas fremosas tornar...

Esto dizend' e chorando muito dos seus 50
ollos, acorreu-lle log' a Madre de Deus
e fez tal vertude, per que muitos romeus
vẽeron de mui long' a casul' aorar.
Ben pod' as cousas feas fremosas tornar...

Ca u vermella era, tan branca a fez 55
que o non fora tanto da primeira vez.
Poren Santa Maria, Sennor de gran prez,
loaron quantos oyron desto falar.
Ben pod' as cousas feas fremosas tornar...

74

COMO SANTA MARIA GUARECEU O PINTOR QUE O DEMO QUISERA MATAR PORQUE O PINTAVA FEO.

Quen Santa Maria quiser deffender,
non lle pod' o demo niun mal fazer.

E dest' un miragre vos quero contar 5
de como Santa Maria quis guardar
un seu pintor que punnava de pintar
ela muy fremos' a todo seu poder.
Quen Santa Maria quiser defender...

E ao demo mais feo d' outra ren 10
pintava el sempr'; e o demo poren
lle disse: "Por que me tẽes en desden,
ou por que me fazes tan mal pareçer
Quen Santa Maria quiser defender...

A quantos me veen?" E el diss' enton: 15
"Esto que ch' eu faço é con gran razon,
ca tu sempre mal fazes, e do ben non
te queres per nulla ren entrameter."
Quen Santa Maria quiser defender...

Pois est' ouve dit', o demo ss' assannou 20
e o pintor ferament' amẽaçou
de o matar, e carreira lle buscou

74 *E, T, To.*
M.: VI.
Val./Muss. p. LXXVIII.

per que o fezesse mui çedo morrer.
Quen Santa Maria quiser defender...

Porend' un dia o espreytou aly 25
u estava pintando, com' aprendi,
a omagen da Virgen, segund' oý,
e punnnava de a mui ben compõer,
Quen Santa Maria quiser defender...

Por que pareçesse mui fremos' assaz. 30
Mais enton o dem', en que todo mal jaz,
trouxe tan gran vento como quando faz
mui grandes torvões e que quer chover.
Quen Santa Maria quiser defender...

Pois aquel vento na ygreja entrou, 35
en quanto o pintor estava deitou
en terra; mais el log' a Virgen chamou,
Madre de Deus, que o vẽess' acorrer.
Quen Santa Maria quiser defender...

E ela logo tan toste ll' acorreu 40
e fez-lle que eno pinzel se soffreu
con que pintava; e poren non caeu,
nen lle pod' o dem' en ren enpeeçer.
Quen Santa Maria quiser defender...

E ao gran son que a madeira fez 45
vẽeron as gentes logo dessa vez,
e viron o demo mais negro ca pez
fogir da ygreja u ss' ya perder.
Quen Santa Maria quiser defender...

E ar viron com' estava o pintor 50
colgado do pinzel; e poren loor
deron aa Madre de Nostro Sennor,
que aos seus quer na gran coita valer.
Quen Santa Maria quiser defender...

75

COMO SANTA MARIA FEZ VEER AO CLERIGO QUE ERA MELLOR POBREZA CON OMILDADE CA REQUEZA MAL GÃADA CON ORGULLO E CON SOBERVIA.

Omildade con pobreza
quer a Virgen corõada, 5
mais d'orgullo con requeza
é ela mui despagada.

E desta razon vos direi | un miragre mui fremoso,
que mostrou Santa Maria, | Madre do Rey grorioso,
a un crerigo que era | de a servir desejoso; 10
e poren gran maravilla | lle foi per ela mostrada.
Omildade con pobreza...

Ena vila u foi esto | avia un usureiro
mui riqu' e muit' orgullos' e | sobervi' e tortiçeiro;
e por Deus nen por sa Madre | non dava sol nen dinneiro,
e de seu corpo pensava | muit' e de sa alma nada.
Omildade con pobreza...

Outrosi en essa vila | era hua velloçinna
mui cativa e mui pobre | e de tod' aver mesquinna;
mais amava Jesu-Cristo | e a ssa Madr', a Reỹa, 20
mais que outra ren que fosse. | E con tant' era pagada
Omildade con pobreza...

75 *E, T, To.* 14 orgullose *E.* 15 nen] un *T.* 25 elmosnas *To.* 48 que ela *E.* 51 mĩa *To*; alma leixada *T To.* 58 Dissell *T.* 70 pares] tennas *T*; a] por *T.* 75 entend'] tenno *T To.* 118 Por] E *To.* 133 chouça *T.* 146 aquesto dit ouue *T To.* 167 Para] parade *E.* 169 u migo ali *E.* 176 leuou xa *T.*
M.: A^7 B^7 A^7 B^7 / n^7 c^7 n^7 c^7 n^7 c^7 n^7 b^7 [*AA/bbba*].
Val./Muss. p. XLVI; Gautier II, 158.

Tan muito, que non preçava | deste mundo nimigalla;
e porend' en hũa choça | morava, feita de palla,
e vivia das esmolnas | que lle davan; e sen falla 25
mui mais se pagava desto | ca de seer ben erdada.
Omildade con pobreza...

E estando desta guisa, | deu a ela fever forte,
e outrosi ao rico, | per que chegaron a morte:
mais a vella aa Virgen | avia por seu conorte, 30
e o rico ao demo, | que lle deu morte coitada.
Omildade con pobreza...

Mais o capelan correndo, | quando soube com' estava
o rico, vẽo aginna, | porque del aver coidava
gran peça de seus dinneiros, | ca el por al non catava, 35
e diss': "Esta 'nfermedade | semella muit' aficada.
Omildade con pobreza...

E porend' eu vos consello | que façades testamento,
e dad' a nossa ygreja | sequer çen marcos d'arento;
ca de quant' aqui nos derdes | vos dará Deus por un çento,
e desta guis' averedes | no Parayso entrada."
Omildade con pobreza...

A moller, a que pesava | de que quer que el mandasse,
diss' ao crerigo toste | que daquesto se calasse,
ca seu marido guarria, | e que folga-lo leixasse, 45
entre tanto sa fazenda | averia ordinnada.
Omildade con pobreza...

Ao crerigo pesava | desto que ll' ela dizia,
mais por ren que lle dissese, | partir non s'ende queria;
e o ric' enton con sanna | mui bravo lle respondia: 50
"Na moller e enos fillos | ei mia alma ja leixada."
Omildade con pobreza...

O crerig' assi estando | de sse non yr perfiado,
hũa moça a el vẽo | que lle trouxe tal mandado
da vella como morria, | e que lle désse recado 55
com' ouvesse maenfesto | e que fosse comungada.
Omildade con pobreza...

Diss' el enton: "Vay-te logo, | ca ben vees com' eu fico
aqui con est' ome bõo | que é onrrad' e mui rico,
que non leixarei agora | pola vella que no bico 60
ten a mort' á mais dun ano, | e pero non é finada."
Omildade con pobreza...

Quand' aquest' oyu a moça | da vella, foi-se correndo
e achó-a mui coitada | e cona morte gemendo,
e disse-ll': "Aquel moogo | non verrá, per quant'
[entendo, 65
nen per el, macar moirades, | non seredes soterrada."
Omildade con pobreza...

Quand' est' entendeu a vella, | foi mui trist' a maravilla
e disso: "Santa Maria | Virgen, de Deus Madr' e Filla,
ven por mi' alm' e non pares | mentes a mia pecadilla, 70
ca non ey quen me comungue | e sõo desamparada."
Omildade con pobreza...

En casa do ric' estava | un crerigo d' avangeo
que ao capelan disse: | "Vedes de que me reçeo:
se aquesta vella morre, | segund' eu entend' e creo, 75
será vos de Jesu-Cristo | a sa alma demandada."
Omildade con pobreza...

E o capelan lle disse: | "Esto non me consellledes,
que eu leix' est' ome bõo; | mas id' y se ir queredes,
e de quant' alá gãardes, | nulla parte non me dedes." 80
E o evangelisteiro | se foi logo sen tardada,
Omildade con pobreza...

E fillou o Corpus Cristi | e o caliz da ygreja;
e quando foi aa choça, | viu a que bẽeyta seja,
Madre do que se non paga | de torto nen de peleja, 85
seend' aa cabeçeira | daquela vella sentada.
Omildade con pobreza...

73, 81 *crerigo d'avangeo, evangelisteiro*: evangelistero, clérigo que tiene la obligación de cantar el Evangelio en las misas solemnes. Gautier de Coincy habla de un *dyacre* (diácono).

E viu con ela na choça | hũa tan gran claridade,
que ben entendeu que era | a Sennor de piadade.
E el tornar-se quisera, | mas disso-ll' ela: "Entrade 90
cono corpo de meu Fillo, | de que eu fui emprennada."
Omildade con pobreza...

E pois entrou, viu a destro | estar hũas seys donzelas
vestidas de panos brancos, | muit' apostas e mais belas
que son lilios nen rosas, | mas pero non de conçelas, 95
outrosi nen d' alvayalde, | que faz a cara 'nrrugada.
Omildade con pobreza...

E siian assentadas | en palla, non en tapede;
e disse a Virgen santa | ao crerigo: "Seede,
e aquesta moller bõa | comungad' e assolvede, 100
como çed' a Parayso | vaa u ten ja pousada."
Omildade con pobreza...

O crerigo, macar teve | que lle dizia dereito
a Virgen Santa Maria, | non quis con ela no leito
seer, mais fez aa vella | que se ferisse no peito 105
con sas mãos e dissesse: | "Mia culpa, ca fui errada."
Omildade con pobreza...

E pois foi maenfestada, | Santa Maria alçó-a
con sas mãos, e tan toste | o crerigo comungó-a;
e desque foi comungada, | u xe jazia deitó-a, 110
e disse-ll' enton a vella: | "Sennor, nossa avogada,
Omildade con pobreza...

Non me leixes mais no mundo | e leva-me ja contigo
u eu veja o teu Fillo, | que é teu Padr' e amigo."
Respos-lle Santa Maria: | "Mui çedo serás comigo; 115
mais quero que ant' un pouco | sejas ja quanto purgada,
Omildade con pobreza...

Por que tanto que morreres | vaas log' a Parayso
e non ajas outr' enpeço, | mais senpre goyo e riso,
que perdeu per sa folia | aquel rico de mal siso, 120
por que sa alma agora | será do demo levada."
Omildade con pobreza...

E ao crerig' ar disse: | "Ide-vos, ca ben fezestes,
e muito sõo pagada | de quan ben aqui vẽestes;
e, par Deus, mellor consello | ca o capelan tevestes, 125
que ficou con aquel rico | por levar del gran soldada."
Omildade con pobreza...

Enton o clerigo foi-se | a cas do rico maldito,
u o capelan estava | ant' el en gẽollo fito;
e ar viu a casa chẽa, | per com' eu achei escrito, 130
de diabos que vẽeran | por aquel' alma julgada.
Omildade con pobreza...

Entonçe se tornou logo | aa choça u leixara
a vella, e viu a Virgen | tan fremosa e tan crara,
que o chamou con sa mão | como xo ante chamara, 135
dizendo: "Ja levar quero | a alma desta menguada."
Omildade con pobreza...

Enton diss' aa vella: "Ven-te | ja comigo, ay amiga,
ao reyno de meu Fillo, | ca non á ren que che diga
que te log' en el non colla, | ca el dereito joyga." 140
E tan tost' a moller bõa | foi deste mundo passada.
Omildade con pobreza...

E ao crerig' a Virgen | disse que mui ben fezera
e que mui ben s'acharia | de quanto ali vẽera,
demais faria-ll' ajuda | mui çed' en gran coita fera; 145
e pois aquest' ouve dito, | foi-s' a Benaventurada.
Omildade con pobreza...

E enquant' a Virgen disse, | sempr' o crerig' os gẽollos
teve ficados en terra, | chorando muito dos ollos;
e tornou-ss' a cas do rico, | e ouv' y outros antollos, 150
ca viu de grandes diabos | a casa toda çercada.
Omildade con pobreza...

E pois que entrou, viu outros | mayores que os de fora,
muit' espantosos e feos, | e negros mui más ca mora,
dizendo: "Sal acá, alma, | ca ja tenpo é e ora 155
que polo mal que feziste | sejas senpr' atormentada."
Omildade con pobreza...

E a alm' assi dizia: | "Que será de min, cativa?
Mais valvera que non fosse | eu en este mundo viva,
pois ei de soffrer tal coita | no ynferno, tan esquiva, 160
agora a Deus prouguesse | que foss' en poo tornada."
Omildade con pobreza...

Quand' o crerigo viu esto, | fillou-se-ll' ende tal medo,
que de perder-se ouvera; | mas acorreu-lle mui çedo
a Virgen Santa Maria, | que o tirou pelo dedo 165
fora daquel lugar mao, | como Sennor mesurada.
Omildade con pobreza...

E disse-lle: "Para mentes | en quant' agor' aqui viste
outrosi e ena choça, | ali u migo seviste;
que ben daquela maneira | que o tu tod' entendiste 170
o conta log' aas gentes | sen ningũa delongada."
Omildade con pobreza...

O clerigo fez mandado | da Virgen de ben conprida,
e mentre viveu no mundo | foi ome de santa vida;
e depois, quando ll' a alma | de sa carne foi saida, 175
levó-a Santa Maria; | e ela seja loada.
Omildade con pobreza...

76

COMO SANTA MARIA DEU SEU FILLO AA BÕA MOLLER, QUE ERA MORTO, EN TAL QUE LLE DÉSSE O SEU QUE FILLARA AA SA OMAGEN DOS BRAÇOS.

Quenas sas figuras da Virgen partir
quer das de seu Fillo, fol é sen mentir. 5

76 *E, T.* 8 muito fiar *E T.* 21 de sen *E T.* 38 entroutros *E,* entr ontros *T.*
M.: A^{11} A^{11} / b^{13} b^{13} b^{11} a^{11}.
Val./Muss. p. XXXII-XXXIII.

Porend' un miragre vos quer' eu ora contar
mui maravilloso, que quis a Virgen mostrar
por hũa moller que muito [se] fiar
sempr' en ela fora, segund fui oyr.
Quenas sas figuras da Virgen partir... 10

Esta moller bõa ouv' un fillo malfeitor
e ladron mui fort', e tafur e pelejador;
e tanto ll' andou o dem' en derredor,
que o fez nas mãos do juyz vĩir.
Quenas sas figuras da Virgen partir... 15

E poi-lo achou con furto que fora fazer,
mandó-o tan toste en hũa forca põer;
mais sa madr' ouvera por el a perder
o sen, e con coita fillou-s' a carpir.
Quenas sas figuras da Virgen partir... 20

E como moller que era fora de [seu] sen
a hũa eigreja foi da Madre do que ten
o mundo en poder, e disse-lle: "Ren
non podes, se meu fillo non resurgir."
Quenas sas figuras da Virgen partir... 25

Pois est' ouve dito, tan gran sanna lle creceu,
que aa omagen foi e ll' o Fillo tolleu
per força dos braços e desaprendeu,
dizend': "Este terrei eu trões que vir
Quenas sas figuras da Virgen partir... 30

O meu são e vivo viir sen lijon nen mal."
Quand' est' ouve dito, log' a Madr' Espirital
resurgio-o dela, que vẽo sen al
dizendo: "Sandia, mal fuste falir,
Quenas sas figuras da Virgen partir... 35

Madre, porque fuste fillar seu Fillo dos seus
braços da omagen da Virgen, Madre de Deus;
poren m' enviou que entr[e] ontr' os teus,
per que tu ben possas conmigo goyr."
Quenas sas figuras da Virgen partir... 40

Quand' a moller viu o gran miragre que fez
a Virgen Maria, que é Sennor de gran prez,
tornou-lle seu Fillo; e log' essa vez
meteu-ss' en orden pola mellor servir.
Quenas sas figuras da Virgen partir... 45

77

ESTA É COMO SANTA MARIA SÃOU NA SA YGREJA EN LUGO HŨA MOLLER CONTREITA DOS PEES E DAS MÃOS.

Da que Deus mamou o leite do seu peito,
non é maravilla de sãar contreito.

Desto fez Santa Maria miragre fremoso 5
ena sa ygrej' en Lugo, grand' e piadoso,
por hũa moller que avia tolleito
o mais de seu corp' e de mal encolleito.
Da que Deus mamou o leite do seu peito...

Que amba-las suas mãos assi s' encolleran, 10
que ben per cabo dos onbros todas se meteran,
e os calcannares ben en seu dereito
se meteron todos no corpo maltreito.
Da que Deus mamou o leite do seu peito...

Pois viu que lle non prestava nulla meezinna, 15
tornou-ss' a Santa Maria, a nobre Reynna,
rogando-lle que non catasse despeyto
se ll' ela fezera, mais a seu proveito
Da que Deus mamou o leite do seu peito...

77 *E, T.* 1 sãou] guareceu *T*; en] de santa maria de *E.* 2 contreita... das] que avia encolleitos os pees τ as *T.* 38 odeito] encoleito *E.* 40 bisp, deante *T.*
M.: A^{11} A^{11} / b^{13} b^{13} a^{11} a^{11}.

Parasse mentes en guisa que a guareçesse, 20
se non, que fezess' assi per que çedo morresse;
e logo se fezo levar en un leito
ant' a sa ygreja, pequen' e estreito.
Da que Deus mamou o leite do seu peito...

E ela ali jazendo fez mui bõa vida 25
trões que ll' ouve merçee a Sennor conprida
eno mes d' agosto, no dia 'scolleito,
na sa festa grande, como vos retreito
Da que Deus mamou o leite do seu peito...

Será agora per min. Ca en aquele dia 30
se fez meter na ygreja de Santa Maria;
mais a Santa Virgen non alongou preyto,
mas tornou-ll' o corpo todo escorreyto.
Da que Deus mamou o leite do seu peito...

Pero avẽo-ll' atal que ali u sãava, 35
cada un nembro per si mui de rig' estalava,
ben come madeira mui seca de teito,
quando ss' estendia o nervio odeito.
Da que Deus mamou o leite do seu peito...

O bispo e toda a gente deant' estando, 40
veend' aquest' e oynd' e de rijo chorando,
viron que miragre foi e non trasgeito;
porende loaron a Virgen afeito.
Da que Deus mamou o leite do seu peito...

32 *alongou*: = alongou o.

78

COMO SANTA MARIA GUARDOU UN PRIVADO DO CONDE DE TOLOSA QUE NON FOSSE QUEIMADO NO FORNO, PORQUE OYA SA MISSA CADA DIA.

Non pode prender nunca morte vergonnosa
aquele que guarda a Virgen gloriosa.

Poren, meus amigos, rogo-vos que m' ouçades 5
un mui gran miragre que quero que sabiades
que a Santa Virgen fez, per que entendades
com' aos seus servos é sempre piadosa.
Non pode prender nunca morte vergonnosa...

E daquest' avẽo, gran temp' á ja passado, 10
que ouv' en Tolosa un conde mui preçado;
e aquest' avia un ome seu privado
que fazia vida come religiosa.
Non pode prender nunca morte vergonnosa...

Ontr' os outros bẽes muitos que el fazia, 15
mais que outra ren amave Santa Maria,
assi que outra missa nunca el queria
oyr erg' a sua, nen ll' era saborosa.
Non pode prender nunca morte vergonnosa...

E outros privados que con el cond' andavan 20
avian-ll' enveja, e porende punnavan
de con el volve-lo, porque dessi cuidavan
aver con el conde sa vida mais viçosa.
Non pode prender nunca morte vergonnosa...

78 *E, T, To.* 41 que fosse a] ir que fosse *T To.* 72 uoontad *T To*; Sen] si sen *T To.* 80 aquele *T To.*
M.: VIII.
Val./Muss. p. XLVI-XLVII.
1 *Tolosa*: Toulouse (Francia). Cfr. ctgs. 158, 175, 195, 208, 253.

E sobr' esto tanto con el conde falaron, 25
que aquel bon ome mui mal con el mezcraron;
e de taes cousas a el o acusaron,
per que lle mandava dar morte doorosa.
Non pode prender nunca morte vergonnosa...

E que non soubessen de qual morte lle dava, 30
por un seu caleiro atan tost' enviava
e un mui gran forno encender llo mandava
de lenna mui grossa que non fosse fumosa.
Non pode prender nunca morte vergonnosa...

E mandou-lle que o primeiro que chegasse 35
om' a el dos seus, que tan toste o fillasse
e que sen demora no forno o deitasse,
e que y ardesse a carne del astrosa.
Non pode prender nunca morte vergonnosa...

Outro di' el conde ao que mezcrad' era 40
mandó-o que fosse a veer se fezera
aquel seu caleiro o que ll' ele dissera,
dizend': "Esta via non te seja nojosa."
Non pode prender nunca morte vergonnosa...

E u ele ya cabo de ssa carreira, 45
achou un' ermida que estava senlleira,
u dizian missa ben de mui gran maneira
de Santa Maria, a Virgen preçiosa.
Non pode prender nunca morte vergonnosa...

E logo tan toste entrou ena ygreja 50
e diss': "Esta missa, a como quer que seja,
oyrei eu toda, por que Deus de peleja
me guard' e de mezcra maa e revoltosa."
Non pode prender nunca morte vergonnosa...

Enquant' el a missa oya ben cantada, 55
teve ja el conde que a cous' acabada
era que mandara, e poren sen tardada
enviou outr' ome natural de Tolosa;
Non pode prender nunca morte vergonnosa...

E aquel om' era o que a mezcra feita 60
ouvera e toda de fond' a çima treita.
E disse-lle: "Logo vay corrend' e asseita
se fez o caleiro a justiça fremosa."
Non pode prender nunca morte vergonnosa...

Tan toste correndo foi-s' aquel fals' arteiro, 65
e non teve via, mas per un semedeiro
chegou ao forno; e logo o caleiro
o deitou na chama fort' e perigoosa.
Non pode prender nunca morte vergonnosa...

O outro, pois toda a missa ouv' oyda, 70
foi ao caleiro e disse-ll': "As comprid' a
voontade del conde?" Diss' el: "Sen falida,
se non, nunca faça eu mia vida goyosa."
Non pode prender nunca morte vergonnosa...

Enton do caleiro se partia tan toste 75
aquel ome bõo e per un gran recoste
se tornou al conde, e dentr' en sa reposte
contou-l' end' a estoria maravillosa.
Non pode prender nunca morte vergonnosa...

Quando viu el conde aquel que chegara 80
ant' ele viv', e soube de como queimara
o caleir' o outro que aquele mezcrara,
teve-o por cousa d'oyr muit' espantosa.
Non pode prender nunca morte vergonnosa...

E disse chorando: "Virgen, bẽeita sejas, 85
que nunca te pagas de mezcras nen d'envejas;
poren farei ora per todas tas ygrejas
contar este feito e com' es poderosa."
Non pode prender nunca morte vergonnosa...

79

COMO SANTA MARIA TORNOU A MEÑIA QUE ERA GARRIDA, CORDA, E LEVÓ-A SIGO A PARAYSO.

Ay, Santa Maria,
quen se per vos guya
quit' é de folia 5
e senpre faz ben.

Porend' un miragre vos direi fremoso
que fezo a Madre do Rey grorioso,
e de o oyr seer-vos-á saboroso,
e prazer-mi-á en. 10
Ay, Santa Maria...

Aquesto foi feito por hũa menynna
que chamavan Musa, que mui fremosinna
era e aposta, mas garridelinna
e de pouco sen. 15
Ay, Santa Maria...

E esto fazendo, a mui Groriosa
pareçeu-ll' en sonnos, sobejo fremosa,
con muitas meninnas de maravillosa
beldad'; e poren 20
Ay, Santa Maria...

Quisera-se Musa ir con elas logo.
Mas Santa Maria lle diss': "Eu te rogo
que, sse mig' ir queres, leixes ris' e jogo,
orgull' e desden. 25
Ay, Santa Maria...

79 *E, T, To.* 28 seras comigo *E.* 42 Aos quinze dias *T To.* 54 que nos ache sen erro e sen pecado *E T.*
M.: A^5 A^5 A^5 B^5 / c^{11} c^{11} c^{11} b^5 [AB/*ccc*b].
Val./Muss. p. LXXXII-LXXXIII; Adgar 14.

E se esto fazes, d' oj' a trinta dias
seerás comig' entr' estas conpannias
de moças que vees, que non son sandias,
ca lles non conven." 30
Ay, Santa Maria...

Atant' ouve Musa sabor das conpannas
que en vision vira, que leixou sas mannas
e fillou log' outras, daquelas estrannas,
e non quis al ren. 35
Ay, Santa Maria...

O padr' e a madre, quand' aquesto viron,
preguntaron Musa; e poys que ll' oyron
contar o que vira, merçee pediron
à que nos manten. 40
Ay, Santa Maria...

A vint' e seis dias tal fever aguda
fillou log' a Musa, que jouve tenduda;
e Santa Maria ll' ouv' apareçuda,
que lle disse: "Ven, 45
Ay, Santa Maria...

Ven pora mi toste." Respos-lle: "De grado."
E quando o prazo dos dias chegado
foi, seu espirito ouve Deus levado
u dos outros ten 50
Ay, Santa Maria...

Santos. E poren seja de nos rogado
que eno juyzo, u verrá irado,
que nos ache quitos d'err' e de pecado;
e dized': "amen." 55
Ay, Santa Maria...

42 *A vint' e seis dias*: Adgar: "Apres le uint e le quint ior."

80

ESTA É DE LOOR DE SANTA MARIA, DE COMO A SAUDOU O ANGEO.

De graça chẽa e d' amor
de Deus, acorre-nos, Sennor.

Santa Maria, se te praz,
pois nosso ben tod' en ti jaz 5
e que teu Fillo sempre faz
por ti o de que ás sabor.
De graça chẽa e d' amor...

E pois que contigo é Deus,
acorr' a nos que somos teus, 10
e fas-nos que sejamos seus
e que perçamos del pavor.
De graça chẽa e d' amor...

Ontr' as outras molleres tu
es bẽeita porque Jesu 15
Cristo parist'; e porend' u
nos for mester, razõador
De graça chẽa e d' amor...

Sei por nos, pois que bẽeit' é
o fruito de ti, a la ffe; 20
e pois tu sees u el ssé,
roga por nos u mester for.
De graça chẽa e d' amor...

80 *E, T, To.* 26 mill errar *T To.*
M.: III.

Punna, Sennor, de nos salvar,
pois Deus por ti quer perdõar — 25
mil vegadas, se mil errar
eno dia o pecador.
De graça chẽa e d' amor...

81

COMO SANTA MARIA GUAREÇEU A MOLLER DO FOGO DE SAN MARÇAL QUE LL' AVIA COMESTO TODO O ROSTRO.

Par Deus, tal sennor muito val
que toda door toll' e mal.

Esta sennor que dit' ei — 5
é Santa Maria,
que a Deus, seu Fillo Rey,
roga todavia
sen al,
que nos guarde do ynfernal — 10
Par Deus, tal ssenor muito val...

Fogo, e ar outrossi
do daqueste mundo,
dessi d' outro que á y,
com' oý, segundo — 15
que fal',
algũa vez por San Marçal,
Par Deus, tal ssenor muito val...

81 *E, T, To.*
M.: A^8 A^8 / b^7 c^5 b^7 c^5 a^2 a^8 [AA/*bb*a].
Val./Muss. p. CIX; Gautier IV, 216.
1 *fogo de San Marçal*: v. 19.27.

De que sãou hũa vez
ben a Gondianda, 20
hũa moller que lle fez
rogo e demanda
atal,
per que lle non ficou sinal
Par Deus, tal sennor muito val... 25

Daquele fogo montes
de que layda era,
onde tan gran dano pres
que poren posera
çendal 30
ant' a faz con coita mortal,
Par Deus, tal ssenor muito val...

De que atan ben sãou
a Virgen aquesta
moller, que logo tornou 35
ll' a carne comesta
ygual
e con sa coor natural,
Par Deus, tal ssenor muito val...

Tan fremosa, que enton 40
quantos la catavan
a Virgen, de coraçon
chorando, loavan,
a qual
é dos coitados espital. 45
Par Deus, tal ssenor muito val...

20 *Gondianda*: *Gondrada* en las versiones latinas de la leyenda, *Gondree* en Gautier de Coinci.

82

COMO SANTA MARIA GUARDOU UN MONGE DOS DIABOOS QUE O QUISERAN TENTAR E SE LLE MOSTRARON EN FIGURAS DE PORCOS POLO FAZER PERDER.

A Santa Maria mui bon servir faz,
pois o poder ela do demo desfaz. 5

Ond' avẽo desto que en Conturbel
fez Santa Maria miragre mui bel
por un monge bõo, cast' e mui fiel,
que viu de diabres vĩir mui grand' az.
A Santa Maria mui bon servir faz... 10

En seu leito, u jazia por dormir,
viu-os come porcos contra si vĩir
atan espantosos, que per ren guarir
non cuidava, e dizia-lles: "Az, az."
A Santa Maria mui bon servir faz... 15

El assi estando en mui gran pavor,
viu entrar un ome negro de coor
que diss' aos porcos: "Log' a derredor
dele vos meted', e non dórmia en paz."
A Santa Maria mui bon servir faz... 20

Eles responderon: "Aquesto fazer
queremos de grado, mais niun poder
de faze-lle mal non podemos aver
por gran santidade que en ele jaz."
A Santa Maria mui bon servir faz... 25

82 *E, T, To.* 7 un miragre bel *T.* 51 A] Da *T,* E a *To.* M.: VI.
6 *Conturbel, Conturbe, Cantaaria*: Canterbury (Inglaterra). Cfr. ctgs. 288, 296.

E aquel diabo lles respos assi:
"Pois vos non podedes, ar leixad' a mi,
que con estes garfios que eu trag' aqui
o desfarei, pero que trage frocaz."
A Santa Maria mui bon servir faz... 30

O frad', est' oyndo, espantou-se mal
e chamou a Virgen, a que nunca fal
aas grandes coitas, dizendo-lle: "Val
me, ca de gran medo ei end' eu assaz."
A Santa Maria mui bon servir faz... 35

E a Groriosa tan toste chegou
e ant' aquel frade logo se parou
e con hũa vara mal ameaçou
aquela companna do demo malvaz,
A Santa Maria mui bon servir faz... 40

Dizendo: "Como vos ousastes parar
ant' este meu frade neno espantar?
Poren no ynferno ide log' entrar
con vosso mal rey, mui peor que rapaz."
A Santa Maria mui bon servir faz... 45

Quand' eles oyron aquesta razon,
como fumo se desfezeron enton;
e a Virgen santa mans' e en bon son
confortou o frade, dizend': "A mi praz
A Santa Maria mui bon servir faz... 50

A vida que fazes; e porende ben
fas d'oj' adeante que non leixes ren
de fazeres quant' a ta orden conven."
Esto dito, tolleu-xe-lle d' ant' a ffaz.
A Santa Maria mui bon servir faz... 55

83

COMO SANTA MARIA SACOU DE CATIVO DE TERRA DE MOUROS A UN OME BÕO QUE SE LL' ACOMENDARA.

Aos seus acomendados
a Virgen tost' á livrados.

De mortes e de prijões; 5
e por aquesto, varões,
sempr' os vossos corações
en ela sejan firmados.
Aos seus acomendados...

E desto Santa Maria 10
de Sopetran fez un dia
miragr' en Andaluzia
a un que por seus pecados
Aos seus acomendados...

Fora caer en cativo, 15
u jazia tan esquivo,
que non cuidou sair vivo
ante marteiros dobrados
Aos seus acomendados...

Que lle davan e gran pẽa, 20
porque era de Luçẽa.
Sen tod' est', en gran cadẽa
de noite tras cadẽados
Aos seus acomendados...

83 *E, T, To.* 37 sãan *E.*
M.: I.
11 Sopetrán, abadía cerca de Hita.
21 Lucena (Córdoba).

Jazia e en escura 25
carçer e en gran ventura
de morrer. Poren na pura
Virgen tornou seus cuidados,
Aos seus acomendados...

Que en Sopetran aoran 30
muitos e ant' ela choran;
poren muito non demoran
que non sejan perdõados
Aos seus acomendados...

D' erros e de maos feitos; 35
demais çegos e contreitos
sãa, e gafos maltreitos
e muitos demoniados
Aos seus acomendados...

E d' outras enfermedades, 40
e que por sas piedades
saca de catividades
muitos, foss' el nos sacados.
Aos seus acomendados...

Este rogo lle fezera 45
muitas vezes e dissera,
u el preitejado era
por moravidis tallados
Aos seus acomendados...

Que pagar avia çedo. 50
E el jazend' en gran medo,
viu as portas abrir quedo
da carcer, e viu britados
Aos seus acomendados...

Seus ferros e que dormian 55
os que o guardar soyan,
que tan gran sono avian
que non eran acordados.
Aos seus acomendados...

El, quand' esto viu, ergendo 60
se foi pass', e pois correndo
fogiu e, segund' aprendo,
chegou a dias contados
Aos seus acomendados...

A Sopetran, cabo Fita. 65
E pois esta cousa dita
ouve, logo foi escrita
e muitos loores dados
Aos seus acomendados...

Aa Virgen groriosa, 70
Madre de Deus piadosa,
porque sempr' é poderosa
d' acorrer aos coitados.
Aos seus acomendados...

84

COMO SANTA MARIA RESUSCITOU A MOLLER DO CAVALEIRO, QUE SE MATARA PORQUE LLE DISSE O CAVALEIRO QUE AMAVA MAIS OUTRA CA ELA; E DIZIA-LLE POR SANTA MARIA.

O que en Santa Maria | crever ben de coraçon
nunca reçeberá dano | nen gran mal nen ocajon. 5

E daquest' un gran miragre | oyd' ora, de que fix
un cantar da Virgen santa, | que eu dun om' aprix,
e ontr' os outros miragres | porende mete-lo quix,
porque sei, se o oyrdes, | que vos valrrá un sermon.
O que en Santa Maria | crever ben de coraçon... 10

65 Hita (Guadalajara).

84 *E, T, To.* 26 dizendo] fazendo *T.* 71 El] E *E.*
M.: XIV.
Valm./Muss. p. XLVII.

Esto foi dun cavaleiro | que casad' era mui ben
con dona menĩ' e bela, | que amou mais d' outra ren,
e ela a el amava | que xe perdia o sen;
e do mal que dest' avẽo | vos contarei a razon.
O que en Santa Maria | crever ben de coraçon... 15

O cavaleir' era bõo | de costumes e sen mal,
e mais d' outra ren amava | a Virgen espirital;
e por esto de sa casa | fezera un gran portal
ben atro ena ygreja, | por ir fazer oraçon.
O que en Santa Maria | crever ben de coraçon... 20

Porque aquela ygreja | era da Madre de Deus,
cada noite s' esfurtava | de sa moller e dos seus
e ant' a omagen ss' ya, | dizend': "Os pecados meus
son muitos, mas per ti creo | gaannar deles perdon."
O que en Santa Maria | crever ben de coraçon... 25

El aquest' assi dizendo, | sa moller mentes parou
en como se levantava | e de mal o sospeitou,
e por aquesta sospeita | hũa vez lle preguntou:
"U ides assi, marido, | de noite come ladron?"
O que en Santa Maria | crever ben de coraçon... 30

El enton assi lle disse: | "Non sospeitedes de mi,
que vos niun torto faço | nen fiz des quando vos vi."
A moller enton calou-se, | que lle non falou mais y;
e pero parou y mentes | senpre mui mais des enton.
O que en Santa Maria | crever ben de coraçon... 35

Ond' avẽo pois un dia | que siian a seu jantar;
e pois ouveron jantado, | começou-ll' a preguntar
a dona a seu marido | muito e a conjurar
se el amava mais outra, | que dissesse si ou non.
O que en Santa Maria | crever ben de coraçon... 40

El lle respos, com' en jogo: | "Pois vos praz, dizer-vo-l-ei:
outra dona mui fremosa | amo muit' e amarei
mais d' outra cousa do mundo | e por seu sempr' andarei."
A dona tornou por esto | mais negra que un carvon;
O que en Santa Maria | crever ben de coraçon... 45

E tomou log' un coitelo, | con que tallavan o pan,
e deu-se con el no peito | hũa ferida atan
grande que, sen outra cousa, | morreu logo manaman.
Diss' enton o cavaleiro: | "Ay Deus, que maa vijon!"
O que en Santa Maria | crever ben de coraçon... 50

E fillou sa moller logo | e deitó-a, sen mentir,
en seu leito e cobriu-a, | e non quiso que sayr
podess' ome de sa casa; | e a porta foi abrir
da ygreja e correndo | entrou y de gran randon.
O que en Santa Maria | crever ben de coraçon... 55

E parou-ss' ant' a omagen | e disso assi: "Sennor,
mia moller que muit' amava | perdi polo teu amor;
mais tu, Sennor, que sofriste | gran coita e gran door
por teu Fillo, dá-mia viva | e sãa ora en don."
O que en Santa Maria | crever ben de coraçon... 60

El assi muito chorando, | a Virgen ll' apareçeu
e diss' ao cavaleiro: | "O meu Fillo reçebeu
o rogo que me feziste | e a ta moller viveu
pola ta firme creença | e por ta gran devoçon."
O que en Santa Maria | crever ben de coraçon... 65

El enton tornou-sse logo | e foi sa moller veer,
e achó-a viv' e sãa | e ouv' en mui gran prazer.
Enton el e sa companna | começaron bẽeizer
a Virgen Santa Maria, | cantando en mui bon son.
O que en Santa Maria | crever ben de coraçon... 70

El mandou abri-las portas | e as gentes vĩir fez,
que vissen aquel miragre, | que a Reynna de prez
fezera daquela dona; | mas log' ambos, dessa vez,
por mellor servir a Virgen, | fillaron religion.
O que en Santa Maria | crever ben de coraçon ... 75

85

COMO SANTA MARIA LIVROU DE MORTE UN JUDEU QUE TIINNAN PRESO HŨUS LADRÕES, E ELA SOLTÓ-O DA PRIJON E FEZE-O TORNAR CRISCHÃO.

Pera toller gran perfia
ben dos corações,
demostra Santa Maria 5
sas grandes visiões.

Onde direi un miragre que en Englaterra
demostrou Santa Maria, a que nunca erra,
por converter un judeu que prenderan ladrões,
a que chagas grandes deran e pois torçillões. 10
Pera toller gran perfia...

Os ladrões que fezeron est' eran crischãos;
e poi-lo ouveron feito, ataron-ll' as mãos
e os pees e deron-lle muitas con bastões,
que lles esterlĩis désse, ca non pipiões. 15
Pera toller gran perfia...

85 *E, T, To.* 57 muitas] tantas *T.*
M.: *A*[7] *B*[5] *A*[7] *B*[5] / *c*[13] *c*[13] *a*[13] *a*[13] [*AA/bbaa*].
Val./Muss. p. LXXXIII.
15 *esterlĩis, pipiões*: libras esterlinas; pepión 'moneda castellana del s. XIII', de poco valor.

Desta guisa o teveron fora do camỹo
atad' en hũa gran casa vella, o mesquinno;
e deron-lle pan e agua aqueles peões,
en tal que lles non morress' e ouvessen quinnões 20
Pera toller gran perfia...

Do seu aver. Mais el conas pẽas que sofria
adormeçeu, e en sonnos viu Santa Maria
mais fremosa que o sol; e logo ll' as prijões
quebrantou, e foi guarido de todas lijões. 25
Pera toller gran perfia...

E pois que sonnou aquesto, foi logo desperto,
ar viu-a espert' estando, de que foi ben çerto;
e por saber mais quen era, fez sas orações
que lle dissesse seu nome, e dar-ll-ia dões. 30
Pera toller gran perfia...

E ela lle disse logo: "Para-mi ben mentes,
ca eu são a que tu e todos teus parentes
avedes mui gran desamor en todas sazões,
e matastes-me meu Fillo come mui felões. 35
Pera toller gran perfia...

E poren mostrar-te quero o ben que perdedes
e o mal que, pois morrerdes, logo averedes,
que en min e en meu Fillo vossas entenções
tornedes e reçebades bõos gualardões." 40
Pera toller gran perfia...

Enton o pres pela mão e tiró-o fora
dali, e sobr' un gran monte o pos essa ora
e mostrou-lle un gran vale chẽo de dragões
e d' outros diabos, negros mui mais que carvões, 45
Pera toller gran perfia...

33 *a que*: = a a que.

Que mais de çen mil maneiras as almas peavan
dos judeus, que as cozian e pois ar assavan
e as fazian arder assi como tições,
e queimando-lle-las barvas e pois os grinões. 50
Pera toller gran perfia...

Quand' o judeu viu aquesto, foi end' espantado;
mais tan toste foi a outro gran monte levado
u viu seer Jesu-Cristo con religiões
d' angeos, que sempre cantan ant' el doçes sões. 55
Pera toller gran perfia...

E viu de muitas maneiras y santas e santos
muit' alegres, que cantavan saborosos cantos,
que rogan polos crischãos que Deus d' ocajões
os guarde e do diab' e de sas tentações. 60
Pera toller gran perfia...

Santa Maria lle disse, pois est' ouve visto:
"Estes son meus e de meu Fillo, Deus Jesu-Cristo,
con que serás se creveres en el e leytões
comeres e leixares a degolar cabrões." 65
Pera toller gran perfia...

Pois que Santa Maria lle diss' este fazfeiro,
leixó-o; e el foi-sse log' a un mõesteiro
u achou un sant' abade con seus conpannões,
que partiron mui de grado con el sas rações. 70
Pera toller gran perfia...

E pois que ant' o convento contou quanto vira,
o abad' o fez crischão logo sen mentira;
e deste feito foron pelas terras pregões,
por que a Santa Maria deron ofreções. 75
Pera toller gran perfia...

54 *religiões*: ¿lapsus por *legiões*?

86

COMO SANTA MARIA LIVROU A MOLLER PRENNE QUE NON MORRESSE NO MAR E FEZ-LLE AVER FILLO DENTRO NAS ONDAS.

Acorrer-nos pode e de mal guardar
a Madre de Deus, se per nos non ficar.

Acorrer-nos pode quando xe quiser 5
e guardar de mal cada que lle prouguer,
ben como guardou hũa pobre moller
que cuidou morrer enas ondas do mar.
Acorrer-nos pode e de mal guardar...

Eno mar que cerca o mund' arredor, 10
na terra que chaman Bretanna Mayor,
fez a Santa Madre de Nostro Sennor
un gran miragre que vos quero contar.
Acorrer-nos pode e de mal guardar...

O miragre foi muit' apost' e mui bel 15
que Santa Maria fez por San Miguel,
que é conpanneiro de San Gabriel,
o angeo que a vẽo saudar.
Acorrer-nos pode e de mal guardar...

De San Migael, o angeo de Deus, 20
era un' ermida, u muitos romeus
yan y rogar polos pecados seus,
que Deus llos quisesse por el perdõar.
Acorrer-nos pode e de mal guardar...

86 *E, T, To.*
M.: VI.
Val./Muss. p. XLVII-XLVIII; Berceo 19.
11 *Bretanna Mayor*: Se esperaría *Bretanna Mẽor* (v. 23.2), puesto que el milagro ocurre en el Mont-Saint-Michel (v. 39.5).

O logar era de mui gran devoçon, 25
mas non podia om' alá ir, se non
menguass' ant' o mar, ca en outra sazon
non podia ren en sayr nen entrar.
Acorrer-nos pode e de mal guardar...

E porend' un dia avẽo assi 30
que hũa moller prenne entrou per i;
mais o mar creçeu e colleu-a ali,
e non se pod' yr, tanto non pod' andar.
Acorrer-nos pode e de mal guardar...

A pobre moller, macar quis, non fogiu, 35
ca o mar de todas partes a cobriu;
e pois s' a mesquinna en tal coita viu,
começou Santa Maria de chamar.
Acorrer-nos pode e de mal guardar...

A moller sen falla coidou a fiir 40
quando viu o mar que a vẽo cobrir;
e demais chegou-ll' o tenpo de parir,
e por tod' esto non cuidou escapar.
Acorrer-nos pode e de mal guardar...

Mais a Santa Virgen que ela rogou 45
oyu-lle seu rog', e tan toste chegou
e a sua manga sobr' ela parou
que a fez parir e as ondas quedar.
Acorrer-nos pode e de mal guardar...

Pois Santa Maria, a Sennor de prez, 50
este miragre daquela moller fez,
con seu fill' a pobre se foi essa vez
log' a San Miguel o miragre mostrar.
Acorrer-nos pode e de mal guardar...

87

COMO SANTA MARIA MANDOU QUE FEZESSEN BISPO AO CRERIGO QUE DIZIA SEMPRE SAS ORAS.

Muito punna d' os seus onrrar
sempre Santa Maria.

E desto vos quero contar 5
un gran miragre que mostrar
quis a Virgen que non á par,
na çidad' de Pavia.
Muito punna d' os seus onrrar...

Un crerig' ouv' i sabedor 10
de todo ben e servidor
desta groriosa Sennor
quant' ele mais podia.
Muito punna d' os seus onrrar...

D' onrrar os seus á gran sabor 15
sempre Santa Maria.
Muito punna d' os seus onrrar...

Ond' avẽo que conteçeu,
poi-lo bispo dali morreu,
a un sant' om' apareçeu 20
a Virgen que nos guya.
Muito punna d' os seus onrrar...

Aos seus onrrou e ergeu
sempre Santa Maria
Muito punna d' os seus onrrar... 25

87 *E, T; To.*
M.: N^8 A^6 / b^8 b^8 b^8 a^6 [A*B*/ccc*b*].
(b^8 A^6)
Val./Muss. p. LXVIII; Adgar 3; Berceo 13.

E pois lle foi apareçer,
começou-ll' assi a dizer:
"Vay, di que façan·esleer
cras en aquele dia
Muito punna d' os seus onrrar... 30

Os seus faz onrrados seer
sempre Santa Maria.
Muito punna d' os seus onrrar...

Por bisp' un que Jeronim' á
nome; ca tanto sey del ja 35
que me serve e servid' á
ben, com' a mi prazia."
Muito punna d' os seus onrrar...

Os seus onrrou e onrrará
sempre Santa Maria. 40
Muito punna d' os seus onrrar...

Poi-lo sant' ome s' espertou,
ao cabidoo contou
o que ll' a Virgen nomeou
que por bispo queria. 45
Muito punna d' os seus onrrar...

D' os seus onrrar muito punnou
sempre Santa Maria.
Muito punna d' os seus onrrar...

Acordados dun coraçon 50
fezeron del sa esleyçon,
e foi bisp' a pouca sazon,
ca ben o mereçia.
Muito punna d' os seus onrrar...

Os seus onrrou con gran razon 55
sempre Santa Maria.
Muito punna d' os seus onrrar...

88

COMO SANTA MARIA FEZ A UN FISICO QUE SE METERA MONJE QUE COMESSE DAS VIDAS QUE OS OUTROS MONJES COMIAN, QUE A EL SOYAN MUI MAL SABER.

Quen servir a Madre do gran Rey,
ben sei
que será de mal guardado,
com' ora vos contarey

En un miragre de grado,
segund' eu oý contar,
que no mõesteir' onrrado 10
de Claraval foi entrar
un monje mui leterado,
que sabia ben obrar
de fisica, com' achey.
Quen servir a Madre do gran Rey... 15

E porque acostumado
fora de mui ben jantar
ante que foss' ordinnado,
e outrosi ben cẽar
e comer carn' e pescado 20
e bon vinno non leixar
nen bon pan, com' apres' ei,
Quen servir a Madre do gran Rei...

Porend' era mui coitado
en aver a jejũar 25
e comer verças de prado
sen sal nen pont' y deitar,

88 *E, T, To.*
M.: A^9 A^2 B^7 A^7 / b^7 c^7 b^7 c^7 b^7 c^7 a^7 [AA/bbba].
Val./Muss. p. LXXXIII.
11 *Claraval*: v. 42.50.

e bever vinno botado
e por bon pan non catar.
E sobr' esto vos direi 30
Quen servir a Madre do gran Rei...

Que fez este malfadado:
Con coita e con pesar
de que era lazerado,
conos monjes foi falar 35
e disse-lles: «Est' estado
vos non podedes durar,
segundo vos mostrarei:
Quen servir a Madre do gran Rei...

Ca non á tan arrizado 40
de vos que possa cantar
se muit' ouver jajũado,
nen ss' aas oras levar,
se comer non lle for dado
que o faça esfoçar; 45
porend' eu d' aqui ir-m-ei.»
Quen servir a Madre do gran Rei...

Dizend' aquesto, torvado
ouve tod' aquel logar
e o convent' abalado 50
con seu mao sermõar,
que era ja arrufado
por comeres demandar
que defend' ordin e lei.
Quen servir a Madre do gran Rey... 55

Mas un dia sinaado
en que Deus quis encarnar,
o convento foi levado
de comer, e a rezar
se fillaron ben provado 60

por aa eigreja passar
con seu «Miserere mei».
Quen servi-la Madre do gran Rei...

Aquel mong' ya irado
e nonos quis ajudar, 65
ca non fora avondado
nen se podera fartar;
e ynd' assi, viu de lado
cabo da porta estar
a Virgen de que falei, 70
Quen servi-la Madre do gran Rei...

Que tev' un vaso dourado
chẽo de nobre manjar
dun leitoairo preçado,
de que sse fillou a dar 75
a cada monge bocado,
con que os foi confortar,
erg' a este que dit' ei,
Quen servi-la Madre do gran Rei...

Que dela non foi amado, 80
porque queria obrar
per Yprocras o loado;
poren o foi desdennar
quand' o gẽollo ficado
ouv' ant' ela e rogar 85
foi. E diss': "Eu que farei?"
Quen servi-la Madre do gran Rei...

Diss' ela: "Non é penssado
que desto possas fillar,
se non leixas teu cuidado 90
fol que te faz mal cuidar."

62 *Miserere mei*: Ps. 50 (51).
82 *Ypocras*: Hipócrates.

Enton se deu por culpado
muit' e fillou-ss' a chorar
e disse: "Leixa-lo-ei."
Quen servi-la Madre do gran Rey... 95

Do leitoairo sagrado
lle deu logo sen tardar,
e des i foi castigado
por comer non murmurar;
e com' om' escarmentado 100
en todo foi emendar.
Aqui vo-lo acabey.
Quen servi-la Madre do gran Rei...

89

ESTA É COMO HŨA JUDEA ESTAVA DE PARTO EN COITA DE MORTE, E CHAMOU SANTA MARIA E LOGO A AQUELA ORA FOI LIBRE.

A Madre de Deus onrrada
chega sen tardada
u é con fe chamada. 5

E un miragre disto
direi que fez a groriosa
Madre de Jhesu Cristo,
a Reỹa mui piadosa,
por hũa jude' astrosa 10
que era coitada
e a morte chegada.
A Madre de Deus onrrada...

89 *E, T, To.* 67 de-la] dessa *T To.*
M.: A^7 A^5 A^6 / b^6 c^8 b^6 c^8 c^7 a^5 a^6 [*A*/*bba*].
Val./Muss. p. LXXXIII-LXXXIV.

Ca o prazo chegado
era en que parir devia, 15
mas polo seu peccado
aquesto fazer non podia,
porque de Santa Maria
non creya nada
que verdad' é provada. 20
A Madre de Deus onrrada...

Ela assi jazendo,
que era mais morta ca viva,
braadand' e gemendo
e chamando-sse mui cativa, 25
con tan gran door esquiva,
que desanparada
foi; e desasperada
A Madre de Deus onrrada...

Era ja d' aver vida 30
nen lle prestaren meezỹas.
Porend' a mui comprida
Reỹa das outras reỹas,
acorredor das mesquinnas,
sen gran demorada 35
ll' ouve log' enviada
A Madre de Deus onrrada...

Tamanna craridade
ben come se o sol entrasse
aly; e de verdade 40
lle diss' hũa voz que chamasse
de coraçon e rogasse
a santivigada
a benaventurada
A Madre de Deus onrrada... 45

Madre de Deus con rogo,
que é chẽa de gran vertude.
E ela o fez logo,
e ouve fillo e saude,
porque cedo, se mi ajude 50
Deus, foi delivrada
e a ssa madre dada.
A Madre de Deus onrrada...

Pois Maria oyron
as judeas que a guardavan 55
chamar, todas fugiron
da casa e a dẽostavan
e «ereja» a chamavan
muit' e «renegada»
e «crischãa tornada.» 60
A Madre de Deus onrrada...

Mais ela, por peleja
non aver con essas sandias,
dereit' aa eigreja
se foi depo-los treinta dias, 65
que non atendeu Messias,
mais de-la entrada
foi logo batiçada.
A Madre de Deus onrrada...

E trouxe dous menynnos 70
sig' aquel fill' e hũa filla;
e macar pequenỹos
eran, por los de peccadilla
tirar, en Santa Cezilla,
na pia sagrada, 75
os fez dessa vegada
A Madre de Deus onrrada...

Ambos fazer crischãos,
contando como ll' avẽera
do fill' e como sãos 80
seus nenbros todos ll' enton dera
Santa Maria; e fera-
mente foi amada
por aquest' e loada.
A Madre de Deus onrrada...

90

ESTA É DE LOOR DE SANTA MARIA.

Sola fusti, senlleira,
Virgen, sen conpanneira.

Sola fuste, senlleira,
u Gabriel creviste, 5
e ar sen conpanneira
u a Deus concebiste
e per esta maneira
o demo destroiste.
Sola fusti, senlleira... 10

Sola fusti, senlleyra,
ena virgĩidade,
e ar sen companneira
en tẽer castidade;
e per esta maneira 15
jaz o demo na grade.
Sola fusti, senlleira...

90 *E, T.* 23 ten] jaz *T.*
M.: A^6 A^6 / a^6 b^6 a^6 b^6 a^6 b^6.

Sola fusti, senlleyra,
en seer de Deus Madre,
e ar sen conpanneyra 20
seend' el Fill' e Padre;
e per esta maneira
ten o dem' en vessadre.
Sola fusti, senlleira...

Sola fusti, senlleyra, 25
dada que a nos vallas,
e ar sen companneyra
por toller nossas fallas;
e per esta maneyra
jaz o demo nas pallas. 30
Sola fusti, senlleira...

Sola fusti, senlleyra,
en seer de Deus ama,
e ar sen companneyra
en valer quen te chama; 35
e per esta maneyra
jaz o demo na lama.
Sola fusti, senlleira...

91

COMO SANTA MARIA DECEU DO CEO EN HŨA EIGREJA ANTE TODOS E GUARECEU QUANTOS ENFERMOS Y JAZIAN QUE ARDIAN DO FOGO DE SAN MARÇAL.

A Virgen nos dá saud' | e tolle mal,
tant' á en si gran vertud' | esperital. 5

91 *E, T, To.* 31 queimauan *E T.*
M.: A^7 B^4 A^7 B^4 / c^7 d^7 c^7 d^7 d^{11} b^{11} [AA/bbba].
3 *fogo de San Marçal*: v. 19.27.

E poren dizer-vos quero
entr' estes miragres seus
outro mui grand' e mui fero
que esta Madre de Deus
fez, que non poden contradizer judeus 10
nen ereges, pero queiran dizer al.
A Virgen nos dá saud' | e tolle mal...

Aquest' avẽo en França,
non á y mui gran sazon,
que os omes por errança 15
que fezeran, deu enton
Deus en eles por vendeita cofojon
deste fogo que chaman de San Marçal.
A Virgen nos dá saud' | e tolle mal...

E braadand' e gemendo 20
fazian-ss' enton levar
a Saixon logo correndo
por ssa saud' y cobrar,
cuidand' en todas guisas y a sãar
pela Virgen, que aos coitados val. 25
A Virgen nos dá saud' | e tolle mal...

E era de tal natura
aquel mal, com' aprendi,
que primeiro con friura
os fillava, e des i 30
queimava peyor que fogo; e assi
sofrian del todos gran coita mortal.
A Virgen nos dá saud' | e tolle mal...

Ca os nembros lles cayan,
e sol dormir nen comer 35
per nulla ren non podian
nen en seus pees s' erger,
e ante ja querrian mortos seer
que sofrer door atan descomũal.
A Virgen nos dá saud' | e tolle mal... 40

22 *Saixon*: v. 41.6.

Porend' hũa noit' avẽo
que lume lles pareceu
grande que do ceo vẽo,
e log' enton decendeu
Santa Maria, e a terra tremeu 45
quando chegou a Sennor celestial.
A Virgen nos dá saud' | e tolle mal...

E os omees tal medo
ouveron, que a fugir
se fillaron, e non quedo, 50
mais quanto podian ir;
e ela fez log' os enfermos guarir
como Sennor que enas coitas non fal
A Virgen nos dá saud' | e tolle mal...

A quena chama, fiando 55
no seu piadoso ben,
ca ela sempre ven quando
entende que lle conven.
Porend' a esses enfermos nulla ren
non leixou do fogo, nen sol un sinal. 60
A Virgen nos dá saud' | e tolle mal...

92

COMO SANTA MARIA ALUMEOU UN CRERIGO QUE ERA CEGO.

Santa Maria poder á
de dar lum' a queno non á.

Ca de dar lum' á gran poder
a que o lum' en si trager 5
foi, que nos fez a Deus veer,
que per al non viramos ja.
Santa Maria poder á...

92 *E, T, To.*
M.: III.

E esta Virgen santa deu
pois lum' a un crerigo seu 10
que perdera, com' aprix eu,
que non vii' acá nen alá.
Santa Maria poder á...

E tan toste se fez fillar
e aa eigreja levar 15
da Virgen que non ouvo par
de bondade, nen averá.
Santa Maria poder á...

E chorando de coraçon,
fazia atal oraçon 20
en gẽollos con devoçon,
dizendo: "Sennor, que será
Santa Maria poder á...

Daqueste lume que perdi?
E porende venno a ti 25
que mio cobres, sequer ali
u a ta missa sse dirá."
Santa Maria poder á...

Enton logo ss' adormeceu,
e a Virgen ll' apareceu, 30
que aos seus non faleceu
nunca ja nen falecerá.
Santa Maria poder á...

E disse-ll' enton: "Logo cras
mannãa mia missa dirás 35
con devoçon, e cobrarás
teu lum', e que te durará
Santa Maria poder á...

Ta que a missa dita for;
ca assi quer Nostro Sennor, 40
que ch' esto faz por meu amor
e aynda che mais fará."
Santa Maria poder á...

O crerig' enton s' espertou
e log' a missa começou, 45
e seu lum' ali o cobrou;
ca non mentiu nen mentirá
Santa Maria poder á...

A Virgen que é de bon prez,
que lle seu lume cobrar fez 50
cada dia sempr' ũa vez,
como vos dissemos acá.
Santa Maria poder á...

93

COMO SANTA MARIA GUARECEU UN FILLO DUN BURGES QUE ERA GAFO.

Nulla enfermidade
non é de sãar
grav', u a piedade 5
da Virgen chegar.

Dest' un mui gran miragr' en fillo dun burges
mostrou Santa Maria, que foi gafo tres
anos e guareceu en mẽos que un mes
pola sa piedade que lle quis mostrar. 10
Nulla enfermidade...

Est' era mui fremoso e apost' assaz,
e ar mui leterado e de bon solaz;
mais tod' aquele viço que à carne praz
fazia, que ren non queria en leixar. 15
Nulla enfermidade...

93 *E, T.*
M.: A^6 B^5 A^6 B^5 / c^{12} c^{12} c^{12} b^{12} [AA/bbba].
Val./Muss. p. CIX-CX.

El assi mantẽendo orgull' e desden,
quiso Deus que caess' en el mui gran gafeen,
ond' ele foi coitado que non quis al ren
do mund' erg' ũ' ermid' u se foi apartar. 20
Nulla enfermidade...

E el ali estando, fillou-ss' a dizer
ben mil Ave Marias por fazer prazer
aa Madre de Deus, por que quisess' aver
doo e piadad' e del amercẽar. 25
Nulla enfermidade...

E el en atal vida tres anos durou,
sofrendo ben sa coita, e nunca errou
a Deus nen a sa Madre, e sempre rezou
as Aves Marias de que vos fui falar. 30
Nulla enfermidade...

E pois ouve rezado esta oraçon
quanto tenpo dissemos, mostrou-xe-ll' enton
a Virgen groriosa e diss': "Oi mais non
quero que este mal te faça lazerar." 35
Nulla enfermidade...

Quando ll' est' ouve dit', a teta descobriu
e do seu santo leite o corpo ll' ongiu;
e tan tost' a gafeen logo del se partiu,
assi que o coiro ouve tod' a mudar. 40
Nulla enfermidade...

Tanto que foi guarido, começou-ss' a ir
dizendo pela terra como quis vĩir
a el Santa Maria e o foi guarir,
por que todos en ela devemos fiar. 45
Nulla enfermidade...

94

ESTA É COMO SANTA MARIA SERVIU EN LOGAR DA MONJA QUE SSE FOI DO MÕESTEIRO.

De vergonna nos guardar
punna todavia
e de falir e d'errar 5
a Virgen Maria.

E guarda-nos de falir
e ar quer-nos encobrir
quando en erro caemos;
des i faz-nos repentir 10
e a emenda vĩir
dos pecados que fazemos.
Dest' un miragre mostrar
en ũ' abadia
quis a Reynna sen par, 15
santa, que nos guia.
De vergonna nos guardar...

Hũa dona ouv' ali
que, per quant' eu aprendi,
era menynna fremosa; 20
demais sabia assi
tẽer sa orden, que ni-
hũa atan aguçosa
era d' i aproveytar
quanto mais podia; 25
e poren lle foran dar
a tesoureria.
De vergonna nos guardar...

94 *E, T, To.* 14 un abadia *E To,* hũabadia *T.* 33 tro en que lli fez fazer *T,* tẽes que a foi fazer *To.* 86 prior *To.*
M.: A^7 B^5 A^7 B^5 / c^7 c^7 d^7 c^7 c^7 d^7 a^7 b^5 a^7 b^5 [*AA/bbaa*].
Val./Muss. p. XXXIII; Adgar 40. Cfr. ctg. 55.

Mai-lo demo, que prazer
non ouv' en, fez-lle querer 30
tal ben a un cavaleiro,
que lle non dava lezer,
tra en que a foi fazer
que sayu do mõesteiro;
mais ant' ela foi leixar 35
    chaves, que tragia
na cinta, ant' o altar
    da en que criya.
De vergonna nos guardar...

"Ay, Madre de Deus", enton 40
diss' ela en ssa razon,
"leixo-vos est' en comenda,
e a vos de coraçon
m' acomend'." E foi-ss', e non
por ben fazer sa fazenda, 45
con aquel que muit' amar
    mais ca si sabia,
e foi gran tenpo durar
    con el en folia.
De vergonna nos guardar... 50

E o cavaleyro fez,
poi-la levou dessa vez,
en ela fillos e fillas;
mais la Virgen de bon prez,
que nunca amou sandez, 55
emostrou y maravillas,
que a vida estrannar
    lle fez que fazia,
por en sa claustra tornar,
    u ante vivia. 60
De vergonna nos guardar...

Mais enquant' ela andou
con mal sen, quanto leixou
aa Virgen comendado

ela mui ben o guardou, 65
ca en seu logar entrou
e deu a todo recado
de quant' ouv' a recadar,
que ren non falia,
segundo no semellar 70
de quena viia.
De vergonna nos guardar...

Mais pois que ss' arrepentiu
a monja e se partiu
do cavaleiro mui cedo, 75
nunca comeu nen dormyu,
tro o mõesteyro viu.
E entrou en el a medo
e fillou-ss' a preguntar
os que connocia 80
do estado do logar,
que saber queria.
De vergonna nos guardar...

Disseron-ll' enton sen al:
"Abadess' avemos tal 85
e priol' e tesoureira,
cada hũa delas val
muito, e de ben, sen mal,
nos fazen de gran maneira.
Quand' est' oyu, a sinar 90
logo se prendia,
porque ss' assi nomear
con elas oya.
De vergonna nos guardar...

E ela, con gran pavor 95
tremendo e sen coor,
foisse pera a eigreja;
mais la Madre do Sennor
lle mostrou tan grand' amor,
—e poren bẽeita seja— 100

que as chaves foi achar
u postas avia,
e seus panos foi fillar
que ante vestia.
De vergonna nos guardar... 105

E tan toste, sen desden
e sen vergonna de ren
aver, juntou o convento
e contou-lles o gran ben
que lle fezo a que ten 110
o mund' en seu mandamento;
e por lles todo provar
quanto lles dizia,
fez seu amigo chamar,
que llo contar ya. 115
De vergonna nos guardar...

O convent' o por mui gran
maravilla tev', a pran,
pois que a cousa provada
viron, dizendo que tan 120
fremosa, par San Johan,
nunca lles fora contada;
e fillaron-ss' a cantar
con grand' alegria:
"Salve-te, Strela do Mar, 125
Deus, lume do dia."
De vergonna nos guardar...

95

COMO SANTA MARIA LIVROU UN SEU HERMITAN DE PRIJON DŨUS MOUROS QUE O LEVAVAN A ALEN MAR, E NUNCA SE PODERON YR ATA QUE O LEIXARON.

Quen aos servos da Virgen de mal se traballa
de lles fazer, non quer ela que esto ren valla. 5

Desto direy un miragre que hũa vegada
demostrou a Santa Virgen benaventurada
por un conde d'Alemanna, que ouve leixada
sa terra e foi fazer en Portugal morada
encima dũa hermida, preto da salgada 10
agua do mar, u cuidou a viver sen baralla.
Quen aos servos da Virgen de mal se traballa...

El Cond' Abran foi aqueste, de mui santa vida,
que fez mui gran pẽedenç' en aquela hermida
servind' a Santa Maria, a Sennor comprida 15
de todo ben, que aos seus sempre dá guarida,
ca a ssa mui gran mercee nunca é falida
a quanto-la ben serviren, assi é sen falla.
Quen aos servos da Virgen de mal se traballa...

Aquel sant' ome vivia ali apartado, 20
que nunca carne comia nen pan nen bocado
senon quando con cĩisa era mesturado,
e d' ele ja bever vinno non era penssado;
mas pero algũas vezes fillava pescado,
que dava sen aver en dĩeyro nen mealla. 25
Quen aos servos da Virgen de mal se traballa...

95 *E, T.* 42 saynd' a terra] faziã guerra *E.* 85 poren loores dadas *T.*
M.: A^{13} A^{13} / b^{13} b^{13} b^{13} b^{13} b^{13} a^{13}.

E macar ll' alguen por esto dÿeiros queria
dar ou algũus presentes, sol nonos prendia;
mais o que de comer era adubar fazia
pera as gentes que vĩian y en romaria, 30
ca ele os convidava e os recebia,
con que lles parava mesa en branca toalla.
Quen aos servos da Virgen de mal se traballa...

El atal vida fazend' en aquela montanna,
estand' un dia pescando com' era ssa manna, 35
chegaron ali navios de mouros, conpanna
que ben d'Africa vẽeran por correr Espanna,
e fillárono aginna e con mui gran sanna
deron con el no navio, oy mais Deus lle valla!
Quen aos servos da Virgen de mal se traballa... 40

E pois est' ouveron feito, fezeron gran guerra,
rouband' en mar quant' achavan e saynd' a terra,
e quiseran-ss' ir con todo. Mas a que non erra
d' acorrer a seus amigos nen lles porta serra
os fez que sse non poderon alongar da serra, 45
ca lles non valeu bon vento quant' é hũa palla,
Quen aos servos da Virgen de mal se traballa...

Con que movian de rrijo aos treus alçados;
e quanto toda a noite eran alongados
da pena, ena mannaa y eran tornados; 50
est' avẽo per tres noites aos malfadados.
E quando aquesto viron, foron espantados
e chamaron Mafomete, o fillo d' Abdalla.
Quen aos servos da Virgen de mal se traballa...

Mais o almiral dos mouros era entendudo, 55
que nom' Arrendaff' avia, e ome sisudo,
e nenbrou-lle daquel ome que fora metudo

53 Muḥammad ibn 'Abd Allāh.

ena sota da galea e y ascondudo,
e teve que por est' era seu feyto perdudo
e diss': "Amigos, fol éste quen a Deus contralla." 60
Quen aos servos da Virgen de mal se traballa...

E mandó-o tirar fora e pos-ll' our' e prata
deant', e panos de seda, outros d' escarlata,
e mandou que os fillasse come de ravata,
dizendo: "Do que te pagas", de ssũu os ata." 65
Mais desto non fillou ren e, ben come quen cata
por pouco, fillou un vidro de mui bela talla.
Quen aos servos da Virgen de mal se traballa...

E o almiral enton preguntou que om' era,
ou de fillar aquel vidro, porque o fezera. 70
E el lles contou enton qual vida mantevera
des quand' en aquel' ermida a morar vẽera;
mais de fillar aquel vidro muito lle prouguera,
e que al non fillaria do seu nemigalla.
Quen aos servos da Virgen de mal se traballa... 75

E eles, quand' est' oyron, fora o poseron
en aquel logar mẽesmo onde o preseron,
e que non ouvesse medo assi lle disseron.
Tan tost' alçaron sas veas, e bon vent' ouveron
e foron ssa via que sol non se deteveron, 80
fendend' as ondas per meo ben come navalla.
Quen aos servos da Virgen de mal se traballa...

Estas novas pela terra foron mui sõadas,
e gentes de todas partes foron y juntadas,
e a Santa Maria loores poren dadas; 85
mais el Cond' Abran acharon pois muitas vegadas
mouros que correr vĩian con barcas armadas,
e non lle fezeron mal, d' atant' ouv' avantalla.
Quen aos servos da Virgen de mal se traballa...

96

COMO SANTA MARIA GUARDOU A ALMA DUN OME BÕO QUE SSE NON PERDESSE, CA O AVIAN ESCABEÇADO LADRÕES, E FEZ QUE SE JUNTASSEN O CORPO E A TESTA E SSE MAENFESTASSE.

Atal Sennor
é bõa que faz salva-lo pecador. 5

Aquesto dig' eu por Santa Maria,
a que muito pesa de quen folia
faz, e que maneyra busca e via
que non cáia ome dun err' en peyor.
Atal Sennor... 10

Dest' un miragre vos darei recado,
que a Virgen fez fremos' e preçado;
e se eu poder, per mi vos mostrado
será, por que ajades dele sabor.
Atal Sennor... 15

Esto foi dun ome que feit' ouvera
prazer aa Virgen quant' el podera;
mais pẽedença prender non quisera
per conssello do demo enganador.
Atal Sennor... 20

El assi andand', un dia passava
per un gran mont' u conpanna estava
de ladrões con ũu que andava
con eles, que era de todos mayor.
Atal Sennor... 25

96 *E, T.* 2 e] falta *E T.* 4 Atal] Esta *E.* 23 ũu] un *E T.* 46 Vos] Uvos *E,* Avos *T.* 53 lacharan *E,* llacharã *T.* 73 omes *E T.*
M.: A^4 A^{11} / b^{10} b^{10} b^{10} a^{11}.
Val./Muss. p. XXXIV.

E quand' est' ome viron, se leixaron
correr log' a el; e poi-lo fillaron
fora do camỹ', o escabeçaron
por mandado daquel mao roubador.
Atal Sennor... 30

Dali fogiron poi-lo feit' ouveron.
E a quarto dia per y vẽeron
dous frades mẽores, e vozes deron
o corp' e a testa, ond' eles pavor
Atal Sennor... 35

Ouveron; e meteron ben femença
com' as vozes dizian: "Pẽedença
nos dade, por Deus e por sa creença,
por que non soframos pẽa nen door."
Atal Sennor... 40

Primeir' os frades foron espantados
do que oyron; mas pois acordados
foron, a test' e o corpo juntados
viron, e disseron: "Polo Salvador,
Atal Sennor... 45

Vos, corp' e testa, por Deus conjuramos
que per vos desto verdade sabiamos."
Respos a cabeça: "Ja outorgamos
per que cada ũu seja en sabedor
Atal Sennor... 50

De vos." E contou como o mataran
e come diabres alma cuidaran
levar que sen confisson acharan.
"Mas non quis a Virgen, das outras mellor,
Atal Sennor... 55

52 *alma*: = a alma.

Que per nulla ren o demo levasse
mia alma, mais que a testa tornasse
a meu corpo, e que me confessasse;
e ela des i foi mia aguardador."
Atal Sennor... 60

Quand' est' oyron, logo mantenente
fezeron os frades vĩir gran gente,
e confessou-sse verdadeyramente
ant' eles e disse: "Amigos, se for
Atal Sennor... 65

Vosso prazer, rogo-vos que roguedes
a Deus por mi e me ll' acomendedes,
ca bẽes aqui vos me veeredes
ora jazer morto e sen coor."
Atal Sennor... 70

Bẽes assi com' el disse foi feito
e o seu corpo tan toste desfeyto;
e os omees, pois viron tal preito,
aa Virgen deron poren gran loor.
Atal Sennor... 75

97

COMO SANTA MARIA QUIS GUARDAR DE MORTE UN PRIVADO DUN REY QUE O AVIAN MEZCRADO.

A Virgen sempr' acorrer,
acorrer
vai o coitad', e valer, 5
e valer.

97 *E, T, To.* 25 lleu *E T.* 33 ou de] onde *E T To.*
M.: A^{10} A^{10} / b^9 b^9 b^9 b^9 b^3 a^{10} [AA/bbbba].

Dest' un miragre vos contarey
que en Canete, per com' achey,
a Virgen por un ome dun Rey
fez, que mezcraran, com' apres' ey; 10
e ben sey
que o cuidaran a fazer morrer.
A Virgen sempr' acorrer, acorrer...

De tal guisa o foron mezcrar,
que o mandou log' el Rei chamar 15
ante si. Mas el con gran pesar
e con coita fillou-ss' a chorar
e rogar
a Virgen quanto mais podo fazer.
A Virgen sempr' acorrer, acorrer... 20

Demais un rico pano y deu
na eigreja e fezo-sse seu
ome da Virgen, com' aprix eu;
e est' avia nome Mateu,
a ben leu 25
pode-l-an en cas del Rei connocer.
A Virgen sempr' acorrer, acorrer...

E pois na eigreja pos seu don
e fez chorando ssa oraçon,
meteu-sse ao camỹ' enton 30
con mui gran med' en seu coraçon,
de lijon
ou de morte por tal mezcra prender.
A Virgen sempr' acorrer, acorrer...

E quand' u era el Rei chegou, 35
seus omẽes por el log' enviou;
mas aa Virgen se comendou
muit' el; des i ant' el Rei entrou
e parou
s' e pois começou-ll' assi a dizer: 40
A Virgen senpr' acorrer, acorrer...

8 Cañete (Cuenca). Cfr. ctg. 162.

"Sennor, vos enviastes por mi,
e tanto que vossa carta vi,
vin quanto pud', e áque-m' aqui."
E el Rei logo respos-ll' assi, 45
com' oý:
"Hũa ren querria de vos saber,
A Virgen sempr' acorrer, acorrer...

Se é verdade que tanto mal
fezestes, e tan descomunal, 50
como mi dizen." Respos el: "Qual?"
El Rey contou-lle: "Tal e atal."
Diss' el: "Val-
me, Santa Maria, con teu poder!
A Virgen sempr' acorrer, acorrer... 55

Esto que vos disseron, Sennor,
mentira foi, non vistes mayor;
e se a vossa mercee for,
meted' y un voss' enqueredor,
e mellor 60
podedes per y o feit' entender."
A Virgen sempr' acorrer, acorrer...

Respos el Rei: "Daquesto me praz,
e tenno que comprides assaz
e faze-lo quer', u al non jaz." 65
E meteu y un ome de paz
que viaz
fosse daquest' a verdad' enquerer.
A Virgen sempr' acorrer, acorrer...

Est' ome punnou toste de ss' ir 70
e fez gente da terra vĩir,
que foron o feito descobrir
da verdad' e de quanto mentir
e falir
foran al Rey. E fez-lo escrever 75
A Virgen sempr' acorrer, acorrer...

E enviou-llo. E pois abriu
el Rei aquel escrito e vyu
que ll' end' a verdade descobriu,
log' enton todo mui ben sentiu 80
e cousiu
que falssidade foran apõer
A Virgen sempr' acorrer, acorrer...

A aquel om'. E logo poren
lle perdõou e fez-lle gran ben, 85
e os mezcradores en desden
tev' e nunca por eles deu ren,
e des en
nonos ar quis de tal feito creer.
A Virgen sempr' acorrer, acorrer... 90

98

COMO HŨA MOLLER QUIS ENTRAR EN SANTA MARIA DE VALVERDE E NON PUDE ABRIR AS PORTAS ATẼEN QUE SSE MÃEFESTOU.

Non dev' a Santa Maria | mercee pedir
aquel que de seus pecados | non se repentir.

Desto direy un miragre | que contar oý 5
a omees e molleres | que estavan y,
de como Santa Maria | desdennou assi
ante todos hũa dona | que fora falir.
Non dev' a Santa Maria | mercee pedir...

98 *E, T, To.* 28 tas] das *To.*
M.: *N*^{7} A^5 *N*^{7} A^5 / *n*^{7} b^5 *n*^{7} b^5 *n*^{7} b^5 *n*^{7} a^5.
1 *Valverde*: Vauvert (Gard), Francia.

E o falimento fora | grand' e sen razon; 10
e porque ss' en non doya | en seu coraçon,
pero a Santa Maria | foi pedir enton
que entrass' en sa eigreja, | non quis consentir.
Non dev' a Santa Maria | mercee pedir...

Aquesto foi en Valverde, | cabo Monpisler, 15
u faz a Virgen miragres | grandes quando quer,
u vẽo aquesta dona, | mui pobre moller,
por entrar ena eigreja; | mas non pod' abrir
Non dev' a Santa Maria | mercee pedir...

As portas per nulla guisa | que podess' entrar; 20
e entravan y os outros, | dous e tres a par.
Quand' aquesto viu a dona, | fillou-ss' a chorar
e con coita a cativa | sas faces carpir,
Non dev' a Santa Maria | mercee pedir...

Dizendo: "Santa Maria, | tu, Madre de Deus, 25
mui mais son as tas mercees | que peccados meus;
e fas-me, Sennor, que seja | eu dos servos teus
e que entre na eigreja | tas oras oyr."
Non dev' a Santa Maria | mercee pedir...

Pois que aquest ouve dit' e | sse mãefestou 30
e do mal que feit' avia | muito lle pesou,
enton as portas abertas | vyu, e log' entrou
na eigreja muit' agȳa. | E esto gracir
Non dev' a Santa Maria | mercee pedir...

Foi ela e muita gente | que aquesto viu. 35
E sempr' ela en sa vida | a Virgen serviu
e nunca des aquel' ora | daly sse partyu,
ante punnou todavia | d' a Virgen servir.
Non dev' a Santa Maria | mercee pedir...

15 *Monpisler*: v. 63.38.

99

COMO SANTA MARIA DESTRUYU UN GRAN POBOO DE MOUROS QUE ENTRARAN HŨA VILA DE CRISCHÃOS E QUERIAN DESFAZER AS SSAS OMAGẼES.

Muito sse deven tẽer
por gentes de mal recado 5
os que mal cuidan fazer
aa de que Deus foi nado.

Dest' un miragre dizer
vos quero e retraer,
ond' averedes prazer 10
pois l' ouverdes ascuitado,
de que devedes aver
end' aa Virgen bon grado.
Muito sse deven tẽer...

Mouros foron con poder 15
hũa cidade prender
de crischãos e romper
dela o logar sagrado
e o altar desfazer,
u Deus era aorado, 20
Muito sse deven tẽer...

E as omages toller
das paredes e raer
a quant' eles abranger
podian per seu peccado, 25
que non prendian lezer
de as danar mui privado.
Muito sse deven tẽer...

99 *E, T.*
M.: A⁷ *B*⁷ A⁷ *B*⁷ / a⁷ a⁷ a⁷ *b*⁷ a⁷ *b*⁷ [*AA*/bb*aa*].

Hũa viron y seer
e mais bela parecer 30
das outras, e a correr
aquel poboo yrado
se fillou pola querer
destroir; mas en dõado
Muito sse deven tẽer... 35

Foron esto cometer,
ca lle-lo non quis sofrer
a Madre do que morrer
quis por nos crucifigado.
E poren s' ouv' a perder 40
aquel poblo malfadado,
Muito sse deven tẽer...

Que punnavan de ss' erger
pola britar e mover;
mas foron y falecer, 45
ca esto foi ben provado
que por ferir nen tanger
sol sinal non foi mostrado.
Muito sse deven tẽer...

E cuidaron perecer 50
todos e aly morrer,
e ouveron a saber
que era Deus despagado
en cuidar escarnecer
aquel logar tan onrrado. 55
Muito sse deven tẽer...

100

ESTA É DE LOOR.

Santa Maria,
Strela do dia,
mostra-nos via
pera Deus e nos guia. 5

Ca veer faze-los errados
que perder foran per pecados
entender de que mui culpados
son; mais per ti son perdõados
da ousadia 10
que lles fazia
fazer folia
mais que non deveria.
Santa Maria...

Amostrar-nos deves carreira 15
por gãar en toda maneira
a sen par luz e verdadeira
que tu dar-nos podes senlleira;
ca Deus a ti a
outorgaria 20
e a querria
por ti dar e daria.
Santa Maria...

Guiar ben nos pod' o teu siso
mais ca ren pera Parayso 25
u Deus ten senpre goy' e riso
pora quen en el creer quiso;
e prazer-m-ia
se te prazia
que foss' a mia 30
alm' en tal compannia.
Santa Maria...

100 *E, T, To.* 13 mui mais *que* nõ deuia *To.*
M.: A^4 A^4 A^4 A^6 / b^8 b^8 b^8 b^8 a^4 a^4 a^4 a^6 [*AA/bbbbaa*].

ÍNDICE DE LAS CANTIGAS

APÉNDICE

PROSIFICACIONES CASTELLANAS DE LAS CANTIGAS 2 A 25.[1]

[2]

[E]sta estoria es de cómo, en el tiempo de los godos, que regnava en España el noble Rey Restisundo, que en esa saçón que era arçobispo de Toledo sant Alifonse e que como las gentes eran nuevas en la creençia de la santa fe cathólica que avía estonce muchos erejes que dubdavan en la virginidat de Santa María e en otros artículos de la fe, e este Sant Alifonso como alunbrado de Espíritu Santo que ordenó muchos libros contra esta eregía, declarando esta santa virginidat e todos los otros artículos de la fe cathólica, por muchas e ciertas razones, e dize esta estoria que Sant Alifonso que se trabajava muy mucho, noche e día, en servir a Santa María, e que este Rey Restisundo andando con Sant Alifonso et con la clerezía en proçesión un día de fiesta, por la eglesia de Toledo, que esta bienaventurada Virgen que andudo í con ellos, en la proçesión, e que, en llegando al lugar onde estava enterrada Santa Locadia, que la bieron í a Santa Locadia vesiblemente que se levantava del monumento, e fazer onrra e reverencia a Santa María que venía en la proçesión, que ellos non la veían. E este Rey Restisundo, con esfuerço de Santa Alifón, llegó a esta virgen de Santa Locadia, onde estava levantada en el monumen-

[1] Son del siglo XIII y se encuentran a pie de página en el códice *T*. Como no hemos podido consultar el manuscrito, reproducimos la transcripción de J. Filgueira Valverde, *El "Códice rico"*, pp. 65 y ss., corrigiendo tácitamente algunos errores evidentes.

to, y por su mandado, travó de la mortaja que traía bestida e cortó de la manga della para en reliqas que ý están. E en esta vida de Sant Alifonso fabla que seyendo él primado de España e perlado e servidor de Santa María, que por sus sermones e declaraciones que en la loar demostró contra la ceguedat de los erejes e contra la porfía de los judíos, que convertió toda la maior parte de España de aquellos que esta eregía e porfían (sic) tenían, e que los perseguió tanto en pedricaciones et requerimientos de cada día, fasta que les fizo conoscer el entendimiento verdadero de la Santa Escriptura e de las profecías de la fe cathólica. E diz otrosý, en esta su Vida, que Santa María por le dar gracias, destas creyesen verdaderamente en lo que él dello en sus sermones les pedricava, que en un día en que le él fazía fiesta, seyendo todo el pueblo ayuntado en la eglesia a oýr las sus oras, e él revestiéndose para dezir la su misa, que esta bien aventurada Virgen que aparesció y con el coro de los ángeles e con grant compaña de vírgenes e de santos que con ella venían, e que tan grande fue la claridat e el resplandor del Santo Espíritu que ante ella veníe, que ovieron a caer amorteçidos todos los del pueblo que ý eran juntados; e que por la gracia de Dios que se levantaron e la vieron a esta sseñora e a sus ángeles e vírgenes como estavan allý en la eglesia con aquella grant claridat, e que esta señora, llamando por su nombre a este su siervo e su perlado que le dio una alva que se vestiese, e con que le dixiese misa todos los sus días e fiestas. E cuenta en esta estoria que después que sant Alifonso acabó sus días en serviçio de Dios e desta señora Virgen, que ovo a ser esleýdo por arçobispo de Toledo don Siagrio e que él, non seyendo en aquella perfecçión que sant Alifonso era, que pensó de se vestir aquella vestimenta que santa María avía dado a sant Alifonso, ca tovo que sy se la non vestiese, que las gentes que lo non avríen por tan digno commo a sant Alifonso. E un día de fiesta quel avía de deçir misa en la eglesia e quel pueblo de la çibdat ý era ayuntado, este don Siagrio pedió al tesorero de la eglesia que le diese aquella vestimenta para la vestir. E el tesorero, porque sabíe que era muy santa cosa como aquella que avíe venido del tesoro del cielo, dixo al arçobispo:

—"Señor, catad qué queres fazer, que esta vestimienta es de grant santidat, e santa Maria, quando aquí decendió, diola en donación a Sant Alifonso, para con que le dixiese él misa e le onrrase las sus fiestas. E Sant Alifonso encomendóla a la eglesia deste su sagrario para que fuese en grant garda e por grant tesoro, e sy la vós vestides non sabemos sy plagerá a Dios e a Santa María dello. E por esto ved primero sy a vuestra merced ploguiere lo que queredes fazer."

E el arçobispo, non catando a cosa desto, tomó la vestimienta e vestiosela; e asy como la vistió, ante todos cayó muerto en tierra, e los prestes e diáconos e personas onrradas de la eglesia que [ý] con él eran, despojárongela, e faziendo pregaria e oración a Santa María, tornáronla al sagrario onde fue sacada, e los perlados que después en Toledo fueron nunca jamás la osaron vestir; antes posieron en ella muy grant guarda.

E porque ésta es una muy grant joya que santa María dio en España, en esta cibdat de Toledo, el rey don Alfonso fizo a loor desta Señora una cantiga que diz asý:

Mucho devemos, varones, loar a santa María
que dá sus gracias e donas a quien por ella fía.

[3]

[E]sta estoria es de cómo un grant cavallero que avía nonbre Teófilo, seyendo muy rico e serviendo a Santa María en sus oraciones, e pregarias, e en alimosinar e facer mucho bien a los pobres, e seyendo casado con una dueña onrrada, que esomesmo era servienta de Santa María, que acaesçió, por tienpo como las riqueças son fallecederas, que los algos que avían que los perdieron e tornaron al mayor menester del mundo, e, con todo su menester nunca olvidavan a Santa María, nin desesperavan de la su merçed, antes façían sienpre de lo que podían por el su amor, e acaesció un día que ellos non teniendo de que se valiesen, que el diablo que tienta (?) a los tales tienpos, que veno a fablar con un judío encantador quel tenía por su siervo tienpo avía, e díxole:

—"O, el mi amigo al que yo fice muchos serviçios (?) en lo que tu queríes, ruégote que por lo mío que vayas a Teófilo un caballero servidor de Aquella [Señora...] en quien Dios veno por sacar de nuestro poder los nuestros siervos e fallarlo has en la mayor pobreza que ome nunca estudo ca do eran de antes ricos e bienandantes él e su mujer, son agora tornados a tan grand pobredat que non tienen de que se vistan, el día de hoy. E consejal' de mi parte que tú guysarás como se vea conmigo e que yo les daré dobladas las riquezas e onrra que de ante avían, otorgándose por míos e façiéndome carta en comō reniegan de Dios e de la su Madre e que nunca los sirvan nin fagan su mandado nin su servicio salvo el mío, e ellos con disesperación otorgar te lo an, e tú diles que esta carta que les mandase firmar e obligarse cada uno de los que esta carta que la fagan luego e yo aparecelles he luego con todos los algos que me demandaren." E el judío encantador, por la carga que del diablo teníe, púsolo luego en obra, e entendiendo que a la muger que la fallaríe más flaca, a la mover a esta razón, e que ella después que moveríe a su marido, veno primero a ella e ella, commo servidora de Santa María e nunca perdiendo della fiuza, dixo quella nunca tal negocio faría, aunque sopiese prender la muerte, ca más preçiava su muerte serviendo a Dios, que non onrras nin riquezas serviendo al diablo. E el judío, desque oyó esta razón, fue muy maravillado, e fuese luego a Teófilo, e preguntol por su fazienda, e el cavallero, pensando quel daríe algunt buen consejo en ella, contógela e el judío diole por consejo todo lo quel diablo le dixiera e el cavallero conociendo guarirse del su menester e cobdiçiando el algo e la onrra que de ante tenía, otorgólo e fezieron luego su carta e el diablo veno í con grant poderío de espíritus malignos e con mucho aver, e Teófilo adorólo e diole la carta, e el diablo diole de sus riquezas e Teófilo desque se vido apoderado en riquezas, por las non perder e conplir la promisión que al diablo feziera, dexava sus oraçiones e pregarias que a Dios e a Santa María solíe fazer e non fazie ninguna cosa del serviçio de Dios por non fazer pesar al diablo, pero su buena dueña nunca cesava de alimosnar los pobres e servir de noche e de día a Santa María e ella, desque vido quel su marido non era tan limosnero nin devoto a Dios commo de ante, pensó que aquellas riquezas que teníen quel diablo que las avíe dado a su marido e quél algunt niego avía fecho a Dios por quél non orava nin servía segunt solíe e preguntó a su marido que por qué fazíe aquello e afincándole en preguntas oró gelo todo a contar, e ella luego dixo:

—Señor, so maravillada de vós, en vós poder trastornar el diablo e desanparar vós a Dios e ala virgen su Madre que nos an a salvar, por el diablo en quien es toda perdiçión e que con sus algos fallecederos vos veno a engañar e ya me veno él a mí a tenptar, mas porque los sus bienes son males e las sus riquezas son muerte e pobredat, aviendo fe en aquella en quien Dios prendió carne e que a vós e a mí e a nuestra conpaña sienpre salvó e ayudó non di lugar a la su tenptaçión e desechelo de mí e sy esto fiz yo que so muger, qué deviedes vós, señor, fazer. Pero sy a vós ploguyese de vos repentir e tornar al su serviçio segunt de ante tengo que por la fiuza que yo en Santa María he que avría de vós piadat e vos ganaríe del su fijo perdón.

E Teófilo menbrándose delos muchos peligros en que se él vido e de que Santa María le libró, e entendiendo que este consejo quel era bueno para el alma e para el cuerpo fuese a la eglesia, e llorando mucho de sus ojos echóse en preçes ante la imajen de santa María e conosciendo el su pecado e el su error pediole perdón, e rogol que por la su santa virginidat le oviese merçed e piadat, e mandase al diablo quel tornase su carta. E el cavallero estando en esta oración, adormeciose e la Virgen aviendo duelo de la su contriçión mandó al diablo que la carta que la troxiese antella e tróxola e desque la ovo traýdo maltróxolo por el engaño que aquel su siervo él feziera, e dixol que pues que en esta vida en que la carta fuera fecha se arrepentía e se tenía por engañado que la carta non valíe e quel devía ser dada a ronper e quel defendíe que jamás destos engaños non tentase a sus siervos, ca ella los denfendríe. E la Virgen tomó la carta e diola al Teófilo. E mandole que se guardase de non consentir la tenptaçión del diablo por cosa quel aveniese e Teófilo despertó e vio la carta en su mano e por este miraglo que le acaesció rendió por ello grandes gracias a Dios e a la su bendita Madre, mostró la carta al obispo, e contole todo lo quel acaesçió. E el obispo ante todo el pueblo contó este miraglo e fizo grant sermón a loor de Santa María e este Teófilo e su buena dueña jamás sienpre servieron a Santa María e por este miraglo fizo el Rey don Alfonso la cantiga susodicha:

Más nos faze Santa María a su Hijo perdonar
que nós por nuestra follía le podemos fallir nin errar.

[4]

[E]sta estoria es de cómo, en la cibdat de Burgos, aviendo ý un judío que dezían Samuel, que lavraba en un forno obra de vedrio e seyendo casado con una mujer que dezían Rachel, que ovieran de consuno un fijo, e como havía grant tiempo que eran casados e non tenían otro fijo nin fija amavan a este moço su fijo muy mucho. E el moço desque començó a entender, todas cuantas cosas oýa tantas deprendíe. E con el buen coraçón que avíe, el padre e la madre ovieron su acuerdo de lo poner a leer, para que deprendiese lo que los otros niños christianos aprendían en leer e en estrueción. E el niño, estando de consuno, en la eglesia, con los otros estudiantes, vido un día de pasqua que los otros niños, sus conpañeros, que comulgavan, en la eglesia e paresciole a él que aquella comunión que ge la dava la ymagen de Santa María que estava en el altar e que el que viera aquella imagen con el su fijo Ihesu Christo tan resplandeciente e tan clara que era maravilla más que de ante le solía parescer. E en esta visión quel así vido tomó tan grant plazer que, con alegría grande de se allegar a aquella visión se ovo a poner entre los otros niños que comulgavan e a él paresciole que Santa María que le tomava por la mano e le dava su comunión, según fazía a los otros niños. E desque él ovo recivida la comunión fincó muy más alegre. E con grant alegría él e los otros niños fueron se cada uno dellos a sus posadas. E desque este niño llegó a casa de su padre, el padre preguntóle que en qué se detuviera e el fijo díxole que la Señora que estava en el altar con su Fijo avía dado comunión a él e a todos los otros niños con quien él deprendía. E el padre, desque esto oyó, tovo quel su fijo que era christiano, e pensando que lo avía perdido, creçiole tan grant yra e saña en el su coraçón e, con crueldat grande, perdió el seso e echó a su fijo en el forno del vedrio ardiente en que estava labrando. E, el niño dando grandes boces, acudió su madre e violo que estava ardiendo su fijo en el forno e, con grant dolor e sentimiento de su fijo, e el padre no la dexando llegar a él, sallió a la calle a dar bozes e los vezinos e otras gentes que por la calle pasavan, preguntáronle que por qué dava aquellas bozes e façía tan grant duelo, e ella díxoles que por su hijo que ardía en el forno del vedrio, que lo había ý echado su padre, e las gentes entraron al forno en quel moço estava, e ardiendo el forno a llamas vivas, vieron al moço e a una ymagen de muger que estava dentro de él que lo cobría con su manto e le guardava del fuego, e sacaron al moço sano e bivo, e preguntáronle se se sentía del fuego o de (?) algún mal e él dixo que non, ca la dueña que le comulgara en la eglesia, ante el altar, le defendiera con su manto del fuego del forno. E la judía, su madre, e todos los de su casa desque vieron este miraglo, bautizáronse con su fijo e tornáronse christianos a la santa fe cathólica e al judío padre deste niño, todo el pueblo metiéronlo en el forno e morió ý quemado, por la muerte cruel que dava a su fijo. E por este miraglo que la Virgen asy fizo, el Rey don Alfonso al su loor fizo esta cantiga que dize asy:

La Madre del que libró de los leones a Daniel,
esa del fuego guardó al menino de Ysrael.

[5]

[E]sta estoria es de cómo en Cesaria la de Suria acaesció un grant miraglo que Santa María fizo por Sant Basilio en que aveno asy, quel Enperador Juniano teniendo en voluntat de matar a los cristianos, por que era ereje, que sacó sus huestes muy grandes para yr sobrellos e yendo a tierra de Persia a los conquerir, que pasó por un camino que es ý en tierra de Cesaria çerca dela vía de una Sierra do Sant Basilio fazía vida e Sant Basilio por le fazer onrra e reverençia decendió de la sierra al camino a él onde pasava e omillándosele dixo al Enperador:

—"Aquel dios que non yerra te salve."

E Juniano le dixo:

—"Ome santo, sabidor eres e plázeme mucho, mas quiero que sepas tanto, que muy más sé yo que tú, ca yo sé bien eso que dizes e más todo lo que [escripto (?)] yaze."

E Sant Basilio le dixo:

—"Sabrás tú en quanto conoscieres a Dios tu criador."

E Sant Basilio non teniendo otra cosa con que le podiese servir, sacó pan de ordio e presentógelo e dixol:

—"Enperador, nós dar te hemos aquí de lo ageno, por Dios, ca pasó agora por aquí vna peregrina persona e del pan que consigo traía ofreciónos para con que pasásemos con él e tú tómalo en plazer de buena voluntat."

E Juniano respondióle: "pues tú a mí das pan de çeuada, dente a ty del feno que pacen las bestias, e fago te saber, por cierto que sy yo conquiero tierra de Persia que yo verne por aquí por este tu lugar e este tu monesterio con la tu çibdat de Cesaria, prometo te quelo destruya e por fazerio desto que feziste fazerte he que comas feno e que mueras de fanbre e sy este pan que me tú diste yo non vengo yo me ternía por egual de otro mi peor."

E sant Basilio, segunt el Enperador, le dixo que tomase del feno para su comer, tomólo e tornándose con el feno para su hermita que estava enla sierra dixo:

—"O, Juniano, feno me diste que comiese, feziste mal e este orgullo que contra mí as demostrado Dios telo demande que puede e vale ca lo que yo tengo encomendado es dela Virgen Madre del Salvador."

En desque el Enperador ovo pasado con sus huestes, Sant Basilio partió luego de su hermita e fuese para la çibtat de Cesaria e fizo al pueblo luego ayuntar llorando antellos de sus ojos, contándoles la gran deslealtad de Juniano e la su muy fuerte amenaza e maldat que contra ellos avíe dicho. E díxoles: "Amigos míos, roguemos a Dios e a Santa María que es madre de piadat que por la su santa virginidat nos libre deste traydor de Juniano."

E por que los Dios oyese, fízolos luego que ayunasen tres días e que non cesasen noche e día de orar e fazer pregaria con abstinençia de pan e de agua, faziendo sus vegillas con la mayor devoción que podían e venían todos llorando sus pecados e demostrando grant contriçión dellos, ante la ymagen de Santa María rogándole e pidiéndole merçed que ella como madre de piadat e carrera de salvaçión les salvase de aquel Enperador Juniano. E Sant Basilio estando con el pueblo en esta oraçión e seyendo todos cansados e maltrechos delas grandes abstinencias e ayunos que pasavan, adormeçióse Sant Basilio ally antel altar onde estava e adormeçido paresçióle en visión la Virgen Santa María con grant claridat e poderío de vírgenes que con ella venían, e díxol:

—"Basilio mío servidor, yo me quiero vengar de aquel mal fechor Juniano", e mandó luego llamar ante sy a Sant Mercurio que ý, en la iglesia estava enterrado e Sant Mercurio paresció ý luego e la Virgen díxol asy: Juniano el falso que razonó sienpre mal contra mi fijo e contra mí e quiere perseguyr alos míos; por cuanto mal nos él busca, danos derechos dél e sénos vengador ally onde él va muy follón e muy reguardado de los suyos. E así como Sant Mercurio esto oyó cavalgó en un cavallo e su lança en la mano e vénose onde Emperador Juniano estava con toda su hueste ayuntada, e asy como antel llegó, diole una lançada por el cuerpo de que cayó luego muerto en tierra e Sant Basilio vio todo esto en visión, ally onde dormíe antel altar, e commo despertó del suenno, falló en su mano un libro que la Virgen le dio en que falló todo esto asy escripto, e commo asy regresado de la visión que viera, llamó luego a su compannero, que ý con el era, e fueron amos al lugar onde estava enterrado Sant Mercurio e cataron sus armas que sobre su monimento estavan e non las fallaron e Sant Basilio tovo luego por cierta la visión que avía visto, e vénose luego a la conpanna del pueblo que ý era ayuntada e mostróles el libro que Santa María le avíe dado e contoles la visión que avíe visto e commo las armas de Sant Mercurio las avíe catado e non estavan ý segunt de ante e el pueblo veno luego a catar las armas al sepulcro de Sant Mercurio, e falláronlas ý salvo la lança que estava sangrienta del golpe que Sant Mercurio a Juniano avía dado, e ellos catando la lança e parando mientes en aquella maravilla, entró por la puerta dela eglesia un philósofo natural de la cibdat de Sur, que avie nombre maestre Libano, que el Enperador Juniano por la grant sçiençia que en él avía lo traýa toda vía consigo, e asy como por la eglesia entró, llegó ally onde Sant Basilio, con todo el pueblo de la çibdat estava yuntado, / e díxoles:

—"Varones, yo so venido aquí, a vós, dela grant hueste del Enperador Juniano, e vy que do estava el Enperador, entre el grant poderío de sus gentes, e armado de todas armas, que un cavallero blanco e reluziente commo el sol, que se non pudo conoscer de qual parte venía, que muy poderosamente que entró por entre toda la cavallería e con una lança de un pendón blanco que en la mano traía, dio una lançada al Enperador por medio del cuerpo que él nin los suyos non ovieron valor de se defender e cayó muerto en tierra. E este cavallero blanco desque la lançada al Enperador dio jamás non fue visto. E yr dexó la hueste toda movida e levantada para se tornar por esta muerte que al Enperador asy acaesçió. E por que yo entiendo que esto que a seydo obra de Dios e defendimiento de la santa creençia que vós avedes por la grant sobervia e crueldat que este Juniano sienpre demostró contra la vuestra fe. E por que yo he seydo muy grant pecador e errado en mantener muy contra razón la grant eregía de Juniano so venido aquí a vós conoscer la verdat e fazer penitencia del mi error e reçebir el santo bautismo de los cristianos. E por ende ruégovos que vos plegua en me reçebir en la vuestra conpaña e do fasta agora era pedricador contra la santa ley, doy en adelant quiero ser en loamiento della."

E Sant Basilio e todo el pueblo, ovieron muy grant plazer con esta nuevas e dieron por ello muy grandes loores a Dios e a la Virgen su Madre e dieron luego el santo bautismo al philósofo maestre Libano, e fezieron ese día un grant sermón a loor de la bienaventurada Virgen que los libró.

E la conpanna de la hueste venía por y e contavan esta muerte del Enperador de la guysa que acaesçió e conosçiendo la santa fe cathólica, e el error de la eregía en que con este Enperador estavan e con sermones que en declaraçión desta santa fe este maestre Libano les fazía recebían el santo bautismo creyendo verdaderamente en la linpia Virginidat de Santa María, e ordenaron que en aquel día feziesen sienpre fiesta a Santa María. E por este maravilloso miraglo fizo a loor desta sennora el Rey don Alfonso la cantiga suso dicha que diz asy:

Todos los santos de servir an sabor
a la Madre de Dios nuestro Salvador.

[6]

[E]sta estoria es de cómmo acaesçió que en Ingelaterra, seyendo casada una buena muger con su marido, que ovieron de consuno un fijo, e qu'el marido que morió; e al fijo, quedando niño pequeño, que esta muger teniendo al marido muerto en la iglesia, que ante la imagen de Santa María que ofreçió aquel su fijo e rogóla e pediéndol' merçed que pues otro bien nol' quedava, synón aquel fijo, que lo oviese por su encomendado e lo guardase de mal.

E el moço desque fue creçido (?) e sopo entender, que se delectava en cantar una cantiga a Santa María que dezía asy: "Gaude Virgo María, mal del judío que contigo porfía."

E esta cantiga dezíala tan sabrosamente que las gentes que ge la oýen tomavan ende muy grant plazer è fazíanle muchas ayudas, porque él e su madre eran menesterosos.

E con el bien que de las gentes reçibía dixo a su madre:

—"Señora por la fe que tenedes de aquí adelante non pidades, pues Santa María nos dà lo que avemos menester."

E la madre fízolo asy. E acaesçió que un día de fiesta, que seyendo juntados muchos judíos e cristianos que jugavan dados, que este moço cantó su cantar; e a los cristianos plazielos e los judíos avían dende grant pesar.

E un judío de los que jugavan tovo ojo a este moço para se vengar dél; e desque el juego ovo acabado, e partiéndose del perdidoso, falagó aquel moço e llevólo a su casa e metiólo dentro en una su bodega soterraña e diole una fachada por la cabeça quel' fendió hasta los dientes. E soterrólo en aquella bodega, entre las cubas.

E ese día esperava la madre a su fijo que veniese, e desque fue noche e non veno, començó a llorar por él. E desque otro día amanesçió, e non sabía dél parte nin mandado, començó muy fuertemiente a se carpir e matar por él; e commo muger cuytada, preguntando por las calles a unos e a otros, llegó a ella un ome, e díxola en cómmo viera a su fijo [...] noche de ante que lo llevava a su casa el judío que jugava los dados.

E ella, desque sopo, baruntó de su fijo con otros omnes. Fue a casa del judío, e dándole grandes bozes, pediole su fijo; e el judío, commo espantado e temeroso de lo que avía fecho, nol' pudo responder.

E ella como raviosa, tornóse contra Santa María e díxole:

—"Señora, por la encomienda que yo del mi fijo te fize, pido de merçed que me lo demuestres sano e vivo, sy non me farás grant tuerto e por siempre diré que yerran los que se a ty encomiendan."

E ella deziendo esto, en casa del judío sonó en la bodega bozes del niño que estava cantando "Gaude Virgo María la Gloriosa, mal del judío que contr'ella prosa."

E entonçe entraron todos assy como estavan a la bodega e fallaron el moço sano e vivo cantando la su cantiga e la su madre preguntó a su fijo syl avían fecho algunt mal, e él mostrol la ferida quel judío le diera, e que oviera después atal sueño fasta que Santa María lo llamó para quel cantase aquella prosa. E desqu'el moço esto dixo, las gentes que ý eran, prendieron al judío e quemáronlo en fuego e por esta avenencia (?) que este judío fizo mataron a todos los otros judíos.

E por ende el Rey don Alfonso, a loor de la Virgen, fizo la cantiga suso dicha:

La que del linaje del buen Rey David decende
miémbrale, creed a mí, del que por ella mal prende.

[7]

[E]sta estoria es de cómo en tierra de Boloña avía un monesterio de dueñas a vocaçión de Santa María en que avía una abadesa que las guardava, e las reprehendíe, e las castigava por que serviesen a Dios e a Santa María, e guardasen su regla e su orden. E esta abadesa avía un mayordomo que proveýe su fazienda, e, por tenptaçión del diablo, el mayordomo e el abadesa ovieron de se juntar en uno carnalmente, de que ella fincó preñada. E las monjas, desque vieron qu'el vientre de la dueña crescía, e que non se podía encobrir, antes que ennasciese, por enojo que desta abadesa avían por las premias e guardas que ella les poníe, por tal de la desponer, ovieron su acuerdo, e enbiaron su carta con su acusaçión al obispo del error que la su abadesa avía fecho, e que le pedían por merçed que viniese aý al monesterio e que vería este mal fecho. E el obispo en esa sazón estava en Colonia, pero desque vido las cartas, por estrañar tan mala cosa como ésta, vénose luego al monesterio. E el abadesa, pensando qu'el obispo venía ý por otra cosa, paresçió ant'él, su cara alegre e syn ningunt mal fazer. E el obispo díxol:

—"Dueña, por quanto yo de vós sé tenedes mal vuestra fazienda, ca conviene que ante que yo d'aquí parta, sea yo cierto de un grant pecado que vós fezistes."

E la dueña començó a entristeçer e a pararse en otro tenor como muger que sabía que la su culpa era descobierta. E mientra qu'el obispo se aposentó e comió, ella encerróse en su cámara, e ante la imagen de Santa María començó a llorar tan fuertemente que se le quería arrencar el alma, pediéndole pardón e merçed del su pecado, e que la quesiese acorrer e valer a esta su grant tribulaçión en que estava, e la librase de verguença, e que ella sienpre le serviría e le conosçería esta granada merçed. E estando en esta pregaria e contriçión, adormióse; e en tanto, la Virgen Santa María mandó a sus ángeles que le sacasen el fijo que tenía en el vientre, abriéndole el costado diestro onde lo traýa, e que lo llevasen a criar a tierra de Sansueña en unos montes do un santo hermitaño estava. E la dueña vídolo en su soño que le acaesçía esto, como en visión. E despertó espavoresçida e temerosa de la llaga del su costado; e requeriose toda e fallose syn fijo e syn llaga e syn ninguna lisión; e rendió grandes graçias a la Virgen Santa María que asy la avía librado. E quando el obispo veno a saber este fecho, paresçió ella ant'él e el obispo re[cos]tole la acusaçión e lo que las monjas por sus cartas le avían enbiado dezir. E ella, poniendo sus salvas, el obispo, díxol':

—"La mayor salva que vós en esto podedes fazer es que ante estas dueñas, que vos acusan, que vos mostredes sy es verdat como ellas dizen, sy vós estades ençinta o sy non."

E ella luego que esto oyó, como muger que veýa que Santa María era en su ayuda e que la avía librado, despojose e mostró ý su cuerpo públicamente ante las otras dueñas e ant'el obispo. E las dueñas fincaron maravilladas de cómo non estava ençinta. E el obispo díxoles:

—"Dueñas, ya vedes que do non ay más prueva, ésta salva es."

E reprehendiéndolas por lo que contra su abadesa avíen dicho, partió dende; e ellas fincaron con grant verguença de su acusaçión. E la abadesa quitose de pecar e fizo mucho serviçio a Santa María. E por este miraglo fizo el rey don Alfonso la cantiga susodicha que diz:

A santa María mucho devemos rogar
por qu'el pecado non nos faga errar.

[8]

[E] sta estoria es de cómo en Rocamador ante la imagen de Santa María, estando un juglar que dezían Pedro de Sigrar, cantando en una vihuela de arco cantigas de Santa María, e poniendo su devoçión en los cantares, que con contriçión, que començó a llorar de sus ojos e a dezir:

—"Señora, sy a vós plaze destos mis cantares, dandos una candela a que estemos."

E mientra él esto asy dezía non çesava todavía de tañer en sus cantigas e loores qu'él dezíe, e do el estava asy en este pensamiento con la otra conpaña de la eglesia, que ý velava, aparesçiol' ençima de la cabeça de la vihuela que estava ý puesta, una candela. E un monje tesorero de la eglesia que ý estava fue a travar de la candela e tomóla e púsola en el candelero que estava ante el altar. E el juglar, taniendo su vihuela e deziendo sus cantigas, la candela como de cabo, posóse en la vihuela segunt de ante, e el monje yradamente tomóla commo de cabo púsola en el candelero. E atóla con una cuerda e dixo contra el juglar:

—"Sy bien encantades non acá tratedes (?) desto, ca por sabedor vos avré sy la candela fazierdes yr otra vez."

El juglar, por non enbargar sus cantigas, e veyendo que plazíe dellas a Santa María, nol' quiso responder; e el monje teniendo ojo a la candela, vido cómmo de ante que non lo aprovechando el atadura qu'él a la candela avía puesto ni la guardia... que él a ella fazie que la candela por sy se moviera (?) ella sin cosa, que se le asentó en la vihuela; e el monje, non parando mientes en cómmo esto era miraglo de Santa María, veno donde ante, a querer travar de la candela, e las gentes que ý estavan e que avían visto esta maravilla dixiéronle:

—"Frayle, pecador, do tienes tu entendimiento en querer contrallar la voluntad de Santa María, esto non te lo sofriremos, que más plaze a Santa María que la candela que la tenga el su juglar que non que la tomes tú."

E el monje, parando mientes que l'dezían verdat, conosçió el su error, e teviéndose por muy pecador, echóse de hinojos (?) antel' juglar e pediole perdón; e de ally adelante, reconosçiendo el juglar el miraglo de la candela que Santa María la diera, non se trabajava en otro servicio synón en el de Santa María. E traýale de cada año en tal día un çirio ant'ella, e por este miraglo fizo el rey don Alfonso la cantiga suso dicha:

Todos lòar devemos con alegría
quantos su bien atendemos de Santa María.

[9]

[E]sta estoria es de cómo en Sardeña çerca de Domas ovo una dueña de santa vida que fazía mucha limosna a los pobres, e albergava por el amor de Dios todas las gentes e romeros que por allý pasavan, dándoles lo que mientra ý estavan avían menester. E acaesció que un monje que yva a Jherusalem que pasó por ý e poso con ella, e díxol ella:

—"Sy Dios vos guýe, ¿ydes a Françia?"

Díxol él:

—"Señora, más (?) antes vo a tierra de Suria, a la casa santa de Jherusalem, a fazer reverençia al santo sepulcro de Nuestro Señor Jesu Cristo."

E la dueña, con devoçión de aquella romería, començó a llorar de sus ojos e díxol' que, pues a Jherusalem yva, aquel rogava e pedíe en mesura que, desque su voto oviese conplido, que veniese por ally e quel' troxiese una semejança de la Madre de Dios, por que ella le fuese guyadora e lo librase de los peligros a él e a todos los otros que se a ella encomendasen. E el monje prometiógelo, e, desque fue en Jherusalem e conplió su voto, non le menbrando de la imagen que a la dueña prometiera, dixo a su conpaña:

—"Vayamos de aquy que grant morada avemos aqui fecho."

E, en queriéndose partir, oyó una voz quel' dixo:

—"Non te mienbra de la promisión de la imagen; cata, que te non salvaríes por olvidança."

E el frayre, como oyó esta voz, e le fue remenbrado, sosegó su partida e fue buscar la ymagen, e conpró una, la mejor obrada que él pudo aver, e levóla consigo; e yendo por el camino a una asomada de entre unos árboles muy espesos, topó con él un león muy grande e muy valiente; e fízole senblante de omildança e dexólo yr en paz. E el monje, desque vio yr al león syn le fazer enojo, alçó las manos a Dios, loándole la merçed quel avíe fecho, e tovo quel' guardava Dios por onrra de aquella ymagen que consigo traýe. E andándose asy un poco, e remenbrándosele de la fuerte visión del león, apartóse yacuanto del camino, e unos ladrones que por ý albergavan, que robaban a los romeros, salieron a él deziendo:

—"Matémoslo e tomémosle lo que trae."

E ellos, esto deziendo, oyeron una boz del çielo que les dixo:

—"Non pongades en él las manos, ca nós somos gardadores de los que mal le quisieron fazer, e sy contra él fuerdes, catad que tomaremos de vós muy grant vengança."

E los ladrones fincaron espantados desta boz que asý oyeron e non le fezieron enojo. E el monje dieron [*sic*] loores a Dios e dixo en su voluntat:

—"Sy Dios me ayude, esta imagen porné yo en Costantinopla en nuestra orden, e a la dueña ni a otra parte nunca la daré (?)." E entró luego en una nave con otra gente, e singrando la nave, recudióles una tormenta que cuydaron peresçer, e, por el grant peligro, echaron a la mar todo lo que traýan; e cresçiéndoles la tormenta para se ý a peresçer, oyeron una boz que les dixo que tomasen la imagen de Santa María qu'el frayle traýa, que la alçasen contra el çielo e la (?) orasen, e que çesaría la tormenta. E ellos feziéronlo asy; e luego çesaron los vientos e la tormenta en que estavan, e salieron a puerto. E el monje fue con su imagen a posar a casa de la dueña para quien la traýa; e non lo conosçieron nin sabían quién era, ca los huespedes que por ý venían eran tantos que non tenían conosçimiento dellos; e el monje, por non dar ý la imagen, según lo posiera en su voluntad, non se quiso descobrir. E en queriéndose partir con su imagen, dende fallóse turviado, desconosçiendo las entradas e las sallidas de la casa; e non sabiendo qué fazer de sy, pensó que le avenía esto por el engaño que a la dueña fazía en le non dar la su promesa, e llamóla luego e remenbróle la promisión e lo que en el camino le acaesçiera e presentóle la imagen.

E la buena dueña tomó en ello el mayor plazer del mundo e aoróla; e con grant onrra e reverençia levaron la imagen a la eglesia e posiéronla en el altar; e paresçió luego que la imagen era propia verdadera carne; e salió della olio abondamiente para los que lo querían tomar e faze oy día, en aquel lugar, muchos miraglos. E a loor d'este miraglo fizo el rey don Alfonso la cantiga susodicha que diz asy:

Por que nós ayamos sienpre della remembrança
nos faz muchos merçedes en la su semejança.

[10]

[E]sta estoria es de cómo la muy santa e muy alta e muy noble, mucho onrrada e más bienaventurada que otra criatura, Virgen gloriosa, sabia, Santa María, reyna del cielo e de la tierra, es nuestra Señora e nuestra abogada e medianera entre Dios e nós; fue e es, e sienpre será conplida de fermosura, e de beldat e de sçiençia, e de piadat e misericordia (?) e todas las otras virtudes e bienes aver e alcançar e que es

Rosa de las rosas e flor de las flores
e dueña de las dueñas e señora de las señoras

e que es

Rosa de beldat e de parescer
e flor de alegría e de plazer
e dueña muy piadosa en nos toller
nuestras cuytas e nuestros dolores.
Que esta tal señora que devemos mucho amar,
porque de todo mal nos puede guardar,
nuestros pecados nos faz perdonar,
que nós fazemos por malos sabores,

e que

La debemos siempre servir
porque puña de nos guarir
e de los yerros nos faz repentir
que nós fazemos como pecadores.

e que

Debemos sienpre trabajar
por todavía su amor ganar,
ca es valiosa e muy celestial
e non valen (?) nada los otros amores.

Se dize en esta estoria que, por quanto el buen Rey don Alfonso el Sabio, seyendo en grandes peligros, le sacó a su onrra todavía (?) dellos, que, por non perder él su amor e alcançar della tanta merçed, que se apartava a la loar en cantigas e en loores, por se quitar de diablo e de sus tenptaçiones que en cobdiçia de las almas (?) costumbra tentar a los grandes señores, por lo que esta Señora le gane perdón del su glorioso Fijo e lo lleve a la santa gloria de paraýso. E nós seamos dignos de yr al su serviçio. Amén.

[11]

[E]sta estoria es de cómo en una abadía de monges de Cístel, seyendo ý un frayre que era tesorero e sancristán del monesterio, ovo a ser temptado del diablo, e enamoróse de una dueña con la qual fazía yerro de luxuria. E quando a este yerro avía de yr, non tañíe a maytinos e abríe las puertas de la orden e sallíe e ývase a la posada della; e ella cómo sabíe, de ante, la noche en que el avíe de venir, esperándolo velava tanto fasta quél veníe. E él todavía avíe en costunbre, que cada que entrava e salíe por el monesterio, sienpre se omillava ante el altar e fazíe su reverençia e dezíe una Ave María. E acaesçiól que una noche, segunt otra vezes lo avíe costunbrado que abrió su orden, e yéndose para casa de aquell buena (?) dueña, que, pasando por un río que se fazíe en el camino por do avíe entrar a la çibdat, quel diablo, cuyo mandado él fazíe, que lo echó dentro en el río e lo afogó. E los diablos ayuntáronse, e, con grant alegría, reçibiéronle el alma. E remenbrando a Santa María de la su saludaçión, mandó a los sus ángeles quel veniesen ý acorrer, e los ángeles fallaron el ánima que estava ya en poder de los enemigos; e ellos, cómo vieron a los ángeles, dixiéronles que se fuesen su vía, que aquella ánima judgada les era por suya, porque moriera en su serviçio. E los ángeles partieron dende, pesantes de aquella razón, e contáronlo asy a Santa María. E ella veno luego contra los diablos, feriéndolos e trayéndolos mal porque avíen engañado al su siervo, e mandóles que desanparasen el ánima que era de su encomienda della, por que tornase al cuerpo e feziese penitençia. E ellos desanparándola, e los ángeles reçibieron el alma e tornáronla al cuerpo del monje; e Santa María mandóle que faziese penitençia e nunca jamás tornase al error; e el frayre fízolo asy, e estando el frayre çerca del río onde cayera, los monjes del monesterio andándolo buscando, falláronlo ý muy mal trecho e muy espavorido de lo quel acaesçiera. E él, confesándoseles contóles el su pecado e el su error e de cómo Santa María le avía resusçitado e tornado el alma que la llevavan los diablos, e que jamás él nunca saldría del monesterio synón serviendo a Santa María; e los monjes muy espantados de lo que les contava e de la grant piadat de Santa María, tomaron el su frayre, e cantando con él la ledanía, leváronlo faziendo su pregaria ante el altar de Santa María.

E por este miraglo fizo el rey don Alfonso la cantiga susodicha a loor de Santa María que diz asy:

Maguer ome por follía caya en pecado,
del bien de Santa María non es desanparado.

[12]

[E]sta estoria es de cōmo en la çibdat de Toledo, en una fiesta que la eglesia faze a Santa María, mediada agosto, seyendo en la eglesia todo el pueblo que ý era ayuntado, asy de la çibdat cōmo de otras partes, segunt es costunbre de venir a esta fiesta, que los judíos de la judería de Toledo, por escarneçer de la ley de los cristianos, que fezieron una ymajen de çera en semejança de la que el Nuestro Señor reçibio muerte en la cruz †. E en su signoga posieron una cruz alta en que cruçificasen a esta imagen, faziendo entender a los otros judíos que aquel era el Dios de los christianos. E en esa ora que ellos esto fazíen, estando cantando el arçobispo la misa en la eglesia e deziendo la segreta (?) en el altar, oyó una boz de dueña que fablava, muy piadosa e doloridamente, e como llorando dezía:

—"Varones, siervos de mi Fijo e míos, cómo es grande la porfía de los judíos, que al mi Fijo cruçificaron, que aún agora non quieren aver paz e fazen eso mesmo a su semejança."

E el arçobispo preguntó al pueblo sy oyera aquella voz e todos contáronla de la guysa quel arçobispo al altar lo oyera, e mandaron al alguazil que fuese a la judería e catase ally, ó los judíos estodiesen juntados, sy fazíen alguna cosa contra la fe de los christianos. E falláronlos en aquella obra do querían cruçificar la imagen. E el alguazil, con los otros christianos que con él yvan mataron luego a todos los judíos que en aquel fecho fallaron. E por esto fizo el rey don Alfonso la cantiga suso dicha en que diz:

El que a Santa María más desplaz,
a su Fijo pesar grant faz.

[13]

[E]sta estoria es de cómo un ome seyendo ladrón que avía nombre Elbo e andando faziendo sus furtos por do le acaescíe que ante quel furto començase, yva sienpre ante la imagen de Santa María e dezíe ante ella una Ave María e acomendávasele quel cuydase valer en el mayor menester quél oviese e acasçió asy que en un día quél avíe fecho un furto que, en saliendo de la posada con el furto, quel merino que lo tomó con él mandólo enforcar. E estando en la forca para se afogar, la Virgen Santa María, que non olvida los serviçios quel fazen e la devoción que se pone en el su amor, acompañada de las vírgenes e de los ángeles, sostóvolo con sus manos en la forca. E estudo asy tres días e tres noches; e a cabo de los tres días, el merino pasó por ý, e metió mentes en él, e vídolo bivo; e por que moriese, mandó que le corriesen el lazo de la soga, ca tovo que luego serie afogado. E la Virgen, que de ante lo guardava, aguardólo entonçe, e el ladrón estando bien esforçado, como sy mal nol feziesen, dixo:

—"Sed çiertos que non me podedes matar que Santa María está comigo que me sufre con sus manos."

E el merino, porque veýe que Santa María lo defendíe, mandólo descolgar. E el ladrón, conosçiendo la merçed que Santa María le avíe fecho, non quiso bevir al mundo e ofreçióse del todo a Santa María e reçibió el ábito de la orden de los monjes blancos que es avocación de la su virginidat, e puñó de la sienpre servir e de guardar su orden e fizo penitencia de su error e acabó bien. E por este miraglo fizo el rey don Alfonso una cantiga a loor de Santa María que diz asý:

Como Jesu Cristo en la cruz salvó al ladrón en se confesando, a su madre otro tal por la saludando.

[14]

[E]sta estoria es de cómo en un monesterio antiguo de monges de Cístel, que es çerca de la çibdat de Coloña, que llaman el monesterio de Sant Pedro e fazen ý su vocaçión, que ovo ý un monje que se delectava más en lo que a la carne le plazíe que en guardar su orden; e seyendo enfermo, por sanar de la dolençia, bevió una melezina con que luego le sallió el alma. E el diablo cuyas obras él fazíe reçibióle el alma. E Sant Pedro por ser (?) aquel frayre suyo, pedió perdón a Dios por él, e el Nuestro Señor díxol:

—"Pedro, bien sabes tú que ninguno non puede venir a mí sy non tan linpio commo lo yo anduve(?)."

E Sant Pedro rogó a los otros santos sus conpañeros quel' ayudasen a rogar por el ánima de aquel su frayre; e ellos con él fincaron los inojos ante la Magestad del Señor, rogándole por aquel ánima; e El diolos la responsa que de ante avía dado e Sant Pedro, e los santos fueron ante Santa María que por la su santa piadat deñase rogar al su glorioso Fijo por el ánima de aquel frayre pecador. E la Madre de Dios por el su ruego con todas sus vírgenes e santas, fue ant'el Señor a pedille este don; e el su bendito Fijo otorgógelo con condiçión qu'el ánima tornase al cuerpo a emendar su error. E el frayre resçuçitó e la regla de su orden muy bien guardó, e en serviçio de Santa María se delectó. E por esto el rey don Alfonso, a loor d'esta señora, la cantiga susodicha ordenó, que diz asy:

Por Dios mucho es grant razón
de poder Santa María más de quantos santos son.

[15]

[E]sta estoria es de cómo el enperador de Roma que dezían Aurelio, seyendo casado con una santa dueña que avía por nonbre Beatriz, que esta su muger que era de las fermosas e apuestas mugeres del mundo e de buen seso e de buenas costumbres; e su vida era todavía estar en oraçión e servir a Dios e a Santa María. E amava a su marido más que a otra cosa del mundo, e por estas bondades el emperador amávala e queríala más que a sy. E el enperador, con voluntad de servir a Dios e salvar su ánima, dixo que quería passar la mar e yr en romería a Jherusalem; e fablólo con un su hermano e encomendóle el enperio, e mandóle que obedeçiese a la emperadora su muger, e feziese quanto ella mandase. E entró en la mar e seguía su romería. E asy como partió de Roma, este su hermano fue vençido de temptaçión del diablo, e enamoróse de la enpeladriz e díxole que la amava muy de coraçón. E la santa dueña, quando le oyó esta trayçión fue muy espantada, e, por non dar lugar al su mal pensar, mandólo prender e ençerrar en una torre, jurando que ý lo farie fazer penitençia de su maldat. E el enperador estudo en aquella romería dos años e medio, e desque andudo toda tierra de Jherusalem e conplió su romeraje, queriéndose venir para Roma, enbió saber a la enpeladriz commo se veníe. E la santa dueña, con grant plazer de la su venida non quiso más parar mientes al error del hermano e mandólo soltar. E el mal omne, desque se vio suelto, syn se despedir de la enpeladriz, partió de Roma, los cabellos e la barba cresçidos, e vestido de duelo, e fue asý a reçibir a su hermano el enperador. E el enperador, desquel' vio, preguntól' qué era aquello. E él, apartóse con él, e mostrándol', con lloro, grand sentimiento e dolor, díxol' en cómmo la enpeladriz su muger lo mandara prender porque él no quisiera errar con ella. E el enperador, des que esta trayçión de su muger oyó, como le avía grant amor, sentió en sý tan gran pesar que oviera a morir. E, luego, quando más pudo, començó de andar fasta que llegó a Roma; e syn saber más verdat, desque vio a su muger, oteóla yradamente e diole con la mano una ferida en el rostro e mandó a dos sus monteros que la sacasen fuera a un monte e que la matasen. E los monteros llevándola, pensaron de la desonrrar; e queriendo obrar su mala entençión, la santa dueña començó a llamar a Santa María, a quien ella sienpre serviera, que la veniese acorrer. E luego veniendo por ý un conde, que con sus cavalieros andava a caça, oyendo las bozes de la santa dueña, veno la acorrer e sacóla de poder de aquellos monteros. E díxol: «Señora, ¿quién sodes?» E ella díxol':

—"So una muger pobre e cuytada que de la vuestra limosna he menester."

—"Par Dios, señora", dixo el conde, "esto faré yo muy de talante pero, señora, la condesa mi muger e yo avemos un fijo, e porque me paresçedes dueña de onrra e de bien, sy vos ploguyese de nos lo criar faríedes en ello vuestra pro". E como le esto dixo, levóla luego consigo a la condesa, su muger, e díxole que aquella dueña le paresçíe muy buena para aya de su fijo, ca era fermosa e sinple e teníe quel sería [leal?] e posiéronle luego el niño en poder. E desque la santa dueña lo reçivió començólo a criar (?) lo mejor e más apuestament que ella podía. E un hermano del conde de la grant apostura desta dueña óvose a enamorar, e pediόle su amor, e la santa dueña non le queriendo responder a su mala entençión, pensó de se della vengar, con grant trayçión. E estando la dueña dormiendo con este su criado, veno este hermano del Conde e degolló al sobrino e púsole el cuchillo en la mano porque entendiesen que por la mala guarda del su ama moriera. E como la santa dueña al niño sentió muerto, començó a llorar e a matarse deziendo:

—"Mesquina, ¿qué faré o qué sera de mí?"

E al su llorar recudió el conde e la condesa e preguntánronle por que llorava asy, e dixo que por el su fijo que fallara muerto. E el traydor del hermano del conde, que esta trayçión (27) feziera veno luego a la santa dueña e díxol:

—"Agora seré yo vengado de ty, de cuanto desplazer me feziste ca mataste al mi sobrino, por cofondernos a todos e tú serás penada de mis manos, sin acorro ninguno."

E tomóla luego por los cabellos e batióla a sus pies, feriéndola muy mal, e sy non por la condesa que ge la tomó de las manos, dando coçes en ella, queríala matar e de los que ý estavan los unos dezíen que la quemasen e los otros que la degollasen, e otras justiçias crueles.

E asy estando acordaron que la echasen en el mar, e posiéronla en una barca e mandaron a unos marineros que la echasen en el agua, para que se afogase. E los marineros, veyendo la su beldat pediéronle el su amor, e travando de ella, llamando ella a Santa María que la acorriese, oyeron una boz que les dixo:

—"Tirad de la dueña vuestras manos, si non aquí pereșçeredes."

E los marineros, con temor de lo que oyeran, dixieron:

—"Pues desto a Dios non plaze, dexémosla sobre esta peña en que bate la mar, do muy aýna la cobrirá el mar e morra."

E com̃o la posieron, la santa dueña acomendándose a Dios e faziendo oraçión, adormeçióse e la Madre de Dios, a quien ella servíe, non la quiso olvidar e puso a la su cabeça una yerva tan fermosa e de tan noble olor con que sel quitó la fanbre e el enojo e muerte que teníe, e díxol:

—"La mi dueña e mi servidora, yo te trayo este don con que sanes a todos los gafos que a ti venieren e de sus pecados se confesaren, e conórtate en el mi serviçio que sienpre seré contigo."

E desque la santa dueña despertó e falló la santa yerva, así como esforçada dixo:

—"Señora Madre de Dios, benditos son aquellos que en ty fían, ca de la tu santa merçed nunca son falleçidos."

E deciendo esto, vio venir cerca de si una nave de romeros que en ella yvan en romería e, por ruego que la santa dueña a los de la nave feziera aviendo duelo de ella, recogiéronla ý, e asy como la nave a la foz de Roma llegó, la santa dueña, con su yerva, un gafo sanó e otros muchos gafos veníen a ella para que los sanase. E ella, com̃o Santa María le mandó, fazíalos confesar de sus pecados e dávales la santa yerva, con que eran luego asý sanos. E seyendo la voz desta salud, asý ovo acaescer quel hermano del conde seyendo gafo, quel conde que veno a ella e rogóle que sanase aquel su hermano, e ella díxol que lo non guariríe fasta que confesase todos sus pecados antél e ante la condesa su mujer. E el maguer lo recusó, con la graveza de la malecia díxol quel plazíe e desque se confesó, con pesar de tan grant trayçión e más con dolor de la dueña que mandaran echar en la mar, començaron muy fuertement a llorar. E la santa dueña non se les quiso descobrir, e sanó al hermano del conde e fuese luego para Roma a ver el cortés del emperador, su marido. E sanando ella a los gafos que ant ella venían por cuanto el hermano del enperador, el que la primera traycíón ordió, era tornado gafo, el enperador enbió rogar a la santa dueña que veniese a él, e com̃o ella había pasado por tantos trabajos e peligros e de la agua de la mar era tornada, de tal façãón, que quando su marido la vio non la conosçió e el enperador prometiéndole grandes algos rogól quel sanase aquel hermano, e la santa dueña díxol:

—"Los algos non son a mí menester, salvo que confese de sus pecados antel Apostóligo e ante vós."

E paresçieron antel Apostóligo e el hermano del enperador confesó sus pecados e su grant trayçión e el enperador, desque lo oyó, ronpió sus paños e teníe tan grant dolor que se queríe morir, e la santa dueña, desque sanó al hermano, llorando muy fuertemente de sus ojos, dixo al enperador:

—"Enperador, ya no enpeçé a esa (?) dueña el error que vos e vuestro hermano le fecistes, mas creed e sed bien çierto que la que injuria reçibió yo so."

E el enperador seyendo maravillado, dixo que cóm̃o podía ser, e ella contógelo todo por menudo e otras cosas muchas de que le enteró e el enperador llorando e con grant contriçión pediόle perdon, e rogando afincadament que mantoviese vida con él, e la santa dueña respondiól que como de oro nin de seda nunca vestiríe e que en una celda, con paños de luto se ençerraríe e a Santa María que la librara sienpre serviríe, e pedió liçençia al Apostóligo e el Apostóligo bendiziéndola e loando a Santa María, otorgóle su voto, e la santa dueña entró en una çelda o serviendo a Santa María en ella acabó.

E por este miraglo fizo el rey Don Alfonso la cantiga suso dicha:

El que las cuitas del mundo bien sofrir quisier
a Santa María deve sienpre ante sy poner.

[16]

Esta estoria es de cómo en tierra de Françia, seyendo un cavallero enamorado de una dueña e seyendo fermoso e apuesto e franco e en grant prez de armas, que por los amores de aquella dueña nunca dexava guerra nin lid nin torneos, donde él fuese cierto que ella lo sabíe, que se non provase. E en tal manera lo ayudava Dios que sienpre levava la onrra en todas las faziendas en que entrase e por lo quel fazía los reyes, e condes e los otros grandes señores fazíanle mucha onrra e loávanle la proeza de sus armas. E el cavallero partía todo lo suyo a los que dél lo avían menester, e seyendo afincado en sus amores, cató manera por do a esta dueña podiese fablar. E desque ovo a aver fabla con ella, díxole qu'el su amor era tan grande quel avía que perdíe el seso por ella, e que, pues la asý amava, que le pedíe en merçed que lo oviese ella por suyo e para su serviçio. E la dueña, seyendo de buen seso e muger que amava servir a Dios, non quiso escuchar la razón del cavallero; e él, com̄o despreçiado della e en grant pesar porque la dueña nol fablara, con gran cuyta que tenía en su coraçón por los amores que de la dueña avía, fue a un omne bueno, abad, e contóle en confesión este dolor que avíe; e afincóle quel abad que rogase a Dios que aquella dueña que la oviese en su poder. E el santo abad, entendiendo la sandez del cavallero, pensó que estos amores que venían de parte del diablo, e pensándolos quitar, díxole que tornase a él, e que él le diríe lo que avía a fazer. E el cavallero tornó a él otro día, e el abad díxole:

—"Amigo, sy vós esta dueña cobrar querés, non ay quien vos la de synón la que es Señora de todas las dueñas que es Santa María. E vós, de cada día, dezid antel su altar fasta un año dozentas Ave Marías. E a este plazo, yo vos aseguro que cobredes la dueña e que vos sea tollido esta cuyta que avedes."

E el cavallero, tomando el consejo del abad, puñó con grant devoçión de fazer sus Ave Marías ante la imagen de Santa María. E quando ovo a ser çerca del año por dezir sus Ave Marías con grant devoçión, fuese a una hermita e antel altar de Santa María fizo su oraçión. E, en aquella ora, paresçióle la Virgen Santa María tan fermosa e tan clara quel non la podía catar.

E él, con verguença de la petiçión, puso las manos ante la faz, e la imagen díxole:

—"Tira las manos de ante la faz e para mientes que yo non tengo antifaz; de mí o de la otra dueña a que a ty mas plaz: toma qual quesieres segunt a tu semejar."

E el cavallero le dixo:

—"Señora Madre de Dios, tú eres la más fermosa cosa que estos mis ojos nunca vieron. Por ende, Señora, plegue a ty de me tomar por tu siervo ca yo a ti quiero servir e amar e dexar la otra."

E estonçe le dixo la señora de grant prez:

—"Sy tú por tu amiga me quesieres aver, reza por mí este año otra vez cuanto por la otra antaño oviste a rezar."

E pues que la Gloriosa al cavallero por suyo tomó, non quiso que se perdiese e a la su santa gloria lo llevó.

E por este miraglo que asy acaesçió, a loor de Santa María, se fizo esta cantiga que dize asy:

Quien dueña fermosa e buena quisier amar,
ame a la Gloriosa e non podrá errar.

[17]

[E]sta estoria es de cómo, en Roma, seyendo ý una dueña que muy de coraçón amava a Santa María, e seyendo viuda de un su marido, que ella mucho quería quedol del marido un fijo que amava más que a sí. E el diablo púsolos en tentaçión en guysa que ella ovo a ser enpreñada de su fijo; e seyendo en el tiempo del parir, desque fue parida, con grant pesar que dende avía por el pecado que feziera, tomó al fijo e nieto que della naçiera, por encobrir su enemiga, tomólo por las piernas e echólo en una cámara cortés que tenía en su casa, e la criatura morió luego.

E el diablo, por cuyo mandado ella esto fizo, tornóse en forma de ome sabidor, e en manera de ome adevinador paresçió ante el Enperador de aquella tierra, e contóle el error que aquella dueña feziera por quel Enperador la mandase quemar, e díxola que el ge lo faría conosçer. E el Enperador enbió por la dueña, e el diablo recontó ant' ella todo aquello, segunt al Enperador le avía dicho. E la dueña, non podiendo mejor responder, socorrióse en que pedió merçed al Enperador quel diese plazo a que aquella falsa acusaçión podiese responder; e el Enperador diole plazo de tercer día. E mandó a aquel acusador que la acusava que, en este plazo, aparejase sus pruevas que contra la dueña avía para las traer ant él sy non, quel faria morir por justiçia. E la dueña, con grant cuyta que en su coraçón llevava, fuese a una eglesia onde fazía su oraçión ante Santa María, e llorando el su pecado, pedióle en merçed que la acorriese; e estando muy atribulada en su oraçión, aparescióle vesiblement la Virgen Santa María e díxol':

—"Sey esforçada e non preçies nada la acusación, ca yo yré contigo, al plazo, ant' el Enperador a ser tu abogada."

E desque al plazo llego, la dueña, syn temor ninguno, e muy esforçada, paresció ant' el Enperador; e el diablo nol pudo fablar nin responder e la dueña [començó] a dezir:

—"Señor, falsedat es que me á levantada."

E el Enperador dixo contra el acusador:

—"Amigo, yo veo vuestra fin llegada, pues más non provades contra esta dueña onrrada."

E el diablo, veyendo que fablar non podía, ca tenía de rostro a Santa María de quien la dueña era conpañada, desfizo su figura e saltó por el techo, derribando dél una grant braçada. E el Enperador e quantos con él eran, seyendo espantados desta maravilla tamaña, enbiaron a la dueña en paz con su buena fama, maltrayendo al diablo que esta trayción levantara. E por este miraglo fue fecha esta cantiga:

Sea sienpre bendita e mucho loada,
Santa María nuestra abogada.

[18]

[E]sta estoria es cómo en la çibdat de Segovia, cabeça de Estramadura, morando una dueña que labrava sirgo en su casa, con unos gusanos que criava, que se le morieron los gusanos. E por que la dueña non avía seda dellos prometió a Santa María que sy ge los diese bivos, quel daríe una toca de seda; e asy como la promesa fizo, començaron a rebivar los gusanos e a crecer. E non moríe ninguno dellos, e la dueña avíe dende mucha seda; pero puso vagar en dar la toca a Santa María; onde le aveno que en una grant fiesta que se faze en el mes de agosto a Santa María, que veno esta dueña a orar ante su ymajen. E menbrósele de la su promesa, e llorando por la debda que devíe, que la non avíe pagado, tornó a su casa e vio a los gusanos que labravan la toca a grant porfía. E la dueña, llorando de grant alegría, llamó a las gentes que viesen aquella maravilla; e los gusanos labraron dos tocas, e la una dio la dueña a Santa María, a quien la prometiera, e la otra puso en la orden de Santo Domingo. E esta mandó el Rey don Alfonso poner en su capiella a sacávanla en las fiestas de Santa María. E a la loor deste miraglo, fizo una cantiga que diz asy:

Por nos de dubda tirar, plaze a Santa María,
de sus miraglos mostrar fermosos cada día.

[19]

[E] sta estoria es de cómo, seyendo un rico ome muy sobervio, que él e otros dos cavalleros que con el yvan, fallaron un su enemigo e corriendo en pos él, ençerráronlo en una eglesia, e él con temor dellos llegóse al altar de Santa María. E los cavalleros tan grande trayan la yra para lo matar que, non catando ninguna rreverençia al lugar onde estava, veniéronlo a golpar de muchas feridas en guisa que lo mataron. E Santa María ovo dende grant pesar, ca ante que los cavalleros dende partiesen, començaron a arder todos en fuego; e ellos començaron a rrogar a Santa María que oviese dellos piadat. E la Santa Virgen, por piadat que dellos ovo, aliviósles algo de aquel fuego en que ardían, e los cavalleros fezieron penitençia. E el obispo mandóles que las espadas con que al cavallero mataron, que las troxiesen çintas a carona de sus carnes, por su vida. E ellos partieron de su tierra e des ý erraron por tierras agenas con esta penitençia, pediendo las alimosnas; e el uno dellos llegó a una villa que es sobr' el río de Amina (?) que llaman «de Ave Frida» e aý contó al pueblo la razón por que traýe aquella espada, e falláronla que era ya cobierte de carne; e aý oyó una boz del çielo quel dixo que fuese a una eglesia de Sant Lloreynte que era ý çerca e que aý fallaría los otros que con él fueran en aquel error, e que avrían y consejo de su pecado e serían ý perdonados. E aý, en esta eglesia de Sant Lloreynt, con grant repentimiento e penitençia que ovieron, pedieron perdón a Santa María e acabaron en él su serviçio. E por este miraglo fizo el Rey don Alfonso una cantiga que diz asy:

Grant sandez fase quien se por mal filla
con la que de Dios es madre e fija.

[20]

[E]sta estoria es fecha a cantiga e loor de Santa María, ennobleçiendo e loando a las virtudes e noblezas della, e de cóme el muy noble rey don Alfonso, con devoçión de la servir, fazíe su oraçión a esta Señora; e a la Verga de Jesé onde ella venía en que está estoriado cómo Santa María ruega noche e día al su Fijo por nós; e cómo lidia por nós e vençe a los diablos, e cómo faze por nós muchos miraglos, sanando los enfermos e reçucitando los muertos; e cómo nos castiga que seamos sienpre buenos; e cómo abaxa los soberviosos e ensalça los omildosos; e cómo con quantos loores le podríamos dezir non egualariemos a dezir quantas vertudes e bienes á en esta bienaventurada Virgen. Ella sea loada e bendita por siempre jamás.

[21]

[E]sta estoria es de cómo una muger, seyendo mañera con pesar grande que avíe porque non avíe fijos, llorando de sus ojos, fizo petiçión a Santa María que le diese un fijo varón, e Santa María otorgóle el don, e desque el niño fue naçido, recreçióle fiebre de que ovo a morir.

E la madre, con grant dolor de su muerte, llevólo ante Santa María onde primeramiente lo pediera e díxole:

—"Señora, tú que de madre nombre me diste, fezísteme mucho mal en me lo toller, mas por el plazer que del tu Fijo oviste, dame este mío con que aya solaz."

E la Virgen Santa María, con grant piadat que della ovo, resucitóle al fijo, e la buena mujer fue muy alegre e con grant gozo rrendió por ello graçias a Santa María.

E por este miraglo fue ordenada esta cantiga que dize asy:

Santa María puede enfermos guarir,
quando ella quesier e muertos resurgir.

[22]

[E]sta estoria es de cómo en tierra de Armenteyra fue un labrador que avía nombre Mateos. E un cavallero, por desamor que avía de un su señor deste labrador e por le fazer pesar, estando este labrador alinpiando un poco de mijo, mandó a sus omes que lo matasen. E el labrador, con grant cuyta de su muerte, llamó a Santa María que le valiese. E quiso Santa María valelle en tal manera que, de muchas lançadas e golpes que el cavallero e sus omes le dieron, nol enpeçió ninguno.

E desque vieron este miraglo, entendieron que Santa María lo defendíe, e conosçiendo su error, pedieron perdón al labrador. E con grant devoçión que en Santa María ovieron, fueron todos a le rendir gracias, e en romería ant' el su altar a Rocomador. E el cavallero ovo después muy grant fe en Santa María.

E por esto el rey don Alfonso fizo esta cantiga a Santa María:

Muy grant poder á la Madre de Deus
de defender a anparar los seus.

[23]

En tierra de Bretaña fue una dueña muy rica e de santa vida que con sus averes fazía muchos bienes e muchas alimosnas; e acaesçió que a la fama de las bondades desta dueña e de las onrras que fazíe a los huéspedes que veníen a su posada, quel Rey de Françia, beniendo de camino por ý, que fue posar a casa desta dueña. E la dueña reçibiólo alegremente e con quanta onrra e reverençia pudo, e aguysóle todos los más e mejores manjares que ella pudo ver. E estando el Rey e sus conpañas comiendo, falleçió el vino de una cuba que esta dueña tenía, que non tenía otro vino synón el de aquella cuba. E la dueña desque vio este fallecimient e cōmo de otra parte alguna en aquel lugar non lo podría aver, tomó tan grant pesar quel queríe sallir el alma, llorando e matándose toda. E commo era dueña que era muy devota e que teníe grant fe en Santa María, veno ante su ymajen e pedióle por merçed quel quesiese acorrer en le sacar de aquella vergueña. E estando en su oraçión, llorando muy fuertement de sus ojos, veno a ella una su servienta, e díxole cōmo la cuba vazía que estaba llena de vino. E la dueña, con grant alegría, fuela a ver e falló que estava llena de muy mejor vino que de ante ý estava; e fuese luego para el Rey e fízole llevar de aquel vino. E el Rey e su compaña dixieron que nunca tan noble vino bevieran. E ella contóle luego el miraglo que Santa María feziera. E tomó el Rey muy grant plazer, e maguer de ante tenía grant fe en Santa María, púsola ý mas complidament él e todos los que con él ý fueron. E, por esto el Rey don Alfonso, a onrra de Santa María, fízole una cantiga en esta guysa:

Asy cōmo Dios fizo del agua vino ante Artecheclino,
bien asy después su Madre acreçentó el vino.

[24]

Esta estoria es cōmo en la villa de Chartes acaesçió que un clérigo tafur e ladrón, teniendo grant devoçión en Santa María, quando yva a fazer sus yerros, doquiera que fallava su figura de Santa María, sienpre le fazíe reverençia, e fincava los inojos ante ella, e le fazía su oración en que le oviese en su encomienda. E acaesçió que este clérigo, andando en sus furtos, que morió súbitamente syn confesión.

E, por esto, los clérigos non le quisieron enterrar en sagrado. E Santa María veno en visión a un preste de aquel lugar e díxole que aquel su clérigo, que era encomendado e que le avía ganado perdón del su Fijo, por que en su vida e al tiempo de su muerte se le encomendara.

E, por señal, que ally do estava enterrado teníe una flor de lirio en la boca e quel mandava que lo dixiese asy a los otros clérigos, e quel desoterrasen de aquel lugar, e lo posiesen, en procesión, en otro lugar sagrado.

Et el preste, desque aquella visión vio, fuese luego a aquel lugar onde aquel clérigo estava enterrado, e fallóle en la boca aquel lirio que Santa María dixiera; et luego fizo ayuntar los clérigos de aquella villa de Chartes e mandaron tañer las campanas, e con grant proçesión tomaron al clérigo con su lirio en la boca, dando loor a Santa María, enterráronlo en sagrado.

Et, por esto, el Rey don Alfonso fizo una cantiga a Santa María que dize asy:

Ay! Madre de Dios, non puede errar quien en ty á fiança.

[25]

Esta estoria es de cómo en tierra de Besança acaesció que un omne, seyendo muy rico, que ovo a perder toda su riqueza e non fallava quien le acorriese nin prestase ninguna cosa de lo suyo; e estando en grant tribulaçión, veno a provar a un judío, su amigo quel prestase alguna cosa para en que se trabajase de mercadoría. E el judío díxole que syn fiador o buena prenda quel non prestaría. E el Christiano díxol que prenda non tenie, mas que le daría por fiador Aquella en quien todo el mundo fiava, que era Santa María e aún más a su Fijo Jesu-Christo. E el judío dixo:

—"Yo non creo en ellos, mas tú, pues eres christiano, otórgamelos por fiadores, ca yo sé que ella fue santa mujer e él su Fijo profeta e de santa vida, e yo darte he quanto menester ovieres."

E luego fueron amos de consuno a la eglesia. E el christiano tomó las ymágenes por las manos e dixo que las metía por fiança del aver que aquel judío le diese, para ge lo pagar al plazo que con él posiese, e díxole:

—"Señora Santa María, e vós mío Salvador Jesu-Christo, su Fijo, pídovos en merced que sy el plazo se llegar e estodiere tan lueñe porque la paga non pueda fazer que yo enbiándolo lo guyedes a poder deste judío, por que lo él cobre, e yo salga de la debda e vós de la fiança."

E el judío contentóse con estas razones quel christiano dixo, e dio al christiano el aver que ovo menester. E enpreólo en sus mercadorías, e cargólas por la mar en que ganó muchos dineros. E desque llegó el plazo, tomó el aver quel judío le prestó, e púsolo en una arca e echólo en la mar, en fiança de

Dios e de Santa María que la guyarían a casa del judío. E Dios, que ordena las cosas como es su merçed, rebolvió los vientos e las aguas de la mar en tal manera que aquella arca veno aportar el día del plazo a aquella villa de Besança onde el judío estava, e otro judío que era serviente de aquel judío cuyo era el algo, estando ribera de la mar quisiera tomar aquel arca e non pudo. E fuese a casa de sú amo e contóle cómo viera aquel arca ally al puerto. E fuéronse amos para allá e tomaron el arca, e el judío, señor del aver, abrió el arca e sacó todo el aver della e púsolo todo en su arca so su lecho.

ÍNDICE DE LÁMINAS

ESTE LIBRO
SE TERMINÓ DE IMPRIMIR
EL DÍA 2 DE SEPTIEMBRE DE 1986

clásicos castalia

31 / **Tirso de Molina**
EL VERGONZOSO EN PALACIO
Edición, introducción y notas de Francisco Ayala.

32 / **Antonio Machado**
NUEVAS CANCIONES y DE UN CANCIONERO APÓCRIFO
Edición, introducción y notas de José M.ª Valverde.

33 / **Agustín Moreto**
EL DESDÉN, CON EL DESDÉN
Edición, introducción y notas de Francisco Rico.

34 / **Benito Pérez Galdós**
LO PROHIBIDO
Edición, introducción y notas de José F. Montesinos.

35 / **Antonio Bueno Vallejo**
EL CONCIERTO DE SAN OVIDIO y EL TRAGALUZ
Edición, introducción y notas de Ricardo Doménech.

36 / **Ramón Pérez de Ayala**
TINIEBLAS EN LAS CUMBRES
Edición, introducción y notas de Andrés Amorós.

37 / **Juan Eugenio Hartzenbusch.**
LOS AMANTES DE TERUEL
Edición, introducción y notas de Salvador García.

38 / **Francisco de Rojas Zorrilla**
DEL REY ABAJO, NINGUNO o EL LABRADOR MÁS HONRADO, GARCÍA DEL CASTAÑAR
Edición, introducción y notas de Jean Testas.

39 / **Diego de San Pedro**
OBRAS COMPLETAS, II CÁRCEL DE AMOR
Edición, introducción y notas de Keith Whinnom.

40 / **Juan de Arguijo**
OBRA POÉTICA
Edición, introducción y notas de Stanko B. Vranich.

41 / **Alonso Fernández de Avellaneda**
EL INGENIOSO HIDALGO DON QUIJOTE DE LA MANCHA, que contiene su tercera salida y es la quinta parte de sus aventuras
Edición, introducción y notas de Fernando G. Salinero.

42 / **Antonio Machado**
JUAN DE MAIRENA (1936)
Edición, introducción y notas de José M.ª Valverde.

43 / **Vicente Aleixandre**
ESPADAS COMO LABIOS y LA DESTRUCCIÓN O EL AMOR
Edición, introducción y notas de José Luis Cano.

44 / **Agustín de Rojas**
VIAJE ENTRETENIDO
Edición, introducción y notas de Jean Pierre Ressot.

45 / **Vicente Espinel**
VIDA DEL ESCUDERO MARCOS DE OBREGÓN. Tomo I.
Edición, introducción y notas de M.ª S. Carrasco Urgoiti.

46 / **Vicente Espinel**
VIDA DEL ESCUDERO MARCOS DE OBREGÓN. Tomo II.
Edición, introducción y notas de M.ª S. Carrasco Urgoiti.

47 / Diego de Torres Villarroel
VIDA, ascendencia, nacimiento, crianza y aventuras
Edición, introducción y notas de Guy Mercadier.

48 / Rafael Alberti
MARINERO EN TIERRA. LA AMANTE. EL ALBA DEL ALHELÍ
Edición, introducción y notas de Robert Marrast

49 / Gonzalo de Berceo
VIDA DE SANTO DOMINGO DE SILOS
Edición, introducción y notas de Teresa Labarta de Chaves.

50 / Francisco de Quevedo
SUEÑOS Y DISCURSOS
Edición, introducción y notas de Felipe C. R. Maldonado.

51 / Bartolomé de Torres Naharro
COMEDIAS. Soldadesca, Tinelaria, Himenea
Edición, introducción y notas de D. W. McPheeters.

52 / Ramón Pérez de Ayala
TROTERAS Y DANZADERAS
Edición, introducción y notas de Andrés Amorós.

53 / Azorín
DOÑA INÉS
Edición, introducción y notas de Elena Catena.

54 / Diego de San Pedro
OBRAS COMPLETAS, I. Tractado de Amores de Arnalte y Lucenda. Sermón
Edición, introducción y notas de Keith Whinnom.

55 / Lope de Vega
EL PEREGRINO EN SU PATRIA
Edición, introducción y notas de Juan Bautista Avalle-Arce.

56 / Manuel Altolaguirre
LAS ISLAS INVITADAS
Edición, introducción y notas de Margarita Smerdou Altolaguirre.

57 / Miguel de Cervantes
POESÍAS COMPLETAS, I. Viaje del Parnaso y Adjunta al Parnaso
Edición, introducción y notas de Vicente Gaos.

58 /
LA VIDA DE LAZARILLO DE TORMES Y DE SUS FORTUNAS Y ADVERSIDADES
Edición, introducción y notas de Alberto Blecua.

59 / Azorín
LOS PUEBLOS. LA ANDALUCÍA TRÁGICA, Y OTROS ARTÍCULOS (1904-1905)
Edición, introducción y notas de José M.ª Valverde.

60 / Francisco de Quevedo
POEMAS ESCOGIDOS
Edición, introducción y notas de José Manuel Blecua.

61 / Alfonso Sastre
ESCUADRA HACIA LA MUERTE. LA MORDAZA
Edición, introducción y notas de Farris Anderson.

62 / Juan del Encina
POESÍA LÍRICA Y CANCIONERO MUSICAL
Edición, introducción y notas de R. O. Jones y Carolyn R. Lee.

63 / **Lope de Vega**
ARCADIA
Edición, introducción y notas de Edwin S. Morby.

64 / **Marqués de Santillana**
POESÍAS COMPLETAS, I. Serranillas, cantares y decires. Sonetos fechos al itálico modo
Edición, introducción y notas de Manuel Durán.

65 /
POESÍA DEL SIGLO XVIII
Selección, edición, introducción y notas de John H. R. Polt.

66 / **Rodríguez del Padrón**
SIERVO LIBRE DE AMOR
Edición, introducción y notas de Antonio Prieto.

67 / **Francisco de Quevedo**
LA HORA DE TODOS y LA FORTUNA CON SESO
Edición, introducción y notas de Luisa López Grigera.

68 / **Lope de Vega**
SERVIR A SEÑOR DISCRETO
Edición, introducción y notas de Frida W. de Kurlat.

69 / **Leopoldo Alas, Clarín**
TERESA. AVECILLA. EL HOMBRE DE LOS ESTRENOS
Edición, introducción y notas de Leonardo Romero.

70 / **Mariano José de Larra**
ARTÍCULOS VARIOS
Edición, introducción y notas de Evaristo Correa Calderón.

71 / **Vicente Aleixandre**
SOMBRA DEL PARAÍSO
Edición, introducción y notas de Leopoldo de Luis.

72 / **Lucas Fernández**
FARSAS Y ÉGLOGAS
Edición, introducción y notas de María Josefa Canellada.

73 / **Dionisio Ridruejo**
PRIMER LIBRO DE AMOR. POESÍA EN ARMAS. SONETOS
Edición, introducción y notas de Dionisio Ridruejo.

74 / **Gustavo Adolfo Bécquer**
RIMAS
Edición, introducción y notas de José Carlos de Torres.

75 /
POEMA DE MIO ÇID
Edición, introducción y notas de Ian Michael.

76 / **Guillén de Castro**
LOS MAL CASADOS DE VALENCIA
Edición, introducción y notas de Luciano García Lorenzo.

77 / **Miguel de Cervantes**
DON QUIJOTE DE LA MANCHA. Parte I (1605)
Edición, introducción y notas de Luis Andrés Murillo.

78 / **Miguel de Cervantes**
DON QUIJOTE DE LA MANCHA. Parte II (1615)
Edición, introducción y notas de Luis Andrés Murillo.

79 / **Luis Andrés Murillo**
BIBLIOGRAFÍA FUNDAMENTAL SOBRE «DON QUIJOTE DE LA MANCHA», DE MIGUEL DE CERVANTES

80 / Miguel Mihura
TRES SOMBREROS DE COPA. MARIBEL Y LA EXTRAÑA FAMILIA
Edición, introducción y notas de Miguel Mihura.

81 / José de Espronceda
EL ESTUDIANTE DE SALAMANCA. EL DIABLO MUNDO
Edición, introducción y notas de Robert Marrast.

82 / P. Calderón de la Barca
EL ALCALDE DE ZALAMEA
Edición, introducción y notas de José María Díez Borque.

83 / Tomás de Iriarte
EL SEÑORITO MIMADO. LA SEÑORITA MALCRIADA
Edición, introducción y notas de Russell P. Sebold.

84 / Tirso de Molina
EL BANDOLERO
Edición, introducción y notas de André Nougué.

85 / José Zorrilla
EL ZAPATERO Y EL REY
Edición, introducción y notas de Jean Louis Picoche.

86 / VIDA Y HECHOS DE ESTEBANILLO GONZALEZ. Tomo I
Edición, introducción y notas de N. Spadaccini y Anthony N. Zahareas.

87 / VIDA Y HECHOS DE ESTEBANILLO GONZALEZ. Tomo II
Edición, introducción y notas de N. Spadaccini y Anthony N. Zahareas.

88 / Fernán Caballero
LA FAMILIA DE ALVAREDA
Edición, introducción y notas de Julio Rodríguez Luis.

89 / Emilio Prados
LA PIEDRA ESCRITA
Edición, introducción y notas de José Sanchis-Banús.

90 / Rosalía de Castro
EN LAS ORILLAS DEL SAR
Edición, introducción y notas de Marina Mayoral Díaz.

91 / Alonso de Ercilla
LA ARAUCANA. Tomo I
Edición, introducción y notas de Marcos A. Morínigo e Isaías Lerner.

92 / Alonso de Ercilla
LA ARAUCANA. Tomo II
Edición, introducción y notas de Marcos A. Morínigo e Isaías Lerner.

93 / José María de Pereda
LA PUCHERA
Edición, introducción y notas de Laureano Bonet.

94 / Marqués de Santillana
POESÍAS COMPLETAS. Tomo II
Edición, introducción y notas de Manuel Durán.

95 / Fernán Caballero
LA GAVIOTA
Edición, introducción y notas de Carmen Bravo-Villasante.

96 / Gonzalo de Berceo
SIGNOS QUE APARECERAN ANTES DEL JUICIO FINAL. DUELO DE LA VIRGEN. MARTIRIO DE SAN LORENZO
Edición, introducción y notas de Arturo Ramoneda.

115 / EL LIBRO DEL CABALLERO ZIFAR
Edición, introducción y notas de Joaquín González Muela.

116 / P. Calderón de la Barca
ENTREMESES, JÁCARAS Y MOJIGANGAS
Edición, introducción y notas de E. Rodríguez y A. Tordera.

117 / Sor Juana Inés de la Cruz
INUNDACIÓN CASTÁLIDA
Edición, introducción y notas de Georgina Sabat de Rivers.

118 / José Cadalso
SOLAYA O LOS CIRCASIANOS
Edición, introducción y notas de F. Aguilar Piñal.

119 / P. Calderón de la Barca
LA CISMA DE INGLATERRA
Edición, introducción y notas de F. Ruiz Ramón.

120 / Miguel de Cervantes
NOVELAS EJEMPLARES, I
Edición, introducción y notas de J. B. Avalle-Arce.

121 / Miguel de Cervantes
NOVELAS EJEMPLARES, II
Edición, introducción y notas de J. B. Avalle-Arce.

122 / Miguel de Cervantes
NOVELAS EJEMPLARES, III
Edición, introducción y notas de J. B. Avalle-Arce.

123 / POESÍA DE LA EDAD DE ORO I. RENACIMIENTO
Edición, introducción y notas de José Manuel Blecua.

124 / Ramón de la Cruz
SAINETES, I
Edición, introducción y notas de John Dowling.

125 / Luis Cernuda
LA REALIDAD Y EL DESEO
Edición, introducción y notas de Miguel J. Flys.

126 / Joan Maragall
OBRA POÉTICA
Edición, introducción y notas de Antoni Comas.
Edición bilingüe, traducción al castellano de J. Vidal Jové.

127 / Joan Maragall
OBRA POÉTICA
Edición, introducción y notas de Antoni Comas.
Edición bilingüe, traducción al castellano de J. Vidal Jové.

128 / Tirso de Molina
LA HUERTA DE JUAN FERNÁNDEZ
Edición, introducción y notas de Berta Pallares.

129 / Antonio de Torquemada
JARDÍN DE FLORES CURIOSAS
Edición, introducción y notas de Giovanni Allegra.

130 / Juan de Zabaleta
EL DÍA DE FIESTA POR LA MAÑANA Y POR LA TARDE
Edición, introducción y notas de Cristóbal Cuevas.

131 / Lope de Vega
LA GATOMAQUIA
Edición, introducción y notas de Celina Sabor de Cortazar.

132 / **Rubén Darío**
PROSAS PROFANAS
Edición, introducción y notas de Ignacio de Zuleta.

133 / **LIBRO DE CALILA E DIMNA**
Edición, introducción y notas de María Jesús Lacarra y José Manuel Cacho Blecua.

134 / **Alfonso X**
LAS CANTIGAS
Edición, introducción y notas de W. Mettman.

135 / **Tirso de Molina**
LA VILLANA DE LA SAGRA
Edición, introducción y notas de Berta Pallares.

136 / **POESíA DE LA EDAD DE ORO, II: BARROCO**
Edición, introducción y notas de José Manuel Blecua.

137 / **Luis de Góngora**
LAS FIRMEZAS DE ISABELA
Edición, introducción y notas de Robert Jammes.

138 / **Gustavo Adolfo Bécquer**
DESDE MI CELDA
Edición, introducción y notas de Darío Villanueva.

139 / **Castillo Solórzano**
LAS HARPíAS DE MADRID
Edición, introducción y notas de Pablo Jauralde.

140 / **Camilo José Cela**
LA COLMENA
Edición, introducción y notas de Raquel Asún.

141 / **Juan Valera**
JUANITA LA LARGA
Edición, introducción y notas de Enrique Rubio.

142 / **Miguel de Unamuno**
ABEL SáNCHEZ
Edición, introducción y notas de José Luis Abellán.

143 / **Lope de Vega**
CARTAS
Edición, introducción y notas de Nicolás Marín

144 / **Fray Toribio de Motolinía**
HISTORIA DE LOS INDIOS DE LA NUEVA ESPAÑA
Edición, introducción y notas de Georges Baudot

145 / **Gerardo Diego**
áNGELES DE COMPOSTELA. ALONDRA DE VERDAD
Edición, introducción y notas de Francisco Javier Díez de Revenga

146 / **Duque de Rivas**
DON áLVARO O LA FUERZA DEL SINO
Edición, introducción y notas de Donald L. Shaw

147 / **Benito Jerónimo Feijoo**
TEATRO CRíTICO UNIVERSAL
Edición, introducción y notas de Giovanni Stiffoni